CALENDRIER

Ma 1er	1re semaine de l'Avent	
Me 2	1re semaine de l'Avent	
Je 3	1re semaine de l'Avent	S' François Xavier, m.
Ve 4	1re semaine de l'Avent	S' Jean de Damas, m. f.
Sa 5	1re semaine de l'Avent	
Di 6	② 2e de l'Avent	
Lu 7	2e semaine de l'Avent	S' Ambroise, m.
Ma 8	Immaculée Conception	Solennité
Me 9	2e semaine de l'Avent	
Je 10	2e semaine de l'Avent	
Ve 11	2e semaine de l'Avent	S' Damase Ier, m. f.
Sa 12	2e semaine de l'Avent	Ste J.-F. de Chantal, m. f.
Di 13	③ 3e de l'Avent	
Lu 14	3e semaine de l'Avent	S' Jean de la Croix, m.
Ma 15	3e semaine de l'Avent	
Me 16	3e semaine de l'Avent	
Je 17	3e semaine de l'Avent	
Ve 18	3e semaine de l'Avent	
Sa 19	3e semaine de l'Avent	
Di 20	④ 4e de l'Avent	
Lu 21	4e semaine de l'Avent	S' Pierre Canisius, m. f.
Ma 22	4e semaine de l'Avent	
Me 23	4e semaine de l'Avent	S' Jean de Kenty, m. f.
Je 24	4e semaine de l'Avent	
Ve 25	Nativité du Seigneur	Solennité
Sa 26	Saint Étienne	Fête
Di 27	① La Sainte Famille	Fête
Lu 28	Saints Innocents	Fête
Ma 29	Octave de Noël	S' Thomas Becket, m. f.
Me 30	Octave de Noël	
Je 31	Octave de Noël	S' Sylvestre Ier, m. f.

(m. : mémoire ; m. f. : mémoire facultative.)

Magnificat

Décembre 1998

N°73

Bernadette Mélois

rédactrice en chef

L'ANNÉE COMMENCE POUR LES CHRÉTIENS par le temps de l'Avent. Temps nocturne de l'attente dans la fidélité ; temps qui accueille l'avenir qui vient à la rencontre du présent ; temps qui s'ouvre au Tout-Autre et l'annonce. Le désir se creuse et s'affine, la soif de Dieu se fait plus pressante. Nous rejoignons la longue patience des hommes de l'Ancien Testament et l'accueil fait par les Prophètes et par Marie à la parole de Dieu. Cette attente est la nôtre car attendre est l'attitude propre du chrétien. Ici attendre veut dire vouloir, veut dire désirer efficacement « que ton nom soit sanctifié, que ton règne vienne ». Comment attendre ?

Chaque jour de cet Avent nous permet de communier à l'espérance du monde et nous donne de voir des signes privilégiés de l'avènement du Royaume, la recherche de la paix, la justice et la fidélité, l'attention aux plus petits. Voilà un temps qui ne se limite pas à évoquer le passé ; la venue du Christ dans le monde, ni l'avenir ; sa venue définitive en gloire. Il vient aujourd'hui, il vient dans le cœur de l'homme. « Ce que vous avez fait au plus petit, c'est à moi… » Il vient dans les événements : joie, épreuves, imprévu… Il vient quand la liturgie nous rassemble dans la foi ; il vient dans sa parole : quand je l'écoute avec foi, c'est lui qui me parle ; il vient dans les sacrements, et surtout dans l'eucharistie, sommet de sa présence. Il nous faut toujours être en « Avent », alors ce temps sera celui du désir, et Noël, celui de sa réalisation. Oui, c'est lui, le Christ, « qui nous donne la joie d'entrer déjà dans le mystère de Noël, pour qu'il nous trouve, quand il viendra, vigilants dans la prière et remplis d'allégresse » (2ᵉ préface de l'Avent).

La prière eucharistique
pour des circonstances particulières____

Sur les chemins de cette vie

Lorsque les diocèses de Suisse tinrent leurs premiers synodes postconciliaires, la Conférence épiscopale helvétique sollicita de Rome l'approbation d'une prière eucharistique particulière. Celle-ci lui fut accordée en 1974. Rédigée en allemand, en français et en italien, elle obtint en peu d'années un tel succès de par le monde qu'en 1991 la congrégation du Culte divin en fit établir un texte latin en vue de son insertion dans le *Missel romain*.

Le rappel de l'occasion qui suscita la composition de cette prière eucharistique est important, car elle donne la clef de son interprétation. Le mot synode (*sun-odos*) veut dire route en commun. Or ce thème se découvre tout au long de la prière : « Tu es toujours avec nous sur les chemins de cette vie », « Tu accompagnes ton Église dans sa marche et tu la conduis sur les routes de ce temps », sous la conduite du Christ : il est « le chemin qui mène vers toi », notre Père.

La partie centrale de la prière est unique, mais elle est précédée de quatre préfaces au choix et suivie de quatre prières d'intercession correspondantes.

La partie centrale

La relation du repas du Seigneur, le mémorial-offrande et les deux épiclèses ne se distinguent du texte des autres prières eucharistiques que par la recherche d'un langage plus actuel et la référence à la rencontre du Christ ressuscité avec les deux disciples d'Emmaüs, où nous nous identifions à eux : « Il nous ouvre les Écritures et nous partage le pain. »

Les quatre préfaces

Les deux premières préfaces évoquent le mystère de l'Église, les deux autres attirent nos regards vers le Christ.

Voici d'abord une Église rayonnant de dynamisme dans le temps et dans l'espace sous le souffle unifiant de l'Esprit. En rassemblant des hommes et des femmes de tout pays et de toute culture, elle fait « grandir jour après jour l'unité du genre humain » (1). Ainsi se manifeste la continuité de l'histoire du salut. Le Seigneur qui a guidé Israël à travers le désert « accompagne pareillement son Église dans sa marche au milieu du monde, en la soutenant de son Esprit » (2).

C'est Jésus, le Verbe fait chair, qui conduit son Église, après l'avoir rachetée par le sang de sa croix et marquée du sceau de son Esprit. Il est « le chemin, la vérité, la vie », le rassembleur « en une seule famille des hommes si divers » dans leurs origines et leurs modes de vie (3). Il accomplit cette œuvre en manifestant son amour « pour les petits et les pauvres », en se faisant « le prochain des opprimés et des affligés » (4).

Les intercessions

Les intercessions font écho à l'enseignement de Vatican II sur l'Église dans le monde de ce temps. Elles demandent que celle-ci soit « un lieu de vérité et de liberté, de justice et de paix » (4), qu'elle brille « comme un signe prophétique » (2), s'essayant à « lire les signes des temps à la lumière de la foi » (3). Parfois la prière se réfère explicitement à la constitution *Gaudium et spes* : « Rends-nous attentifs aux besoins de tous, afin que partageant leurs tristesses et leurs angoisses, leurs espérances et leurs joies, nous leur annoncions fidèlement la Bonne Nouvelle du salut » (3).

Tant dans l'action de grâce que dans l'intercession, la prière eucharistique pour des circonstances particulières a su trouver un langage qui répondait à une attente. C'est bien ainsi que les chrétiens rêvent aujourd'hui de la mission de leur Église, ainsi qu'ils aiment contempler leur Seigneur. Ce sont les appels qu'ils éprouvent, le besoin de faire monter vers lui.

Les prières pour la réconciliation

À cette prière eucharistique, il convient d'ajouter deux autres prières qui ont connu une diffusion de même type. Le pape Paul VI ayant publié lors de l'année sainte 1975 une messe pour la réconciliation, les épiscopats allemand et français proposèrent chacun de l'enrichir d'une prière eucharistique propre. Les deux textes furent approuvés. Traduits en différentes langues, ils ont connu une large diffusion. Le texte français, résolument novateur dans son style, vibre d'un souffle indéniable. Le texte allemand insiste sur la réconciliation entre les peuples : « Ton Esprit travaille au cœur des hommes et les ennemis enfin se parlent. » L'une et l'autre s'achèvent sur la vision d'un monde où nous pourrons célébrer « la paix définitivement acquise » (2) et « chanter l'action de grâce du Christ à jamais vivant (1) ».

Père Pierre Jounel

Petite chronique biblique

———— Marie-Noëlle Thabut ————

> Dieu fait tout concourir au bien de ceux qu'il aime,
> *dit saint Paul : c'est la seule vengeance que Dieu pra-*
> *tique ; les textes de ce mois nous en donnent quelques*
> *exemples : l'arbre de Jessé reverdira, un descendant naî-*
> *tra malgré l'infidélité du roi Acaz ; et l'Égypte, terre*
> *d'esclavage, deviendra terre d'accueil pour le Messie.*

L'arbre de Jessé

2e dimanche de l'Avent, année A
Isaïe **11**

On ne sait pas grand-chose de Jessé : il a vécu vers l'an 1000 avant J.C. et il habitait Bethléem, un petit village sans importance. C'est tout ce qu'on peut dire de « Jessé le Bethléemite ».

Une autre chose qu'on sait : Jessé avait huit fils. Et, parmi les huit, Dieu a envoyé son prophète Samuel choisir un roi : curieusement, sur les conseils de Dieu, Samuel n'a choisi ni le plus âgé, ni le plus grand, ni le plus fort… mais le plus jeune, celui qui était berger, dans les champs, avec les bêtes. Et c'est ce petit David qui est devenu le plus grand roi d'Israël. C'est là que Jessé est devenu célèbre : il est le père du roi David ; il est l'ancêtre d'une longue lignée ; cette lignée, on la représente souvent comme un arbre, un arbre promis à un grand avenir, si on en croit le prophète. Car Samuel avait été jusqu'à dire à David : Dieu te promet que tes descendants régneront pour toujours et que le peuple connaîtra enfin l'unité parfaite et la paix.

Pour être franc, les fruits de cet arbre ont été plutôt décevants : alors Isaïe affirme qu'*un rameau sortira de la souche de Jessé,* [...] *un rejeton jaillira de ses racines* ; ce qui veut dire : Pour l'instant vous avez l'impression que l'arbre généalogique de David ne produit rien de bon ! Mais, même d'un arbre mort, d'une souche, vous savez bien, on peut voir resurgir un rejeton inattendu.

Ailleurs, la Bible se plaît à faire remarquer un fait d'importance : Jessé n'est pas un Israélite pur sang. Il est le petit-fils d'une étrangère, Ruth, une Moabite : peuple païen, voisin et bien souvent ennemi. Si Jessé lui doit la vie, David également, et Jésus tout autant : dès sa conception, Jésus rassemblait donc en lui les frères ennemis.

La vengeance de Dieu
3e dimanche de l'Avent
Isaïe **35**

L'expression « vengeance de Dieu » se trouve dans la Bible de nombreuses fois, inutile de le nier ; mais, comme pour bien d'autres mots, son sens a radicalement changé ; on peut dire qu'il a été converti, au sens de retourné. C'est effectivement d'une conversion qu'il s'agit, celle de nos idées sur Dieu.

Quand nous imaginons Dieu, nous le faisons inévitablement à notre image : nous ne savons pas inventer d'autre modèle. Pour que nous puissions le connaître tel qu'il est vraiment, il a fallu qu'il se révèle lui-même, patiemment, lentement ; et peu à peu les mots que nous employons pour parler de lui ont changé de sens. Primitivement, on imaginait un Dieu qui se venge comme le font trop facilement les hommes ; l'honneur revient au peuple d'Israël d'avoir reçu le premier la révélation inattendue : non, Dieu ne se venge pas, Dieu nous venge de toutes nos humiliations, il nous relève, il nous rend notre dignité.

L'instinct de vengeance est sûrement vieux comme le monde : quand nous avons été blessés, humiliés, nous cherchons à retrouver notre dignité, ce qui n'est pas un mal en soi ; alors nous cherchons à rendre la pareille à celui qui nous a humiliés, croyant que le fait de le rabaisser nous relève nous-même ; erreur : la vengeance n'est pas le bon moyen, elle aboutit finalement au résultat inverse ; en rabaissant l'autre, nous suscitons chez lui un désir analogue de vengeance et on entre dans le cercle vicieux de la violence.

Dieu, lui, s'y prend tout autrement, car il sait que, pour l'offensé, le pardon est la seule manière de retrouver sa dignité. Il nous y invite, il nous en donne l'exemple : sur la croix, son fils n'a qu'un mot à la bouche, celui de pardon.

Le roi Acaz

4ᵉ dimanche de l'Avent
Isaïe **7**

Le roi Acaz est un descendant de David : il a régné vingt ans sur le royaume du Sud, de 736 à 716 avant J.C. Il n'a pas bonne réputation dans la Bible, qui résume ainsi son règne : *Acaz incitait Juda au relâchement et propageait l'impiété contre le Seigneur* (2 Ch **28**, 19). Sa mauvaise conduite lui valut les remontrances d'Isaïe : *Écoutez, maison de David ! Il ne vous suffit donc pas de fatiguer les hommes, il faut encore que vous fatiguiez mon Dieu !* (Is **7**, 13)

À sa décharge, il faut dire que le roi d'un tout petit royaume menacé de tous côtés ne sait parfois plus à quel saint se vouer (traduisez à quel autre roi ou dieu s'allier) pour survivre. Et c'est bien cela qu'Isaïe lui reproche : quand on a l'honneur d'appartenir à la dynastie de David, c'est-à-dire d'être responsable de l'Alliance entre le Dieu vivant et son peuple élu, on n'a pas le droit de rechercher d'autres alliances et d'autres sécurités. On doit résolument s'appuyer sur Dieu seul pour affronter toutes les situations.

Acaz en est loin : il livre les trésors du temple de Jérusalem au roi d'Assyrie, Téglat-Phalazar, et imite les pratiques idolâtres des autres peuples.

Mais Dieu est décidément plus grand que notre cœur ; c'est à ce roi indigne qu'a été adressée l'une des plus belles promesses de la Bible ; à lui qui a été jusqu'à offrir son fils aîné en sacrifice à un autre dieu (2 R **16**, 3), Isaïe annonce une nouvelle naissance : *Voici que la jeune femme est enceinte, elle enfantera un fils, et on l'appellera Emmanuel* (Is **7**, 14).

L'Égypte

Fête de la Sainte Famille
Matthieu **2**

Dans la Bible, la première mention de l'Égypte est plutôt flatteuse : elle est une terre d'accueil pour Abraham et son clan menacé par la famine. Même immigration et pour les mêmes motifs pour les fils de Jacob. Mais les deux fois, cela se termine mal : Abraham est chassé parce que sa femme est trop belle ; les descendants de Jacob, devenus trop nombreux, inquiètent le pouvoir en place : ils sont persécutés et réduits à l'esclavage.

Alors apparaît Moïse : il vit en sa personne l'affrontement des deux peuples ; fils d'Israël, il est également par adoption fils de Pharaon. Devant les mauvais traitements infligés à ses frères de race, il choisit de prendre leur défense et le voilà paria. Alors le combat se déplace car Dieu lui-même s'en mêle. « Fais sortir d'Égypte les fils d'Israël », ordonne-t-il à Moïse. Et le refus de Pharaon de libérer les fils d'Israël devient une déclaration de guerre au Dieu vivant. Désormais, dans la Bible, l'Égypte représente les ennemis de Dieu et de la liberté.

Pourtant, quelque deux cents ans plus tard, Salomon, fin politique, recherche l'alliance avec l'Égypte en épousant une princesse égyptienne, car ce pays ne cesse d'être à la fois envié et redoutable.

Ainsi, au cours des siècles, les relations entre Israël et son puissant voisin connaissent-elles des épisodes contrastés : le roi Josias, par exemple, a été tué dans un combat contre le pharaon Néko ; et c'est pourtant en Égypte que l'entourage de Jérémie cherche refuge au temps de l'exil à Babylone. Et c'est encore l'Égypte qui accueille la Sainte Famille poursuivie par la fureur d'Hérode.

• Bible et liturgie •

> *L'un des chants les plus populaires de Noël est le Gloire à Dieu, qui, dans sa première formulation, n'était autre que le chant des anges rapporté par saint Luc.*

Le chant du Gloire à Dieu est connu dans l'Église depuis au moins le IVe siècle puisque saint Athanase le cite en 373 et les *Constitutions apostoliques* en 380.

Mais il ne faisait pas pour autant partie de la messe, puisque, lorsqu'on lit les premiers récits des liturgies eucharistiques primitives, le Gloire à Dieu n'est jamais cité ; il était un cantique religieux parmi d'autres, qui faisait partie de la prière du matin.

Il ne s'est introduit de façon habituelle dans la messe que vers le VIe siècle et seulement pour la nuit de Noël, puis l'usage s'en est progressivement généralisé.

D'abord réservé au pape et aux évêques, il a été autorisé ultérieurement pour les simples prêtres ; quant à son usage, d'abord réservé à la nuit de Noël, il s'est étendu aux dimanches et aux fêtes des martyrs, à condition qu'il fût entonné par l'évêque lorsque la célébration était présidée par lui.

Mais, de tout temps, c'est l'assemblée tout entière qui reprenait le chant des anges annonçant au monde l'incarnation du Fils de Dieu.

M.-N. T.

5.

Alma * Redemptóris Máter, quae pérvi-a caéli pórta mánes, Et stélla má-ris, succúrre cadénti, súrge-re qui cúrat pópu-lo : Tu quæ genu- ís-ti, natúra mi-rán-te, tú-um sánctum Geni-tó-rem : Vírgo pri-us ac posté-ri-us, Gabri-é-lis ab óre súmens íllud Ave, peccató-rum mí-se-ré-re.

*S*ainte Mère de notre Rédempteur
   Porte du ciel, toujours ouverte,
   Étoile de la mer,
Viens au secours du peuple qui tombe
   et qui cherche à se relever.
Tu as enfanté, ô merveille !
   celui qui t'a créée,
   et tu demeures toujours vierge.
Accueille le salut de l'ange Gabriel
   et prends pitié de nous, pécheurs.

MARDI 1ᵉʳ DÉCEMBRE
Temps de l'Avent

Prière du matin

Allons au-devant de celui qui vient !

Gloire au Père, et au Fils, et au Saint-Esprit,
au Dieu qui est, qui était, et qui vient,
pour les siècles des siècles. Amen. Alléluia.

RORATE

(I) R -orá-te cæ-li dé-su-per, et nubes plu-

ant iustum.

℟

Ciel, répands ta rosée,   Isaïe 45, 8
nuée, fais pleuvoir le juste !

1

Ne t'irrite pas, Seigneur,   Isaïe 64, 8-10
     jusqu'à l'excès,
Ne te rappelle pas la perversité :
la cité du Saint des saints est délaissée :
Sion est un désert.

Jérusalem une désolation,
Notre maison sainte et splendide
où nos pères chantaient les louanges.

2

Nous avons péché :   Isaïe 64, 5-6
nous sommes devenus comme l'impur.
Nous nous sommes fanés comme la feuille :
et nos perversités comme le vent nous emportent :
tu nous as caché ton visage
tu nous as laissés au pouvoir de nos péchés.

PSAUME 32   Hymne à Dieu

Criez de joie pour le Seigneur, hommes justes !
Hommes droits, à vous la louange !

Rendez grâce au Seigneur sur la cithare,
jouez pour lui sur la harpe à dix cordes.
Chantez-lui le cantique nouveau,
de tout votre art soutenez l'ovation.

Oui, elle est droite, la parole du Seigneur ;
il est fidèle en tout ce qu'il fait.
Il aime le bon droit et la justice ;
la terre est remplie de son amour.

Le Seigneur a fait les cieux par sa parole,
l'univers, par le souffle de sa bouche.
Il amasse, il retient l'eau des mers ;
les océans, il les garde en réserve.

Que la crainte du Seigneur saisisse la terre,
que tremblent devant lui les habitants du monde !
Il parla, et ce qu'il dit exista ;
il commanda, et ce qu'il dit survint.

Le Seigneur a déjoué les plans des nations,
anéanti les projets des peuples.
Le plan du Seigneur demeure pour toujours,
les projets de son cœur subsistent d'âge en âge.

Heureux le peuple dont le Seigneur est le Dieu,
heureuse la nation qu'il s'est choisie pour domaine !
Du haut des cieux, le Seigneur regarde :
il voit la race des hommes.

Du lieu qu'il habite, il observe
tous les habitants de la terre,
lui qui forme le cœur de chacun,
qui pénètre toutes leurs actions.

Le salut d'un roi n'est pas dans son armée,
ni la victoire d'un guerrier, dans sa force.
Illusion que des chevaux pour la victoire :
une armée ne donne pas le salut.

Dieu veille sur ceux qui le craignent,
qui mettent leur espoir en son amour,
pour les délivrer de la mort,
les garder en vie aux jours de famine.

Nous attendons notre vie du Seigneur :
il est pour nous un appui, un bouclier.
La joie de notre cœur vient de lui,
notre confiance est dans son nom très saint.

Que ton amour, Seigneur, soit sur nous
comme notre espoir est en toi !

Gloire au Père, et au Fils, et au Saint-Esprit,
pour les siècles des siècles. Amen.

Dieu qui aimes la terre, nous te rendons grâce : par le
Christ, ta parole vivante, tu fais exister ce que tu veux,
et par lui, ton Enfant bien-aimé, tu as scellé une alliance

*avec nous. Toi qui pénètres nos cœurs et nos actions,
délivre-nous de la mort. Toi qui t'es choisi un peuple,
garde-le dans ton amour.*

Parole de Dieu   Isaïe 40, 3-5

U̲NE VOIX PROCLAME :
« Préparez à travers le
désert le chemin du Seigneur. Tracez dans les terres
arides une route aplanie pour notre Dieu. Tout ravin
sera comblé, toute montagne et toute colline seront
abaissées, les paysages tortueux deviendront droits, et
les escarpements seront changés en plaines. Alors, la
gloire du Seigneur se révélera. »

Qu'il vienne, le Roi de gloire !

Louange et intercession

Appelés avec le Christ à devenir louange à la gloire de
son Père, nous l'acclamons :

℟   Notre Sauveur et notre Dieu !

Réveillés de notre sommeil
et relevés d'entre les morts,
– nous offrons par toi le sacrifice de louange.

Donne-nous de garder aujourd'hui
tes commandements,
– en faisant comme toi ce qui plaît au Père.

À chaque heure de ce jour, puissions-nous te bénir :
– que nos paroles et nos actes soient ta vraie louange.

Accorde-nous de ne contrister personne aujourd'hui ;
 – à ceux qui nous rencontrent, fais-nous porter la joie.

Intentions libres

En réponse à nos appels, Seigneur, accorde ton secours à ceux qui luttent et qui peinent : que la présence au milieu de nous de celui qui doit venir, ton Fils bien-aimé, nous redonne courage et nous préserve de la dégradation du péché. Par Jésus Christ, ton Fils, notre Seigneur et notre Dieu, qui règne avec toi et le Saint-Esprit, maintenant et pour les siècles des siècles. Amen.

LA MESSE
Mardi de la 1re semaine de l'Avent

● *LA GRANDE ESPÉRANCE du Seigneur va venir briller au seuil de cette messe (antienne d'ouverture). Pour le chrétien, l'attente de la manifestation du Christ n'est pas la hantise d'une catastrophe, mais l'aspiration à une rencontre. Dès maintenant cette rencontre est partiellement anticipée, car celui qui doit venir est déjà « présent au milieu de nous » (prière d'ouverture). Une telle certitude donne courage à tous ceux « qui luttent et qui peinent » (prière d'ouverture) au long de leur veille.* ●

Voici que le Seigneur va venir, et, avec lui, tous ceux qui ont cru en lui ; on verra, ce jour-là, une grande lumière.

PRIÈRE ——————————————————————— ci-dessus

Lecture du livre d'Isaïe   11, 1-10

UN RAMEAU sortira de la souche de Jessé, père de David, un rejeton jaillira de ses racines. Sur lui reposera l'esprit du Seigneur : esprit de sagesse et de discernement, esprit de conseil et de force, esprit de connaissance et de crainte du Seigneur qui lui inspirera la crainte du Seigneur. Il ne jugera pas d'après les apparences, il ne tran-

chera pas d'après ce qu'il entend dire. Il jugera les petits
avec justice, il tranchera avec droiture en faveur des
pauvres du pays. Comme un bâton, sa parole frappera le
pays, le souffle de ses lèvres fera mourir le méchant. Justice est la ceinture de ses hanches ; fidélité, le baudrier de
ses reins. Le loup habitera avec l'agneau, le léopard se
couchera près du chevreau, le veau et le lionceau seront
nourris ensemble, un petit garçon les conduira. La vache
et l'ourse auront même pâturage, leurs petits auront
même gîte. Le lion, comme le bœuf, mangera du fourrage. Le nourrisson s'amusera sur le nid du cobra, sur le
trou de la vipère l'enfant étendra la main. Il ne se fera
plus rien de mauvais ni de corrompu sur ma montagne
sainte ; car la connaissance du Seigneur remplira le pays
comme les eaux recouvrent le fond de la mer. Ce jour-
là, la racine de Jessé, père de David, sera dressée comme
un étendard pour les peuples, les nations la chercheront,
et la gloire sera sa demeure.

• PSAUME 71 •

Voici venir des jours de justice et de paix.

Dieu, donne au roi tes pouvoirs,
à ce fils de roi ta justice.
Qu'il gouverne ton peuple avec justice,
qu'il fasse droit aux malheureux !

En ces jours-là, fleurira la justice,
grande paix jusqu'à la fin des lunes !
Qu'il domine de la mer à la mer,
et du Fleuve jusqu'au bout de la terre !

Il délivrera le pauvre qui appelle
et le malheureux sans recours.
Il aura souci du faible et du pauvre,
du pauvre dont il sauve la vie.

Que son nom dure toujours ;
sous le soleil, que subsiste son nom !
En lui, que soient bénies toutes les familles de la terre ;
que tous les pays le disent bienheureux !

Alléluia. Alléluia. Voici qu'il vient avec puissance, notre
Seigneur, pour éclairer les yeux de ses serviteurs. **Alléluia.**

Évangile de Jésus Christ selon saint Luc 10, 21-24

JÉSUS, exultant de joie sous l'action de l'Esprit Saint,
dit : « Père, Seigneur du ciel et de la terre, je proclame
ta louange : ce que tu as caché aux sages et aux savants,
tu l'as révélé aux tout-petits. Oui, Père, tu l'as voulu
ainsi dans ta bonté. Tout m'a été confié par mon Père ;
personne ne connaît qui est le Fils, sinon le Père, et
personne ne connaît qui est le Père, sinon le Fils et celui
à qui le Fils veut le révéler. » Puis il se tourna vers ses
disciples et leur dit en particulier : « Heureux les yeux
qui voient ce que vous voyez ! Car, je vous le déclare :
Beaucoup de prophètes et de rois ont voulu voir ce que
vous voyez, et ne l'ont pas vu, entendre ce que vous
entendez, et ne l'ont pas entendu. »

PRIÈRE SUR LES OFFRANDES. Laisse-toi fléchir, Seigneur, par
nos prières et nos pauvres offrandes ; nous ne pouvons pas
invoquer nos mérites, viens par ta grâce à notre secours. Par
Jésus, le Christ, notre Seigneur.

PRÉFACE DE L'AVENT I ———————————— page 211

Le Seigneur, dans sa justice, remettra leur récompense à tous
ceux qui désirent ardemment sa venue dans la gloire.

PRIÈRE APRÈS LA COMMUNION. Pleins de reconnaissance pour
cette eucharistie, nous te prions encore, Seigneur : apprends-
nous, dans la communion à ce mystère, le vrai sens des choses

de ce monde et l'amour des biens éternels. Par Jésus, le
Christ, notre Seigneur.

MÉDITATION DU JOUR

Le printemps éternel viendra sûrement

En ce jour-là fleurira la justice.

Une fois seulement par an, mais une fois pourtant, le monde que nous voyons fait éclater ses puissances cachées et se révèle lui-même en quelque sorte. Alors, les fleurs paraissent, les arbres fruitiers et les fleurs s'épanouissent, l'herbe et le blé poussent.

Il en est de même pour ce printemps éternel qu'attendent tous les chrétiens ; il viendra quoiqu'il tarde. Attendons-le, car *il viendra sûrement, et il ne tardera pas*. La terre que nous voyons ne nous satisfait pas. Ce n'est qu'un commencement ; ce n'est qu'une promesse d'un au-delà ; même dans sa plus grande joie, quand elle se couvre de toutes ses fleurs, et qu'elle montre tous ses trésors cachés de la manière la plus attirante, même alors, cela ne nous suffit pas. Nous savons qu'il y a en elle beaucoup plus de choses que nous n'en voyons. Un monde de saints et d'anges, un monde glorieux, le palais de Dieu, la montagne du Seigneur Sabaoth, la Jérusalem céleste, le trône de Dieu et du Christ, toutes ses merveilles éternelles, très précieuses, mystérieuses et incompréhensibles, se cachent derrière ce que nous voyons. Ce que nous voyons n'est que l'écorce extérieure d'un royaume éternel ; et c'est sur ce royaume que nous fixons les yeux de notre foi.

Montre-toi, Seigneur, comme au temps de ta Nativité, où les anges visitèrent les bergers ; que ta gloire s'épanouisse comme les fleurs et le feuillage sur les arbres ! Cᴸ. JOHN HENRY NEWMAN

Prière du soir

Allons au-devant de celui qui vient !

Gloire au Père, et au Fils, et au Saint-Esprit,
au Dieu qui est, qui était, et qui vient,
pour les siècles des siècles. Amen. Alléluia.

RORATE

℟

Ciel, répands ta rosée,   Isaïe 45, 8
nuée, fais pleuvoir le juste !

3

Vois, Seigneur, l'humiliation
  de ton peuple,   Lamentations 1, 9
envoie celui qui doit venir   Isaïe 16, 1
envoie l'Agneau dominateur du pays
depuis Le Rocher vers la montagne
  de la fille de Sion :
pour qu'il nous délivre du joug de la captivité.

4

Console-toi, console-toi, mon peuple :   Isaïe 40, 1
Ton salut vient bientôt :
pourquoi te consumer de chagrin   Michée 4, 9
parce que la douleur t'a saisi ?
Ne crains pas car je t'ai racheté :   Isaïe 43, 1.3

car moi, le Seigneur, je suis ton Dieu,
le Saint d'Israël, ton Sauveur.

(Ces passages d'Isaïe qui annoncent celui qui doit venir, sont lus tout au long de l'Avent, à la messe et dans la Liturgie des Heures *.)*

PSAUME 11   Appel au Dieu fidèle à sa parole

Seigneur, au secours ! Il n'y a plus de fidèle !
La loyauté a disparu chez les hommes.
Entre eux la parole est mensonge,
cœur double, lèvres menteuses.

Que le Seigneur supprime ces lèvres menteuses,
cette langue qui parle insolemment,
ceux-là qui disent : « Armons notre langue !
À nous la parole ! Qui sera notre maître ? »

– « Pour le pauvre qui gémit,
    le malheureux que l'on dépouille, ⁺
maintenant je me lève, dit le Seigneur ; *
à celui qu'on méprise, je porte secours. »

Les paroles du Seigneur sont des paroles pures,
argent passé au feu, affiné sept fois.
Toi, Seigneur, tu tiens parole,
tu nous gardes pour toujours de cette engeance.

De tous côtés, s'agitent les impies :
la corruption gagne chez les hommes.

Gloire au Père, et au Fils, et au Saint-Esprit,
pour les siècles des siècles. Amen.

Parole de Dieu
                                                          Jérémie 23, 5

VOICI VENIR des jours,
déclare le Seigneur, où je

donnerai à David un Germe juste : il régnera en vrai roi,
il agira avec intelligence, il exercera dans le pays le droit
et la justice.

Tous les rois verront sa gloire !

INTERCESSION

Verbe éternel, manifesté dans la chair,
tu es pour tout homme
le chemin qui conduit vers le Père, nous t'en supplions :

℟   Viens, Seigneur, et sauve-nous !

En toi, nous avons la vie, le mouvement et l'être,
suscite en nos cœurs la louange et la miséricorde.

Tu es tout proche de chacun d'entre nous,
montre-toi à ceux qui te cherchent.

Ami des pauvres et réconfort de ceux qui souffrent,
fais de nous des artisans de libération,
des messagers de ta joie.

Tu aimes la vie, tu n'as pas créé la mort :
délivre-nous de la mort éternelle,
nous et ceux qui nous ont précédés.

Intentions libres

Notre Père...

Car c'est à toi qu'appartiennent
le règne, la puissance et la gloire,
pour les siècles des siècles !

SAINTS
D'HIER ET D'AUJOURD'HUI

Seigneur, que ton règne vienne !

BIENHEUREUSE ANWARITE NENGAPETA
Vierge et martyre (1939-1964)

Toute son existence s'est déroulée entre Wamba, où elle est née, et Bafwabaka, dans le haut Zaïre. Enfant, Alphonsine-Anwarite a reçu le baptême en même temps que sa mère.

Voulant consacrer sa vie au Seigneur, elle entre dans la communauté des sœurs de la Sainte-Famille, vouées à l'éducation. Elle fait sa profession religieuse sous le nom de sœur Marie-Clémentine. Souvent, on la voit plongée dans la prière près de l'image de la Vierge Marie, ou attentive à dire le chapelet avec ses sœurs ou les enfants.

Lors de la révolte des Simbas contre le gouvernement, des rebelles se saisissent d'elle et d'autres sœurs. Leur chef, qui veut abuser d'elle, est exaspéré par sa résistance, et la fait tuer par ses soldats.

« Je vous pardonne, dit-elle, car vous ne savez pas ce que vous faites. » Son assassin était présent dans la foule le jour de sa béatification, à Kinshasa, le 15 août 1985.

Il nous a fallu un Dieu qui s'incarne
et qui meure pour que nous vivions.
Saint Grégoire de Nazianze

MERCREDI 2 DÉCEMBRE

Prière du matin

*Réjouissez-vous dans le Seigneur,
réjouissez-vous, car il est proche !*

*Gloire au Père, et au Fils, et au Saint-Esprit,
au Dieu qui est, qui était, et qui vient,
pour les siècles des siècles. Amen. Alléluia.*

Hymne

Vienne la paix sur notre terre !
La paix de Dieu pour les nations !
Vienne la paix entre les frères,
La paix de Dieu dans nos maisons !

Nos épées deviendront charrues de laboureurs,
Nos lances deviendront des faux pour la moisson,
On ne s'armera plus pays contre pays :
Les soldats cesseront de préparer la guerre,

℟ Vienne la paix de Dieu !

Le nouveau-né jouera sur le nid du cobra,
Le jeune enfant mettra la main sur la vipère,
Les chevreaux et les lions reposeront ensemble,
Les loups et les agneaux auront même pâture.

℟ Vienne la paix de Dieu !

Le souffle du Très-Haut se répandra sur nous,
Et le désert fleurira comme un verger,
La tendresse de Dieu recouvrira le monde
Mieux que l'eau ne remplit les abîmes de la mer.

PSAUME 46   Acclamation au roi de gloire

Tous les peuples, battez des mains,
acclamez Dieu par vos cris de joie !

Car le Seigneur est le Très-Haut, le redoutable,
le grand roi sur toute la terre,
celui qui nous soumet des nations,
qui tient des peuples sous nos pieds ;
il choisit pour nous l'héritage,
fierté de Jacob, son bien-aimé.

Dieu s'élève parmi les ovations,
le Seigneur, aux éclats du cor.
Sonnez pour notre Dieu, sonnez,
sonnez pour notre roi, sonnez !
Car Dieu est le roi de la terre :
que vos musiques l'annoncent !

Il règne, Dieu, sur les païens,
Dieu est assis sur son trône sacré.
Les chefs des peuples se sont rassemblés :
c'est le peuple du Dieu d'Abraham.
Les princes de la terre sont à Dieu
qui s'élève au-dessus de tous.

Gloire au Père, et au Fils, et au Saint-Esprit,
pour les siècles des siècles. Amen.

Parole de Dieu   Isaïe 12,2

Voici le Dieu de mon
salut : j'ai confiance ;
plus de crainte pour moi ! Car le Seigneur est ma force
et mon chant, je lui dois le salut.

Le Seigneur est avec toi, Marie pleine de grâce !

LOUANGE ET INTERCESSION

Verbe de Dieu, venu partager notre condition d'homme, fais grandir en nous le désir d'avoir part à ta gloire.

℟ En toi notre salut, Seigneur, Emmanuel !

Prince de la paix, venu pour changer les épées en charrues et les lances en faucilles, fais-nous passer de la haine à l'amour, de l'injure au pardon.

Envoyé du Père pour annoncer la délivrance des captifs, rends-nous solidaires de la lutte pour la justice et la vérité.

Maître de justice, qui ne juges pas sur l'apparence, donne-nous de vivre dans l'humilité et d'accomplir la vérité.

Quand tu viendras avec puissance et grande gloire, accorde-nous de paraître devant toi dans l'assurance de ta miséricorde.

Intentions libres

Apprête nos cœurs, Dieu très bon, par la puissance de ta grâce, pour qu'au jour où ton Fils viendra, il nous juge dignes de prendre place à sa table et de recevoir de sa main le pain du ciel. Lui qui règne avec toi et le Saint-Esprit, maintenant et pour les siècles des siècles. Amen.

LA MESSE

Mercredi de la 1ʳᵉ semaine de l'Avent

● *POUR NOUS PRÉPARER à rencontrer le Seigneur, la liturgie nous propose l'image du festin messianique qui, des Prophètes (première lecture) à l'Apocalypse, court à travers toute la Bible : c'est le banquet auquel le Roi convie les mendiants et les clochards, puisque les premiers invités se sont dérobés ; c'est le repas des noces de l'Agneau, pour lequel l'Église s'est faite belle. Festin de demain, que le Christ a préfiguré en multipliant les pains (Évangile), et dont il nous donne un avant-goût dans l'eucharistie.* ●

Le Seigneur va venir sans tarder éclairer ce que voilent nos ténèbres et se manifester à toutes les nations.

PRIÈRE ─────────────────── page précédente

Lecture du livre d'Isaïe   25, 6-10a

C E JOUR-LÀ, le Seigneur, Dieu de l'univers, préparera pour tous les peuples, sur sa montagne, un festin de viandes grasses et de vins capiteux, un festin de viandes succulentes et de vins décantés. Il enlèvera le voile de deuil qui enveloppait tous les peuples et le linceul qui couvrait toutes les nations. Il détruira la mort pour toujours. Le Seigneur essuiera les larmes sur tous les visages, et par toute la terre il effacera l'humiliation de son peuple ; c'est lui qui l'a promis. Et ce jour-là, on dira : « Voici notre Dieu, en lui nous espérions, et il nous a sauvés ; c'est lui le Seigneur, en lui nous espérions ; exultons, réjouissons-nous : il nous a sauvés ! » Car la main du Seigneur reposera sur cette montagne.

─── ● PSAUME 22 ● ───

Près de toi, Seigneur, sans fin nous vivrons.

Le Seigneur est mon berger :
je ne manque de rien.
Sur des prés d'herbe fraîche,
il me fait reposer.

Il me mène vers les eaux tranquilles
et me fait revivre ;
il me conduit par le juste chemin
pour l'honneur de son nom.

Si je traverse les ravins de la mort,
je ne crains aucun mal,
car tu es avec moi :
ton bâton me guide et me rassure.

Tu prépares la table pour moi
devant mes ennemis ;
tu répands le parfum sur ma tête,
ma coupe est débordante.

Grâce et bonheur m'accompagnent
tous les jours de ma vie ;
j'habiterai la maison du Seigneur
pour la durée de mes jours.

Alléluia. Alléluia. Il viendra, le Seigneur, pour sauver son
peuple. Heureux ceux qui sont prêts à partir à sa rencontre ! Alléluia.

**Évangile de Jésus Christ
selon saint Matthieu** 15, 29-37

Jésus gagna les bords du lac
de Galilée, il gravit la mon-
tagne et s'assit. De grandes foules vinrent à lui, avec
des boiteux, des aveugles, des estropiés, des muets, et
beaucoup d'autres infirmes ; on les déposa à ses pieds
et il les guérit. Alors la foule était dans l'admiration en
voyant des muets parler, des estropiés guérir, des boiteux marcher, des aveugles retrouver la vue ; et ils ren-
dirent gloire au Dieu d'Israël. Jésus appela ses disciples
et leur dit : « J'ai pitié de cette foule : depuis trois jours

déjà, ils sont avec moi et n'ont rien à manger. Je ne veux pas les renvoyer à jeun ; ils pourraient défaillir en route. » Les disciples lui disent : « Où trouverons-nous dans un désert assez de pain pour qu'une telle foule mange à sa faim ? » Jésus leur dit : « Combien de pains avez-vous ? » Ils dirent : « Sept, et quelques petits poissons. » Alors il ordonna à la foule de s'asseoir par terre. Il prit les sept pains et les poissons, il rendit grâce, les rompit, et il les donnait aux disciples, et les disciples aux foules. Tous mangèrent à leur faim ; et, des morceaux qui restaient, on ramassa sept corbeilles pleines.

PRIÈRE SUR LES OFFRANDES. Permets, Seigneur, que le sacrifice de nos eucharisties te soit toujours offert dans ton Église, pour accomplir le sacrement que tu nous as donné et pour réaliser la merveille de notre salut. Par Jésus, le Christ, notre Seigneur.

PRÉFACE DE L'AVENT I ———————————— page 211

Voici le Seigneur Dieu qui vient avec puissance ; il vient illuminer notre regard.

PRIÈRE APRÈS LA COMMUNION. Seigneur notre Dieu, nous attendons de ta miséricorde que cette nourriture prise à ton autel nous empêche de céder à nos penchants mauvais et nous prépare aux fêtes qui approchent. Par Jésus, le Christ, notre Seigneur.

MÉDITATION DU JOUR

De grandes foules vinrent à lui dans l'admiration

Accepter Dieu, c'est pour chacun reconnaître enfin qu'il est le Maître : maître de nos vies et maître du monde. Non pas que la vie ou le monde n'aient point de sens. Mais que leur sens nous dépasse, car c'est Dieu qui mène et c'est le Seigneur.

Il faut dire, semble-t-il, que la rencontre de Dieu va s'approfondissant à travers toutes ses étapes, le découvrant toujours davantage à la fois tout autre et tout proche. Tout autre et tout proche dans les événements, car il ne les conduit pas du tout à notre manière et cependant il est présent au plus petit fait de vie. Ces caractères de notre rencontre avec Dieu ne s'effacent pas devant le fait de l'Incarnation, mais s'y achèvent.

Sans doute le Christ sera l'Emmanuel, Dieu avec nous. Dieu tout proche. Tellement proche cette fois qu'il est devenu l'un d'entre nous. Et en même temps, c'est son mystère, il reste le tout autre.

LOUIS LOCHET

Prière du soir

Viens, Seigneur, viens nous sauver.

Gloire au Père, et au Fils, et au Saint-Esprit,
au Dieu qui est, qui était, et qui vient,
pour les siècles des siècles. Amen. Alléluia.

HYMNE

Une voix parcourt la terre,
Dieu s'approche dans la nuit ;
La semence de lumière
Donne enfin son fruit.

Voici l'heure du Royaume,
L'arbre mort a refleuri ;
Mais devant le Fils de l'homme,
Qui pourra tenir ?

À l'Orient son jour se lève,
Nul n'échappe à sa venue ;
Sa Parole comme un glaive
Met les cœurs à nu.

Seul le pauvre trouve grâce,
Seul le pauvre sait aimer :
Dieu l'invite à prendre place
Près du Fils aîné.

Et l'Agneau des sources vives,
Dieu fait chair en notre temps,
Chaque jour, sous d'humbles signes,
Vient à nos devants.

Offre-lui tes mains ouvertes,
Prends son corps livré pour toi ;
Son amour sera ta fête,
Donne-lui ta foi.

Marche encore vers la Ville
Où tes yeux verront l'Agneau,
Cherche en lui la route à suivre,
Viens au jour nouveau !

CANTIQUE AUX COLOSSIENS (1)

Tout est de lui, tout est pour lui, tout est en lui :
gloire à Dieu dans les siècles !

Rendons grâce à Dieu le Père, +
lui qui nous a donné
    d'avoir part à l'héritage des saints, *
dans la lumière.

Nous arrachant à la puissance des ténèbres, +
il nous a placés
    dans le Royaume de son Fils bien-aimé : *

en lui nous avons le rachat,
le pardon des péchés.

Il est l'image du Dieu invisible, +
le premier-né, avant toute créature : *
en lui, tout fut créé,
dans le ciel et sur la terre.

Les êtres visibles et invisibles, +
puissances, principautés,
souverainetés, dominations, *
tout est créé par lui et pour lui.

Il est avant toute chose,
et tout subsiste en lui.

Il est aussi la tête du corps, la tête de l'Église : +
c'est lui le commencement,
le premier-né d'entre les morts, *
afin qu'il ait en tout la primauté.

Car Dieu a jugé bon
qu'habite en lui toute plénitude *
et que tout, par le Christ,
lui soit enfin réconcilié,

faisant la paix par le sang de sa Croix, *
la paix pour tous les êtres
sur la terre et dans le ciel.

Parole de Dieu   1 Corinthiens 4, 5

NE PORTEZ PAS de jugement prématuré, mais atten-dez la venue du Seigneur, car il mettra en lumière ce qui est caché dans les ténèbres, et il fera paraître les intentions secrètes. Alors, la louange qui revient à cha-cun lui sera donnée par Dieu.

INTERCESSION

Dieu fidèle, prends soin de ton Église, cette vigne que ta main a plantée, inspire ses pasteurs pour qu'ils veillent sur sa fidélité.

℟   Que vienne, Seigneur, ton règne de paix !

Souviens-toi de tous les fils d'Abraham,
– accomplis tes promesses,
élargis le cœur des chrétiens.

Regarde tous les peuples de la terre,
– donne-leur de découvrir ton amour sans limite.

Soutiens à travers le monde tous les artisans de paix,
– qu'ils ne se lassent pas d'espérer ton royaume.

Rappelle à toi tous ceux qui ont quitté cette vie,
– reçois-les dans la gloire auprès de toi.

Intentions libres

Notre Père...

Car c'est à toi qu'appartiennent
le règne, la puissance et la gloire,
pour les siècles des siècles !

Saints
D'hier et d'aujourd'hui

Viens bientôt, Sauveur du monde !

Bienheureux Jean de Ruysbroeck
Prêtre (1293-1381)

Connu pour sa dénonciation des maux dont souffrait alors l'Église, Jean « l'Admirable » était né à Ruysbroeck, dans la banlieue sud de Bruxelles. Confié à son oncle, un chanoine de la cathédrale Sainte-Gudule, il devint prêtre et fut bientôt reconnu comme un maître spirituel. Avec quelques disciples, il s'établit dans un ermitage de la forêt de Soignes, à Groenendael.

Bienheureuse Marie-Angèle Astorch
Vierge (1592-1665)

Maîtresse des novices, puis responsable de la formation des professes et des abbesses des sœurs clarisses capucines, elle laissa à Barcelone, sa ville natale, à Saragosse, à Séville et à Murcie, en raison de son intelligence spirituelle et de sa connaissance de l'Écriture et des auteurs ecclésiastiques, un « admirable sillage de fidélité à sa propre consécration et d'amour pour l'Église ».
Se nourrissant de la liturgie et de l'office divin, elle a été considérée comme une « mystique du bréviaire ».

*Si tu t'es mis à garder la parole de Dieu,
nul doute qu'elle ne te garde aussi.*

Saint Bernard de Clairvaux

JEUDI 3 DÉCEMBRE
Saint François Xavier

Prière du matin

Dieu, fais-nous revenir,
que ton visage s'éclaire et nous serons sauvés.

Gloire au Père, et au Fils, et au Saint-Esprit,
au Dieu qui est, qui était, et qui vient,
pour les siècles des siècles. Amen. Alléluia.

HYMNE

Un jour viendra où Dieu se montrera,
Un jour verra la fin de nos combats,
Printemps de gloire aux plaines de la mort,
Sa vie joyeuse éveillera les corps,
Et Dieu vivant sera pour toujours
Le cœur d'un monde ouvert à l'amour.

Demain peut-être à l'heure du sommeil,
Voleur de nuit, le Maître du soleil
Viendra lever les doutes et les peurs,
Ami offrant le pain de ses douleurs,
Le Pain de vie qui ne finit pas,
Pétri par Dieu au jour de la Croix.

Ce soir peut-être aux pas de l'inconnu,
Nos yeux liront les routes de Jésus.
Visage d'homme aux traits marqués de coups,
Cortège d'hommes aux poings levés vers nous :
Te voir, Seigneur, en tout homme né
Sous ton soleil pour ta liberté.

Un jour viendra où Dieu nous attendra,
Son Fils déjà nous dit quel est son choix :

Ouverte en grand, la porte du festin
Verra passer les foules du chemin.
Cortège immense aux fleuves du temps,
Marchons ensemble où Dieu nous attend.

CANTIQUE DE JÉRÉMIE (31)

Ecoutez, nations, la parole du Seigneur !
Annoncez dans les îles lointaines :
« Celui qui dispersa Israël le rassemble,
il le garde, comme un berger son troupeau.
Le Seigneur a libéré Jacob,
l'a racheté des mains d'un plus fort.

« Ils viennent, criant de joie,
    sur les hauteurs de Sion :
ils affluent vers la bonté du Seigneur,
le froment, le vin nouveau et l'huile fraîche,
les génisses et les brebis du troupeau.
Ils auront l'âme comme un jardin tout irrigué ;
ils verront la fin de leur détresse.

« La jeune fille se réjouit, elle danse ;
jeunes gens, vieilles gens, tous ensemble !
Je change leur deuil en joie,
les réjouis, les console après la peine.
Je nourris mes prêtres de festins ;
mon peuple se rassasie de ma bonté. »
    Oracle du Seigneur.

Gloire au Père, et au Fils, et au Saint-Esprit,
pour les siècles des siècles. Amen.

Parole de Dieu Michée 5, 3-4

Il se dressera et il sera leur berger par la puissance du
Seigneur, par la majesté du nom de son Dieu. Ils vivront

en sécurité, car désormais sa puissance s'étendra jusqu'aux extrémités de la terre, et lui-même, il sera la paix !

Qu'il vienne, le Roi de gloire !

LOUANGE ET INTERCESSION

Seigneur Jésus, venu du sein du Père pour partager notre vie, libère-nous de tout ce qui nous retient loin de toi et loin de nos frères.

℟ Visite-nous, Seigneur, dans ta miséricorde !

Toi qui viendras manifester ta gloire à tes élus,

Toi qui nous conduis par la lumière de la foi,

Toi qui frémissais de compassion
devant les souffrances des hommes,

Toi qui es venu offrir à tous les hommes
le salut promis à Israël.

Intentions libres

Déploie, Seigneur, ta puissance, soutiens-nous de ta force, afin que le salut retardé par nos fautes soit hâté par l'indulgence de ta grâce. Par Jésus Christ, ton Fils, notre Seigneur et notre Dieu, qui règne avec toi et le Saint-Esprit, maintenant et pour les siècles des siècles. Amen.

LA MESSE

Messe de la mémoire de saint François Xavier : page 40.

Jeudi de la 1ʳᵉ semaine de l'Avent

● *SI NOUS ATTENDONS dans l'espérance la manifestation du Christ (antienne de la communion), cette attente ne constitue pas une évasion de nos tâches et de nos responsabilités. Homme de demain, le chrétien doit être aussi un homme d'aujourd'hui : il nous faut vivre « dans le monde présents en hommes raisonnables, justes et religieux » (a. de la communion), prenant appui sur le Seigneur qui est tout proche (antienne d'ouverture). Il nous soutient de sa force (prière d'ouverture). Se confier à sa grâce, c'est bâtir sa vie sur le roc (première lecture, Évangile).* ●

Tu es proche, Seigneur : tous tes chemins sont droits. Dès l'origine, j'ai su que ton alliance était fondée pour toujours.

PRIÈRE ———————————————— **page précédente**

Lecture du livre d'Isaïe 26, 1-6

E N CE JOUR-LÀ, ce cantique sera chanté dans le pays de Juda : Nous avons une ville forte ! Le Seigneur a mis pour nous protéger rempart et avant-mur. Ouvrez les portes ! Qu'elle entre, la nation juste, celle qui reste fidèle. Tu construis solidement la paix, Seigneur, pour ceux qui ont confiance en toi. Mettez toujours votre confiance dans le Seigneur, car le Seigneur est le Rocher pour toujours. Il a rabaissé ceux qui siégeaient dans les hauteurs, il a humilié la citadelle inaccessible, il l'a jetée à terre, il l'a renversée dans la poussière. Elle sera foulée aux pieds par les humbles, piétinée par les pauvres gens.

——— • PSAUME 117 • ———

Béni soit celui qui vient au nom du Seigneur !

Rendez grâce au Seigneur : Il est bon !
Éternel est son amour !
Mieux vaut s'appuyer sur le Seigneur
que de compter sur les hommes !

Ouvrez-moi les portes de justice :
j'entrerai, je rendrai grâce au Seigneur.
« C'est ici la porte du Seigneur :
qu'ils entrent, les justes ! »

Je te rends grâce car tu m'as exaucé :
tu es pour moi le salut.
Donne, Seigneur, donne le salut !
Donne, Seigneur, donne la victoire !

Béni soit au nom du Seigneur
celui qui vient !
De la maison du Seigneur,
nous vous bénissons !

Alléluia. Alléluia. Cherchons le Seigneur, tant qu'il se
laisse trouver. Invoquons-le, tant qu'il est proche !
Alléluia.

Évangile de Jésus Christ
selon saint Matthieu

7, 21.24-27

COMME les disciples s'étaient rassemblés autour de
Jésus, sur la montagne, il leur disait : « Il ne suffit pas de
me dire : "Seigneur, Seigneur !" pour entrer dans le
Royaume des cieux ; mais il faut faire la volonté de mon
Père qui est aux cieux. Tout homme qui écoute ce que
je vous dis là et le met en pratique est comparable à
un homme prévoyant qui a bâti sa maison sur le roc.
La pluie est tombée, les torrents ont dévalé, la tempête
a soufflé et s'est abattue sur cette maison ; la maison
ne s'est pas écroulée, car elle était fondée sur le roc. Et
tout homme qui écoute ce que je vous dis là sans le
mettre en pratique est comparable à un homme insensé
qui a bâti sa maison sur le sable. La pluie est tombée,
les torrents ont dévalé, la tempête a soufflé, elle a

secoué cette maison ; la maison s'est écroulée, et son écroulement a été complet. »

Prière sur les offrandes. Seigneur, nous ne pourrons jamais t'offrir que les biens venus de toi : accepte ceux que nous t'apportons ; et, puisque c'est toi qui nous donnes maintenant de célébrer l'eucharistie, fais qu'elle soit pour nous le gage du salut éternel. Par Jésus, le Christ, notre Seigneur.

Préface de l'Avent I ——————————— page 211

Vivons dans le monde présent en hommes raisonnables, justes et religieux pour attendre le bonheur que nous espérons : la manifestation glorieuse de Jésus Christ, notre Dieu et notre Sauveur.

Prière après la communion. Fais fructifier en nous, Seigneur, l'eucharistie qui nous a rassemblés : c'est par elle que tu formes dès maintenant, à travers la vie de ce monde, l'amour dont nous t'aimerons éternellement. Par Jésus, le Christ, notre Seigneur.

Messe de saint François Xavier
Mémoire

● *Saint François Xavier, l'apôtre des pays du Soleil levant (p. d'ouverture), appartient à la race des conquérants d'empires. Mais, au temps où les* conquistadores *partaient planter les étendards du roi d'Espagne ou du roi du Portugal sur le Nouveau Monde et sur les îles du Pacifique, il avait opté, à la suite d'Ignace de Loyola, pour le service du Grand Roi. Né à Xavier (Navarre), en 1506, François s'était agrégé à la première équipe ignatienne, alors qu'il était étudiant à Paris (1534). En 1541, il fut désigné par saint Ignace pour la Mission des Indes portugaises, parce que le frère qui avait été choisi le premier était retenu par une sciatique. En onze années de travaux, où la prière et la pénitence tiendraient autant de place que la*

prédication, le missionnaire improvisé allait par-
courir des dizaines de milliers de kilomètres pour
annoncer la Bonne Nouvelle (a. d'ouverture et de
la communion) en Inde (1542-1543, 1548, 1551-
1552), à Ceylan (1544-1545), aux Moluques
(1545-1547) et au Japon (1549-1551). Il aurait
voulu communiquer à tous les jeunes chrétiens la
passion pour la gloire de Dieu et le salut des
hommes, qui l'avait entraîné vers les terres loin-
taines (p. sur les offrandes et après la commu-
nion). « J'ai été sur le point d'écrire à l'université
de Paris, confie-t-il à saint Ignace, pour leur dire
combien de milliers et de millions de païens se
feraient chrétiens, s'il y avait des ouvriers. » Fran-
çois mourut seul, au seuil de la Chine, dans l'île
de San Choan, en 1552. Il avait 46 ans. ●

Comme il est beau de voir courir sur les montagnes le messager qui annonce la paix, le messager de la Bonne Nouvelle,
qui annonce le salut.

PRIÈRE. Tu as voulu, Seigneur, que la prédication de saint
François Xavier appelle à toi de nombreux peuples d'Orient ;
accorde à tous les baptisés le même zèle pour la foi et fais
que ton Église se réjouisse d'avoir, partout dans le monde, de
nouveaux enfants. Par Jésus Christ, ton Fils, notre Seigneur.

Lecture du livre d'Isaïe   60, 1-6

DEBOUT, Jérusalem ! Res-
plendis : elle est venue, ta
lumière, et la gloire du Seigneur s'est levée sur toi.
Regarde : l'obscurité recouvre la terre, les ténèbres cou-
vrent les peuples ; mais sur toi se lève le Seigneur, et sa
gloire brille sur toi. Les nations marcheront vers ta
lumière, et les rois, vers la clarté de ton aurore. Lève les
yeux, regarde autour de toi : tous, ils se rassemblent, ils
arrivent ; tes fils reviennent de loin, et tes filles sont por-

tées sur les bras. Alors tu verras, tu seras radieuse ; ton
cœur frémira et se dilatera. Les trésors d'au-delà des mers
afflueront vers toi avec les richesses des nations. Des
foules de chameaux t'envahiront, des dromadaires de
Madiane et d'Épha. Tous les gens de Saba viendront,
apportant l'or et l'encens et proclamant les louanges du
Seigneur.

Ou bien :

Lecture de la première lettre
de saint Paul Apôtre aux Corinthiens   9, 16... 23

FRÈRES, si j'annonce l'Évangile, je n'ai pas à en tirer
d'orgueil, c'est une nécessité qui s'impose à moi ; malheur à moi si je n'annonçais pas l'Évangile ! Certes, si je
le faisais de moi-même, je recevrais une récompense du
Seigneur. Mais je ne le fais pas de moi-même, je m'acquitte de la charge que Dieu m'a confiée. Alors, pourquoi recevrai-je une récompense ? Parce que j'annonce
l'Évangile sans rechercher aucun avantage matériel, ni
faire valoir mes droits de prédicateur de l'Évangile. Oui,
libre à l'égard de tous, je me suis fait le serviteur de tous
afin d'en gagner le plus grand nombre possible. J'ai partagé la faiblesse des plus faibles pour gagner aussi les
faibles. Je me suis fait tout à tous pour en sauver à tout
prix quelques-uns. Et tout cela, je le fais à cause de
l'Évangile, pour bénéficier, moi aussi, du salut.

——— • PSAUME 95 • ———

Allez dire au monde entier les merveilles de Dieu !

Chantez au Seigneur un chant nouveau,
chantez au Seigneur, terre entière,
chantez au Seigneur et bénissez son nom !

De jour en jour, proclamez son salut,
racontez à tous les peuples sa gloire,
à toutes les nations ses merveilles !

Rendez au Seigneur, familles des peuples,
rendez au Seigneur la gloire et la puissance,
rendez au Seigneur la gloire de son nom.

Adorez le Seigneur, éblouissant de sainteté :
tremblez devant lui, terre entière.
Allez dire aux nations : « Le Seigneur est roi ! »

Alléluia. Alléluia. Par toute la terre a retenti la Parole,
et la Bonne Nouvelle aux limites du monde. Alléluia.

Évangile de Jésus Christ selon saint Marc   16, 15-20

JÉSUS ressuscité dit aux onze Apôtres : « Allez dans le monde entier. Proclamez la Bonne Nouvelle à toute la création. Celui qui croira et sera baptisé sera sauvé ; celui qui refusera de croire sera condamné. Voici les signes qui accompagneront ceux qui deviendront croyants : en mon nom, ils chasseront les esprits mauvais ; ils parleront un langage nouveau : ils prendront des serpents dans leurs mains, et, s'ils boivent un poison mortel, il ne leur fera pas de mal ; ils imposeront les mains aux malades, et les malades s'en trouveront bien. » Le Seigneur Jésus, après leur avoir parlé, fut enlevé au ciel et s'assit à la droite de Dieu. Quant à eux, ils s'en allèrent proclamer partout la Bonne Nouvelle. Le Seigneur travaillait avec eux et confirmait la Parole par les signes qui l'accompagnaient.

PRIÈRE SUR LES OFFRANDES. Accepte les offrandes que nous t'apportons, Seigneur, en la fête de saint François Xavier : il fut entraîné vers les terres lointaines par sa passion pour le salut des hommes ; puissions-nous, à notre tour, nous comporter en témoins de l'Évangile, pour nous hâter vers toi avec un grand nombre de frères. Par Jésus, le Christ, notre Seigneur.

« Allez dans le monde entier proclamer la Bonne Nouvelle, et moi, dit le Seigneur, je suis avec vous, tous les jours jusqu'à la fin des temps. »

PRIÈRE APRÈS LA COMMUNION. Que cette eucharistie, Seigneur, allume en nous ce foyer d'amour où saint François Xavier se consumait pour le salut des âmes ; plus fidèles à notre vocation, nous pourrons obtenir avec lui le salaire promis aux bons ouvriers. Par Jésus, le Christ, notre Seigneur.

MÉDITATION DU JOUR

Les ouvriers sont peu nombreux

Les enfants ne me laissaient ni réciter l'office divin, ni manger ni me reposer tant que je ne leur avais pas enseigné une prière. Alors j'ai commencé à saisir que le royaume des cieux appartient à ceux qui leur ressemblent. Aussi, comme je ne pouvais sans impiété repousser une requête aussi pieuse, en commençant par la confession de foi au Père, au Fils et à l'Esprit Saint, je leur inculquais le Symbole des Apôtres, le Pater noster et l'Ave Maria. J'ai remarqué qu'ils étaient très doués ; s'il y avait quelqu'un pour les former à la foi chrétienne, je suis sûr qu'ils deviendraient de très bons chrétiens.

Dans ce pays, quantité de gens ne sont pas chrétiens uniquement parce qu'il n'y a personne aujourd'hui pour en faire des chrétiens. J'ai très souvent eu l'idée de parcourir toutes les universités d'Europe, et d'abord celle de Paris, pour hurler partout d'une manière folle et pousser ceux qui ont plus de doctrine que de charité.

De même qu'ils se consacrent aux belles-lettres, s'ils pouvaient seulement se consacrer aussi à cet apostolat, afin de pouvoir rendre compte à Dieu de leur doctrine et des talents qui leur ont été confiés ! Beaucoup d'entre eux, bouleversés par cette pensée, aidés par la méditation des choses divines, s'entraîneraient à écouter ce que le Seigneur dit en eux et, en rejetant leurs ambitions et leurs affaires humaines, ils se soumettraient tout entiers, définitivement, à la volonté et au décret de Dieu. Oui, ils crieraient du fond du cœur : « Seigneur me voici ; que veux-tu que je fasse ? Envoie-moi n'importe où tu voudras. » *S. FRANÇOIS XAVIER, S.J.*

Prière du soir

Dieu, fais-nous revenir,
que ton visage s'éclaire et nous serons sauvés.

Gloire au Père, et au Fils, et au Saint-Esprit,
au Dieu qui est, qui était, et qui vient,
pour les siècles des siècles. Amen. Alléluia.

HYMNE

Vienne la rosée sur la terre,
Naisse l'espérance en nos cœurs,
Brille dans la nuit la lumière :
Bientôt va germer le Sauveur.
Au désert un cri s'élève :
Préparez les voies du Seigneur.

Berger d'Israël, tends l'oreille,
Descends vite à notre secours ;

Et nos yeux verront tes merveilles,
Nos voix chanteront ton amour.
Fille de Sion, tressaille,
Le Seigneur déjà vient vers toi.

Réveille, ô Seigneur, ta vaillance,
Établis ton règne de paix ;
Que les peuples voient ta puissance,
Acclament ton Nom à jamais.
L'univers attend ta gloire,
Et nous préparons ton retour.

PSAUME 118 (IX)   Ta loi : mon bonheur

Tu fais le bonheur de ton serviteur,
　　Seigneur, selon ta parole.
Apprends-moi à bien saisir, à bien juger :
　　je me fie à tes volontés.
Avant d'avoir souffert, je m'égarais ;
　　maintenant, j'observe tes ordres.
Toi, tu es bon, tu fais du bien :
　　apprends-moi tes commandements.
Des orgueilleux m'ont couvert de calomnies :
　　de tout cœur, je garde tes préceptes.
Leur cœur, alourdi, s'est fermé ;
　　moi, je prends plaisir à ta loi.
C'est pour mon bien que j'ai souffert,
　　ainsi, ai-je appris tes commandements.
Mon bonheur, c'est la loi de ta bouche,
　　plus qu'un monceau d'or ou d'argent.

Gloire au Père, et au Fils, et au Saint-Esprit,
pour les siècles des siècles. Amen.

*C'est de ta bouche, ô mon Maître, qu'il est bon d'ap-
prendre la loi qui fait mon bonheur.*

Parole de Dieu

Jacques 5, 7-8. 9

F RÈRES, en attendant la venue du Seigneur, ayez de la patience. Voyez le cultivateur : il attend les produits précieux de la terre avec patience, jusqu'à ce qu'il ait fait la première et la dernière récolte. Ayez de la patience, vous aussi, et soyez fermes, car la venue du Seigneur est proche. Voyez, le Juge est à notre porte.

Voyez, le Seigneur est proche !

INTERCESSION

Verbe éternel, dans ces temps qui sont les derniers,
tu as pris notre nature,
fais de notre vie
une marche vers le Royaume des cieux.

℟ Viens, Seigneur Jésus !

Vraie lumière, qui éclaires tout homme en ce monde,
– dissipe les ténèbres de notre ignorance.

Fils unique, qui es dans le sein du Père,
– donne-nous de comprendre combien Dieu nous aime.

Christ Jésus, né comme un homme parmi les hommes,
– conforme-nous à ton image
pour faire de nous des enfants de Dieu.

Toi qui brises les portes de nos prisons,
– accueille au festin des noces
ceux qui mendient leur pain à ta porte.

Intentions libres

Notre Père... Car c'est à toi qu'appartiennent...

Saints
D'HIER ET D'AUJOURD'HUI

Debout ! Le Seigneur vient !

Saint Sophonie
Prophète (VIIe s. av. J.C.)

Contemporain de Nahum et des débuts de Jérémie, ce prophète est considéré comme l'auteur du livre qui porte son nom. Il prêcha en Juda sous le roi Josias, avant la réforme religieuse de 622. Son livre annonce une intervention divine pour corriger Juda et Jérusalem, à laquelle seuls les « humbles » échapperont. Mais la correction apparaît comme une œuvre de salut.

Bienheureux Jean-Népomucène de Tschiderer von Gleifheim
Évêque (1777-1860)

Cet évêque « aima Trente et fut aimé des Tridentins ». Il naît à Bolzano, dans le Tyrol italien, cinquième d'une famille de sept enfants, puis étudie à Bolzano et Innsbruck. Ordonné en 1800, il est affecté à un ministère paroissial, jusque dans des vallées reculées, et à l'enseignement de la théologie. Évêque en 1834, il entreprend la restauration spirituelle et pastorale du diocèse, à commencer par les séminaires. Jovial et ouvert, il entretenait une profonde communion à Dieu. Toujours, il manifesta un grand sens du lien au Siège de Pierre.

Notre Seigneur a parlé de la vigilance de l'âme et de celle du corps, afin que le corps ne sombre pas dans un lourd sommeil ni l'âme dans un engourdissement.

Saint Éphrem

VENDREDI 4 DÉCEMBRE
Saint Jean de Damas

Prière du matin

Bénissons le Seigneur :
il se souvient de son amour.

Gloire au Père, et au Fils, et au Saint-Esprit !

TROPAIRE

En regardant au loin,   Stance
je vois venir la puissance de Dieu
et la nuée couvrant toute la terre.

℟ Allons au-devant de lui,
car il vient régner sur son peuple.

Prêtez l'oreille, habitants de l'univers,
riches et pauvres ensemble !

Pasteur d'Israël, écoute ;
toi qui trônes sur les chérubins, resplendis !

Portes, levez vos frontons,
élevez-vous, portes éternelles,
qu'il entre, le roi de gloire !

En regardant au loin,
je vois venir la puissance de Dieu
et la nuée couvrant toute la terre.

PSAUME 99   Appel à la louange

Acclamez le Seigneur, terre entière,   acclamez
servez le Seigneur dans l'allégresse,   servez
venez à lui avec des chants de joie !   venez

Reconnaissez que le Seigneur est Dieu :   reconnaissez
il nous a faits, et nous sommes à lui,
nous, son peuple, son troupeau.

Venez dans sa maison lui rendre grâce,   rendez grâce
dans sa demeure chanter ses louanges ;
rendez-lui grâce et bénissez son nom !   bénissez

Oui, le Seigneur est bon,
éternel est son amour,   son amour
sa fidélité demeure d'âge en âge.

Gloire au Père, et au Fils, et au Saint-Esprit,
pour les siècles des siècles. Amen.

Parole de Dieu   Jérémie 29, 11-13

Moi, je sais les projets que j'ai formé à votre sujet – oracle du Seigneur –, projets de prospérité et non de malheur : je vais vous donner un avenir et une espérance. Vous me rechercherez et vous me trouverez : vous me chercherez du fond de vous-mêmes.

Chante et crie de joie :
le Seigneur vient !

Louange et intercession

Seigneur Jésus, venu nous appeler à ton royaume de lumière, que cette lumière éclaire nos vies.

℟   Tu es proche, Seigneur : vienne ton jour !

Tu te tiens, comme un inconnu, au milieu de nous :
– accorde aux hommes de notre temps de reconnaître ton visage.

Tu es plus proche de nous que nous-mêmes :
– fais-nous la grâce de te préférer à tout.

Tu nous aimes d'un amour sans condition :
– apprends-nous à nous accueillir les uns les autres.

Ta miséricorde te porte au secours
des hommes éprouvés :
– viens au-devant de ceux qui t'attendent sans le savoir.

Intentions libres

Déploie, Seigneur, ta puissance, et viens : puisque, dans le péril où nous mettent nos péchés, nous ne pouvons obtenir que de toi la délivrance et le salut. Par Jésus.

LA MESSE
Vendredi de la 1re semaine de l'Avent

Saint Jean de Damas (VIIe-VIIIe s.)   *Mémoire facultative*

● *Jean travaillait à Damas dans l'administration arabe, quand il entendit l'appel à la vie monastique. Il se fixa au monastère Saint-Sabas dans le désert de Juda, d'où il ne sortait que pour prêcher à Jérusalem. C'est là qu'il écrivit son Exposé de la foi orthodoxe ; de là qu'il défendit avec vigueur le culte des saintes images.*●

Prière. Accorde-nous, Seigneur, de trouver un appui dans les prières de saint Jean de Damas : que la vraie foi, dont il fut un maître éminent, soit toujours notre force et notre lumière. Par Jésus Christ, ton Fils, notre Seigneur.

● *L'antienne d'ouverture noue une gerbe faite des plus belles images pour annoncer la visite du Seigneur à son peuple : la lumière, la paix, la vie éternelle. Mais, par-delà les images, l'antienne de la communion nous dit la réalité plus belle encore : « Nous attendons notre Sauveur, lui qui transformera nos pauvres corps à l'image de son corps glo-*

rieux. » Ce sont les mêmes images et les mêmes paroles d'espoir que nous retrouvons dans la liturgie des défunts, tant leur repos et notre route sont éclairés de la même certitude.●

Voici que le Seigneur viendra. Dans la lumière il vient, pour visiter son peuple, pour lui donner la paix et la vie éternelle.

Prière ——————————————— page précédente

Lecture du livre d'Isaïe   29, 17-24

Encore un peu de temps, très peu de temps, et le Liban se changera en verger, et le verger sera pareil à une grande forêt. En ce jour-là, les sourds entendront les paroles du livre. Quant aux aveugles, sortant de l'obscurité et des ténèbres, leurs yeux verront. Les humbles se réjouiront de plus en plus dans le Seigneur, les pauvres gens exulteront à cause du Dieu saint d'Israël. Car ce sera la fin des tyrans, ceux qui se moquent de Dieu disparaîtront, et tous les gens empressés à mal faire seront exterminés, ceux qui font condamner quelqu'un par leur témoignage, qui faussent les débats du tribunal et font tomber l'innocent par leur mensonge. C'est pourquoi, ainsi parle le Seigneur, Dieu de la maison de Jacob, lui qui a racheté Abraham : « Désormais Jacob n'aura plus de honte et son visage ne pâlira plus ; car, en voyant ce que j'ai fait au milieu d'eux, ils proclameront la sainteté de mon nom, ils proclameront la sainteté du Dieu saint de Jacob, ils trembleront devant le Dieu d'Israël. Les esprits égarés découvriront l'intelligence, et les récalcitrants accepteront qu'on les instruise. »

• PSAUME 26 •

Le Seigneur est ma lumière et mon salut.

Le Seigneur est ma lumière et mon salut ;
de qui aurais-je crainte ?
Le Seigneur est le rempart de ma vie ;
devant qui tremblerais-je ?

J'ai demandé une chose au Seigneur,
la seule que je cherche :
habiter la maison du Seigneur
tous les jours de ma vie.

J'en suis sûr, je verrai les bontés du Seigneur
sur la terre des vivants.
« Espère le Seigneur, sois fort et prends courage ;
espère le Seigneur. »

Alléluia. Alléluia. Voici qu'il vient avec puissance, notre
Seigneur, pour éclairer les yeux de ses serviteurs. Alléluia.

Évangile de Jésus Christ
selon saint Matthieu
9, 27-31

JÉSUS était en route ; deux aveugles le suivirent, en
criant : « Aie pitié de nous, fils de David ! » Quand il
fut dans la maison, les aveugles l'abordèrent, et Jésus leur
dit : « Croyez-vous que je peux faire cela ? » Ils répondirent : « Oui, Seigneur. » Alors il leur toucha les yeux,
en disant : « Que tout se fasse pour vous selon votre
foi ! » Leurs yeux s'ouvrirent, et Jésus leur dit sévère-
ment : « Attention ! que personne ne le sache ! » Mais,
à peine sortis, ils parlèrent de lui dans toute la région.

PRIÈRE SUR LES OFFRANDES. Laisse-toi fléchir, Seigneur, par
nos prières et nos pauvres offrandes ; nous ne pouvons pas

invoquer nos mérites, viens par ta grâce à notre secours. Par Jésus, le Christ, notre Seigneur.

Préface de l'Avent I ———————————— page 211

Nous attendons notre Sauveur, le Seigneur Jésus Christ, lui qui transformera nos pauvres corps à l'image de son corps glorieux.

Prière après la communion. Pleins de reconnaissance pour cette eucharistie, nous te prions encore, Seigneur : apprends-nous, dans la communion à ce mystère, le vrai sens des choses de ce monde et l'amour des biens éternels. Par Jésus, le Christ, notre Seigneur.

Prière sur les offrandes. Seigneur souverain, nous te supplions humblement ; puisque ces dons offerts en l'honneur des saints attestent ta puissance de gloire, qu'ils nous fassent bénéficier de ton salut. Par Jésus, le Christ, notre Seigneur.

Prière après la communion. Tu as refait nos forces à cette table sainte, Dieu tout-puissant : donne-nous d'imiter les exemples de saint Jean de Damas en cherchant à te servir d'un cœur toujours fidèle, aimant tous les hommes avec une inlassable charité. Par Jésus, le Christ, notre Seigneur.

MÉDITATION DU JOUR

Aie pitié de nous

Allons, courage, pauvre homme ! Fuis un peu tes occupations, dérobe-toi un moment au tumulte de tes pensées. Rejette maintenant tes lourds soucis et laisse de côté tes tracas. Donne un petit instant à Dieu et repose-toi un peu en lui. Entre dans la chambre de ton esprit, bannis-en tout, sauf Dieu ou ce qui peut t'aider à le chercher. Ferme la porte et mets-toi à sa recherche.

À présent, parle, mon cœur, ouvre-toi tout entier et dis à Dieu : *Je cherche ton visage ; c'est ton visage, Seigneur, que je cherche.* Et maintenant, toi, Seigneur mon Dieu, enseigne à mon cœur où et comment te chercher, où et comment te trouver. Seigneur, si tu n'es pas ici, où te chercherai-je en ton absence ? Et si tu es partout pourquoi ta présence m'est-elle invisible ? Certes, tu habites une lumière inaccessible. Mais où est-elle, cette lumière inaccessible ? Comment accéder à une lumière inaccessible ? Qui donc m'y conduira et m'y introduira pour que je t'y voie ? Et puis, à quels indices, sous quels traits te chercher ?

Jamais je ne t'ai vu, Seigneur mon Dieu, je ne connais pas ton visage. Que peut faire, très haut Seigneur, que peut faire cet exilé loin de toi ? Que peut faire ton serviteur anxieux de ton amour et rejeté loin de ta face ? Il aspire à te voir, et ta face se dérobe entièrement à lui. Il désire te rejoindre, et ta demeure est inaccessible. Il voudrait te trouver, et il ne sait où tu es. Il entreprend de te chercher, et il ignore ton visage. Seigneur, tu es mon Dieu, tu es mon Maître, et je ne t'ai jamais vu.

S. Anselme

Prière du soir

Le Roi qui va venir, venez, adorons-le !

Gloire au Père, et au Fils, et au Saint-Esprit !

Hymne

Toi qui viens pour tout sauver,
L'univers périt sans toi ;
Fais pleuvoir sur lui ta joie,
Toi qui viens pour tout sauver.

Viens sauver tes fils perdus,
Dispersés, mourant de froid ;
Dieu qui fus un jour en croix,
Viens sauver tes fils perdus.

Viens offrir encor ton pain
Et ton vin aux miséreux ;
Pour qu'ils voient le don de Dieu,
Viens offrir encor ton pain.

Toi qui viens pour tout sauver,
Fais lever enfin le jour
De la paix dans ton amour,
Toi qui viens pour tout sauver.

PSAUME 27   Supplication et action de grâce

Seigneur, mon rocher, c'est toi que j'appelle : +
    ne reste pas sans me répondre, *
car si tu gardais le silence,
    je m'en irais, moi aussi, vers la tombe.

Entends la voix de ma prière
    quand je crie vers toi, *
quand j'élève les mains
    vers le Saint des Saints !

Ne me traîne pas chez les impies,
    chez les hommes criminels ; *
à leurs voisins ils parlent de paix
    quand le mal est dans leur cœur.

Béni soit le Seigneur *
qui entend la voix de ma prière !

Le Seigneur est ma force et mon rempart ;
à lui, mon cœur fait confiance :
il m'a guéri, ma chair a refleuri,
mes chants lui rendent grâce.

Le Seigneur est la force de son peuple,
le refuge et le salut de son messie.
Sauve ton peuple, bénis ton héritage,
veille sur lui, porte-le toujours.

Gloire au Père, et au Fils, et au Saint-Esprit…

Parole de Dieu

Apocalypse 22, 17

L'ESPRIT et l'Épouse disent : « Viens ! » Celui qui entend, qu'il dise aussi : « Viens ! » Celui qui a soif, qu'il approche. Celui qui le désire, qu'il boive l'eau de la vie, gratuitement.

Je suis sûr de sa parole !

INTERCESSION

Seigneur Jésus, Berger du peuple de Dieu, rassemble ton Église dans l'unité de la foi et de l'amour.

℟ Visite-nous par ton amour !

Viens en aide aux pasteurs de ton peuple,
– qu'ils conduisent leurs frères dans la vérité,
jusqu'au jour de ta venue.

Choisis parmi nous des messagers de ta parole,
– qu'ils annoncent l'Évangile à toute la terre.

Reconnais ceux qui ont ici-bas écouté ta voix,
– fais-les entrer dans la paix du ciel.

Intentions libres

Notre Père…

Car c'est à toi qu'appartiennent
le règne, la puissance et la gloire,
pour les siècles des siècles !

Saints
D'hier et d'aujourd'hui

Viens, Seigneur, rends nos cœurs semblables au tien !

Saint Sol
Ermite (†794)

Disciple de saint Boniface, ce moine anglo-saxon le suivit en Germanie. Il se fit ermite près de l'abbaye bénédictine de Fulda puis à Eichstätt. Il termina sa vie à Solnhofen sur les terres que Charlemagne lui avait données : il y fonda une maison, qu'il mit sous l'obédience de Fulda.

Bienheureux Jean Calabria
Prêtre (1873-1954)

Pauvre, et orphelin de père à 12 ans, il se voua lui-même, dès sa jeunesse, au service des pauvres, des orphelins et des personnes âgées, grâce à sa « Pieuse Union pour l'assistance aux malades pauvres ».
Une fois devenu prêtre, il fonda divers instituts comme la « Casa buoni fanciulli » pour les jeunes garçons, puis la congrégation des « Pauvres Serviteurs de la divine providence », et son pendant féminin.
Et, dans la « Famille des frères externes », il donna à des laïcs la possibilité de vivre du même esprit, mais au sein de leur famille, et en milieu professionnel.
Il s'éteignit à 81 ans.

*Enseigne-moi à te chercher
et montre-toi quand je te cherche.*

Saint Anselme

SAMEDI 5 DÉCEMBRE

Prière du matin

Seigneur, ouvre mes lèvres,
et ma bouche publiera ta louange.

Gloire au Père, et au Fils, et au Saint-Esprit,
au Dieu qui est, qui était, et qui vient,
pour les siècles des siècles. Amen. Alléluia.

HYMNE

O viens, Jésus, ô viens, Emmanuel,
Nous dévoiler le monde fraternel
Où ton amour, plus fort que la mort,
Nous régénère au sein d'un même corps.

R/ Chantez, chantez, il vient à notre appel
combler nos cœurs, Emmanuel.

Ô viens, Berger que Dieu nous a promis,
Entends au loin ton peuple qui gémit ;
Dans la violence il vit son exil,
De ses souffrances quand renaîtra-t-il ?

Ô viens, Jésus, et dans la chair blessée,
Fleuris pour nous, racine de Jessé ;
Près de l'eau vive, l'arbre planté
Soulève jusqu'à Dieu le monde entier.

Ô viens, Jésus, tracer notre chemin,
Visite-nous, Étoile du matin,
Du fond de nos regards fait monter
L'éclat soudain du jour d'éternité.

Cantique d'Isaïe (26)

Heureux qui prend appui sur le Seigneur

Nous avons une ville forte ! *
Le Seigneur a mis pour sauvegarde
muraille et avant-mur.

Ouvrez les portes ! *
Elle entrera, la nation juste,
qui se garde fidèle.

Immuable en ton dessein, tu préserves la paix,
la paix de qui s'appuie sur toi.

Prenez appui sur le Seigneur, à jamais,
sur lui, le Seigneur, le Roc éternel.

La droiture est le chemin du juste ;
tu traces pour le juste un sentier droit.

Oui, sur le chemin de tes jugements,
Seigneur, nous t'espérons.

Vers ton nom, vers la mémoire de toi,
va le désir de l'âme.

Mon âme, la nuit, te désire,
et mon esprit, au fond de moi, te guette dès l'aurore.

Quand s'exercent tes jugements sur la terre,
les habitants du monde apprennent la justice.

Seigneur, tu nous assures la paix :
dans toutes nos œuvres, toi-même agis pour nous.

Gloire au Père, et au Fils, et au Saint-Esprit,
pour les siècles des siècles. Amen.

*Seigneur Dieu, notre Roc éternel, accueille le cantique
de la ville forte, Jérusalem, que reprend ce matin l'Église*

de Jésus : soutiens notre espérance et notre désir ;
puisque nous nous appuyons sur toi, accorde-nous la
paix ; conduis-nous sur le chemin de tes jugements ;
garde-nous fidèles à ton Alliance et fais-nous entrer dans
ta maison de gloire, pour les siècles des siècles.

Parole de Dieu   Isaïe 61, 11

D<small>E MÊME QUE</small> la terre fait éclore ses germes, et qu'un jardin fait germer ses semences, ainsi le Seigneur fera germer la justice et la louange devant toutes les nations.

Viens, Seigneur, ne tarde pas !

LOUANGE ET INTERCESSION

Ô Christ, notre Seigneur, dont les prophètes ont annoncé la naissance, fais grandir en nous le désir que tu viennes au monde.

℟   Viens, Seigneur, Jésus !

Accorde-nous de vivre en ce monde avec sobriété, justice et ferveur, témoignant ainsi de notre espérance.

Tu es venu consoler les hommes au cœur brisé : accorde-nous de partager les peines les uns des autres.

En vue du jour où tu jugeras les vivants et les morts, que ton pardon nous relève et nous garde vigilants.

Intentions libres

Dieu qui as envoyé ton Fils unique dans ce monde pour libérer l'homme de son péché, accorde à ceux qui t'appellent du fond du cœur d'être vraiment libres pour t'aimer. Par Jésus Christ, ton Fils, notre Seigneur.

La messe
Samedi de la 1re semaine de l'Avent

● *Comme il arrive fréquemment au temps de l'Avent, les antiennes d'ouverture et de communion se font écho dans la messe de ce jour.* « Viens, Seigneur, toi qui sièges sur les chérubins » *(antienne d'ouverture, texte latin), implorons-nous avec le psalmiste, et Jésus répond :* « Voici que je viens sans tarder » *(antienne de communion). Il ajoute :* « Et j'apporte avec moi le salaire de chacun. » *Le rappel du jugement pourrait nous angoisser, s'il ne venait de celui qui nous donne son corps à manger au moment même où il nous tient ce langage. Notre juge est notre libérateur (prière d'ouverture).* ●

Viens, Seigneur, montre-nous ton visage, et nous serons sauvés.

Prière ⸻ page précédente

Lecture du livre d'Isaïe   30, 19... 26

Peuple de Sion, toi qui habites Jérusalem, jamais plus tu ne pleureras. Quand tu crieras, le Seigneur se penchera vers toi. Dès qu'il t'aura entendu, il te répondra. Dans l'angoisse, le Seigneur te donnera du pain, et de l'eau dans la détresse. Celui qui t'instruit ne se dérobera plus et tes yeux le verront. Quand tu devras aller ou à droite ou à gauche, tes oreilles entendront celui qui te dira : « Voici le chemin, prends-le ! » Le Seigneur te donnera la pluie pour la semence que tu auras jetée en terre, et le pain que produira la terre sera riche et nourrissant. Ton bétail ira paître, ce jour-là, sur de vastes pâturages. Les bœufs et les ânes qui travaillent dans les champs mangeront un fourrage salé, étalé avec la fourche. Sur toutes les montagnes et sur toutes les hauteurs couleront des ruisseaux. Au jour du grand massacre, quand tomberont les tours de défense, la lune brillera comme le soleil, le soleil brillera sept fois plus – autant qu'en une semaine entière –, le jour où le Seigneur pansera la blessure de son peuple et guérira ses meurtrissures.

• Psaume 146 •

Heureux qui espère le Seigneur !
Ou bien : **Alléluia !**

Il est bon de fêter notre Dieu,
il est beau de chanter sa louange !
Le Seigneur rebâtit Jérusalem,
il rassemble les déportés d'Israël.

Il guérit les cœurs brisés
et soigne leurs blessures.
Il compte le nombre des étoiles,
il donne à chacune un nom.

Il est grand, il est fort, notre Maître :
nul n'a mesuré son intelligence.
Le Seigneur élève les humbles
et rabaisse jusqu'à terre les impies.

Alléluia. Alléluia. Le Seigneur est notre juge, notre chef
et notre roi : c'est lui qui nous sauvera. Alléluia.

**Évangile de Jésus Christ
selon saint Matthieu** 9, 35 – 10, 1.6-8

Jésus parcourait toutes les villes et tous les villages, enseignant dans leurs synagogues, proclamant la Bonne Nouvelle du Royaume et guérissant toute maladie et toute infirmité. Voyant les foules, il eut pitié d'elles parce qu'elles étaient fatiguées et abattues comme des brebis sans berger. Il dit alors à ses disciples : « La moisson est abondante, et les ouvriers sont peu nombreux. Priez donc le maître de la moisson d'envoyer des ouvriers pour sa moisson. » Alors Jésus appela ses douze disciples et leur donna le pouvoir d'expulser les esprits mauvais et de guérir toute maladie et toute infirmité. Il leur dit : « Allez vers les brebis perdues de la maison d'Israël. Sur votre route, proclamez que le Royaume des cieux est tout proche. Guérissez les malades, ressuscitez les morts, purifiez les lépreux, chassez les démons. Vous avez reçu gratuitement : donnez gratuitement. »

PRIÈRE SUR LES OFFRANDES. Permets, Seigneur, que le sacrifice de nos eucharisties te soit toujours offert dans ton Église, pour accomplir le sacrement que tu nous as donné et pour réaliser la merveille de notre salut. Par Jésus, le Christ.

PRÉFACE DE L'AVENT I ———————————— page 211

« Voici que je viens sans tarder, dit le Seigneur, et j'apporte avec moi le salaire que je vais donner à chacun selon ce qu'il aura fait. »

PRIÈRE APRÈS LA COMMUNION. Seigneur notre Dieu, nous attendons de ta miséricorde que cette nourriture prise à ton autel nous empêche de céder à nos penchants mauvais et nous prépare aux fêtes qui approchent. Par Jésus, le Christ.

MÉDITATION DU JOUR

Le Verbe s'est fait chair

Il eut pitié des foules...

Dieu est tout proche en Jésus Christ, sa mère l'a porté, ses apôtres l'ont vu et l'ont touché, ses bourreaux l'ont saisi et crucifié. Il est en tout semblable à nous, jusque dans sa mort, hormis le péché. Et cependant il reste le tout-autre. Si différent en sa ressemblance même ; si déconcertant en sa présence que les *siens ne l'ont pas reconnu.* Ils l'auraient voulu à leur niveau, il les dépasse. Ils l'auraient voulu chef politique, libérateur temporel, il apporte la libération du monde, le salut éternel. Ils l'auraient voulu grand de grandeur humaine, puissant de puissance humaine ; il est apparu tout petit selon l'homme, parce qu'il était grand selon Dieu. Tout caché parce qu'infiniment illustre. Tout petit parce qu'infiniment fort. La transcendance de Dieu se manifeste dans la pauvreté de Jésus Christ, en qui il ne reste plus que l'infini du don. À travers les données humaines, Dieu se manifeste en Jésus Christ tout autre et tout proche.

Louis Lochet

Complies
avant le repos de la nuit

(Révision de la journée :
ma lumière ? le Seigneur ou mes projets ?)

Dieu, viens à mon aide,
Seigneur, à notre secours !

Gloire au Père, et au Fils, et au Saint-Esprit,
au Dieu qui est, qui était, et qui vient,
pour les siècles des siècles. Amen. Alléluia.

Hymne

Ferme mes yeux pour revoir tes merveilles
en ce moment que le jour fuit !
Allume dans la nuit
une clarté nouvelle !

Que le silence alentour me console
de la faiblesse de ma foi,
    puisque j'écoute en moi
    résonner ta parole !

Jusqu'à demain, si se lève l'aurore,
je t'abandonne mon esprit !
    Ta grâce me suffit,
    c'est elle que j'implore.

Psaume 4

Confiance et paix

Quand je crie, réponds-moi,
Dieu, ma justice !

Toi qui me libères dans la détresse,
pitié pour moi, écoute ma prière !

Fils des hommes,
    jusqu'où irez-vous dans l'insulte à ma gloire, *
l'amour du néant et la course au mensonge ?

Sachez que le Seigneur a mis à part son fidèle,
le Seigneur entend quand je crie vers lui.

Mais vous, tremblez, ne péchez pas ;
réfléchissez dans le secret, faites silence.

Offrez les offrandes justes
et faites confiance au Seigneur.

Beaucoup demandent :
    « Qui nous fera voir le bonheur ? » *
Sur nous, Seigneur, que s'illumine ton visage !

Tu mets dans mon cœur plus de joie
que toutes leurs vendanges et leurs moissons.

Dans la paix moi aussi, je me couche et je dors, *
car tu me donnes d'habiter, Seigneur,
  seul dans la confiance.

Gloire au Père, et au Fils, et au Saint-Esprit,
pour les siècles des siècles. Amen.

Psaume 133   **Bénédiction**

Vous tous, bénissez le Seigneur,
vous qui servez le Seigneur,
qui veillez dans la maison du Seigneur
au long des nuits.

Levez les mains vers le sanctuaire,
et bénissez le Seigneur.
Que le Seigneur te bénisse de Sion,
lui qui a fait le ciel et la terre !

Gloire au Père, et au Fils, et au Saint-Esprit,
pour les siècles des siècles. Amen.

Parole de Dieu   Deutéronome 6, 4-7

Ecoute, Israël : le Seigneur
notre Dieu est l'Unique.
Tu aimeras le Seigneur ton Dieu de tout ton cœur, de
toute ton âme et de toute ta force. Ces commandements
que je te donne aujourd'hui resteront gravés dans ton
cœur. Tu les rediras à tes fils, tu les répéteras sans cesse,
à la maison ou en voyage, que tu sois couché ou que tu
sois levé.

En tes mains, Seigneur, je remets mon esprit.
Tu es le Dieu fidèle qui garde son Alliance.
Gloire au Père, et au Fils, et au Saint-Esprit.
En tes mains, Seigneur, je remets mon esprit.

Cantique de Syméon   (Texte, couverture C)

Sauve-nous, Seigneur, quand nous veillons ; garde-nous quand nous dormons : nous veillerons avec le Christ, et nous reposerons en paix.

Prière

Dieu éternel, tu as écouté la prière de ton Christ, et tu l'as délivré de la mort ; ne permets pas que nos cœurs se troublent, rassure-nous dans notre nuit, comble-nous de ta joie, et nous attendrons dans le silence et la paix que se lève sur nous la lumière de la Résurrection. Par Jésus, le Christ, notre Seigneur. Amen.

Bénédiction

Que le Seigneur nous bénisse,
qu'il nous accorde une nuit tranquille
et nous garde dans la paix. Amen.

Antienne mariale

Nous te saluons, Vierge Marie,
   servante du Seigneur.
Ta foi nous a donné
   l'Enfant de la promesse,
   la source de la vie.
Ève nouvelle,
   montre-nous le Sauveur,
   Jésus Christ, notre frère,
Sainte Mère de Dieu.

Saints
D'HIER ET D'AUJOURD'HUI

Heureuse es-tu, Vierge Marie,
tu as mis au monde le Créateur du monde.

Saint Sabas
Abbé (439-532)

Ce Cappadocien est considéré comme l'un des
fondateurs du monachisme oriental. Il vécut en
ermite en différents endroits de Terre sainte avant
de fonder la laure (le monastère) de Mar Saba, qui
se dresse encore aujourd'hui au milieu du désert de
Juda, entre Jérusalem et la mer Morte. Il reçut ensuite
la responsabilité des monastères de Terre sainte
lorsqu'il fut nommé archimandrite (supérieur).
Après le concile Vatican II, comme geste
œcuménique, on transféra son corps, resté intact dans
la mort, de Rome à Mar Saba.

Bienheureux Nicolas Stensen
Évêque (1638-1683)

Toute la vie de cet évêque danois, né à Copenhague
dans une famille luthérienne pieuse, a été un
pèlerinage inlassable à la recherche de la vérité.
Converti au catholicisme, il se fit prêtre, et fut
consacré évêque par saint Grégoire Barbarigo.
Pasteur, mais aussi savant, il mérita le surnom de
« Père de l'anatomie ».

Je ne puis te chercher si tu ne me l'enseignes ;
je ne puis te trouver si tu ne te montres.

Saint Anselme

Paroles de Dieu

pour un dimanche

Tout homme verra le salut de Dieu

Orgueilleux, s'abstenir ! Car qui peut s'intéresser aux paroles de ce dimanche sinon des pauvres avides de la justice et de la paix promises par le psaume 71 ? Qui donc cherchait du réconfort auprès du prophète Isaïe ? Qui partait à la rencontre de Jean Baptiste dans le désert ? *Le peuple était dans l'attente,* nous dit ailleurs saint Luc ; belle définition pour un « cœur de pauvre » : c'est un cœur « dans l'attente » de l'intervention de Dieu. Les pharisiens et les sadducéens eux-mêmes se sont dérangés, preuve qu'eux aussi attendent quelque chose. Tout n'est donc pas perdu pour eux non plus : Jean Baptiste leur tient un langage musclé, pour leur ouvrir les yeux sur leur besoin de conversion. Pour le peuple, au contraire, déjà prêt à la conversion, il n'a que des paroles de pardon ; c'est bien la manière des prophètes : c'est toujours dans les périodes les plus troublées, les plus incertaines que les prophètes embouchent avec le plus de force les trompettes de l'espérance. Ils savent toujours rappeler à point nommé les sursauts de l'histoire : combien de fois, alors que tout semblait perdu, Dieu a-t-il retourné la situation ! Car rien n'est impossible à Dieu.

C'est ce qui s'est passé au temps du roi David, par exemple, pour le peuple en plein désarroi : d'un petit berger, Dieu a su faire un grand roi. Quelques

siècles plus tard, dans une autre période difficile, Isaïe a su s'en souvenir pour redonner l'espérance. La souche de Jessé (c'est-à-dire la dynastie de David) vous semble morte ? Qu'à cela ne tienne, Dieu va s'en mêler, et de l'arbre mort surgira un rejeton nouveau. Quand Dieu s'en mêle, tout peut arriver : le loup lui-même se met à respecter l'agneau…
Marie-Noëlle Thabut

Des idées

pour célébrer

▪ L'ouverture de la célébration ▪

Pour l'entrée, si l'on veut insister sur l'aspect pénitentiel, on pourra reprendre *Changez vos cœurs* G 162 (*MNA* 33.75), à condition que ce chant ne soit pas devenu pour l'assemblée le chant signal du Carême : il faut conserver aux chants leur saveur « saisonnière »… Et puis, il y a tellement de manières d'exprimer l'esprit de l'Avent : l'attente anxieuse de *L'espoir de la terre* E 203 (*MNA* 47.16), l'attente dynamique de *Dieu nous invite à l'aventure* E 163, l'attente joyeuse de Noël avec *Fais-nous marcher à ta lumière* E 252. La première lecture (Isaïe **11**) suggère également *Dieu est à l'œuvre en cet âge* T 50, ou encore *Préparez le chemin du Seigneur* E 13-95, de J. Gelineau.

▪ La liturgie de la Parole ▪

Pour le psaume 71, *Heureux le bâtisseur de la paix* ZL 71-2, extrait de la messe *Vienne la paix,* de

D. Rimaud et J. Berthier, sera le bienvenu. Plus simplement, on pourra prendre l'antienne « Voici venir un jour sans fin » dans *Église qui chante*, année A, n° 11, avec une psalmodie à deux voix. *Préparez le chemin du Seigneur* (AELF/J. Berthier), paru dans le *Répertoire à trois voix mixtes*, numéro hors-série 1990 de *Choristes*, conviendra parfaitement pour acclamer l'Évangile. Après celui-ci ou après l'homélie, on peut chanter *Vienne, Seigneur, vienne ton jour* E 240, *Une voix crie* E 242 ou, plus connu, *Préparez le chemin du Seigneur* E 134 de J.-P. Lécot (*MNA* 31.79). Avec une chorale, on pourra méditer cet Évangile en écoutant *La voix qui crie dans le désert*, un texte de D. Cerbelaud sur un choral de J.-S. Bach (G 330 dans le répertoire de Sylvanès, *Le Temps de l'Avent*).

Pour la prière universelle, *Dieu de justice et de paix, que ton Règne vienne !* Y 55 (n° 11) fait bien écho aux versets du psaume 71.

■ La liturgie eucharistique ■

Si l'on n'a pas choisi de chants de l'ordinaire communs aux quatre dimanches de l'Avent, on pourra puiser certains éléments dans la messe pour un rassemblement intitulée *Vienne la paix*, en particulier le chant de fraction, *Agneau de l'Alliance fidèle* A 240-1.

Pendant la communion, le chant *En mémoire du Seigneur* D 304-1 constituera un processionnal bien en lien avec l'atmosphère de la liturgie de ce dimanche. Après la communion, *Aube nouvelle* E 130 fera un très beau chant de méditation, reprenant les mots de l'Évangile, en particulier si l'on n'a pas pris de chant après la Parole, ou bien *Encore un peu de temps* PLH 168 (*MNA* 31.54), couplets 3-4-5 ; mais également *Viens bientôt, Sauveur du monde* E 157 (*MNA* 31.62), *Vienne la rosée* ELH 103 (*MNA* 31.62), si caractéristiques de l'Avent et qui « ouvrent » la célébration sur l'attente ardente du Sauveur.

■ L'envoi ■

En chant d'envoi, *Vienne la paix* T 150-1 s'impose, ou bien *Terre d'espérance* E 258, un chant au caractère dynamique, bien en rapport aussi avec l'esprit de ce deuxième dimanche de l'Avent, qui est celui de la persévérance et du courage selon saint Paul.

Xavier Ledoux

■ La prière universelle ■

Ces intentions sont à compléter par la communauté qui célèbre sans oublier l'actualité de cette fin d'année.

Avec le Seigneur Jésus, que notre prière prenne le chemin du Père.

Pour que l'Église, peuple de veilleurs, soit dans le monde le signe de l'attente quotidienne de l'avènement du Seigneur…

Pour tous ceux qui abandonnent les sentiers de la nuit et prennent le chemin de l'espérance…

Pour l'Église, qu'elle annonce et proclame à temps et à contretemps la bonne nouvelle : la paix est possible aujourd'hui…

Pour tous ceux qui travaillent à faire progresser la justice entre les hommes, pour ceux qui œuvrent pour le respect et la dignité de tous…

Dieu qui as fait le ciel et la terre et tout ce qu'ils contiennent, en toi nous mettons notre foi. Nous croyons que le Christ accomplit encore ton œuvre de justice et de paix, de lui nous attendons le salut. Tourne vers les pauvres le cœur de ton Église, par Jésus le Christ…

Autour
d'un chant

Toi que Marie nous a donné
Dans la demeure des bergers,
Es-tu celui qui doit venir
Mener ton peuple vers la paix ?

R/ Tu es l'Autre qui nous dit :
Les temps sont accomplis.
Voyez les signes du Royaume,
Les temps sont accomplis.
Bonne nouvelle pour les pauvres.

Toi que l'eau vive a baptisé
Toi que la soif a visité,
Es-tu celui qui doit venir
Changer les cœurs et nous sauver ?

Toi qui guéris l'aveugle-né,
Toi qui délivres le sourd-muet,
Es-tu celui qui doit venir
Porter le jour au monde entier ?

Toi qui nourris les affamés
Avec le pain multiplié,
Es-tu celui qui doit venir
Semer la joie à ton banquet ?

Toi qui nous parles de la mort
Et de l'exode sur la croix,
Es-tu celui qui doit venir
Briser les murs de nos tombeaux ?

Texte : Claude Bernard. Musique : Christian Villeneuve. Éditions musicales des *Fiches dominicales*, chants promus, année 1995.

Toi que Marie nous a donné ■

« Es-tu celui qui doit venir ? » Question de ses contemporains à Jean le Baptiste, avant que lui-même ne la reprenne à son compte. Les Juifs envoyèrent de Jérusalem vers Jean des prêtres et des lévites pour lui demander : *Qui es-tu donc ? […] Es-tu le prophète Élie ?* (Jn **1**, 19-21). Et Jean, de sa prison, envoya deux de ses disciples vers le Seigneur pour l'interroger : *Es-tu celui qui doit venir, ou devons-nous en attendre un autre ?* (Lc **7**, 19).

Nos questions, pour une part, livrent nos secrets, trahissent notre indigence, expriment nos espérances. Nous cherchons la paix parce qu'elle nous manque. Et voici, au-dessus de la demeure des bergers, *avec l'ange une troupe céleste innombrable, qui louait Dieu en disant : « Gloire à Dieu au plus haut des cieux, et paix sur la terre aux hommes qu'il aime »* (Lc **2**, 13-14).

L'enfant qui vient de naître est bien l'auteur de l'authentique paix : *C'est la paix que je vous laisse, c'est ma paix que je vous donne ; ce n'est pas à la manière du monde que je vous la donne* (Jn **14**, 27). Et, à l'issue du drame où l'échec avait paru lamentable et définitif, il se tient au milieu de ses disciples et leur dit : *La paix soit avec vous !* (Jn **20**, 19). Pour posséder la paix, nous n'avons pas à en attendre un autre.

Toi qui guéris l'aveugle-né ■

L'homme, qui ne peut que vieillir, rêve sans cesse d'une jeunesse sans fin. Impérieuse soif de vivre, soif de bonheur. Celui qui vient en est la source. À Nicodème, déconcerté, Jésus annonce qu'il lui faut naître à nouveau (cf. Jn **3**, 1-7) avec un cœur nouveau né du souffle de l'Esprit, et lui, Jésus, enverra d'auprès du Père cet Esprit (cf. Jn **15**, 26). À la Samaritaine, qui en oubliera sa cruche, il affirme qu'il est, lui, la source de l'eau vive qui jaillit en vie éternelle (cf. Jn **4**, 14). Il est venu, celui qu'annonçait le prophète Ézékiel. *Je verserai sur vous une eau pure, et vous serez purifiés.* [...] *Je vous donnerai l'esprit, et vous vivrez* (Éz **36**, 25 ; **37**, 6).

Es-tu celui qui doit venir ? *Allez rapporter à Jean ce que vous avez vu et entendu* (Lc **7**, 22). *Je suis la lumière du monde.* [...] *Va te laver à la piscine* [...]. *L'aveugle y alla donc, et il se lava ; quand il revint, il voyait* (Jn **9**, 5.7). Le possédé muet est délivré et se met à parler. Les témoins s'émerveillent (cf. Mt **9**, 33). Pris de pitié pour la foule qui le suit depuis trois jours, il la rassasie de pain et de poisson (cf. Mt **15**, 32-37). Au festin qu'il a préparé – car il s'agit du sien –, il lance l'invitation, sans réserve, aux pauvres, aux estropiés, aux aveugles et aux boiteux (cf. Lc **14**, 21).

Toi qui nous parles de la mort ▪

Au sommet de la montagne, dans la gloire de la Transfiguration, son prochain « exode », sa mort à Jérusalem, est l'objet de l'échange de Jésus avec Moïse et Élie (cf. Lc **9**, 31). La mort, sujet très grave pour lui. Pour l'homme aussi. Jésus l'affrontera et en sera vainqueur.

À son peuple déporté, devant la plaine jonchée de cadavres, Ézékiel encore avait prophétisé la victoire de la vie. *Ainsi parle le Seigneur Dieu : Je vais ouvrir vos tombeaux et je vous en ferai sortir* (Éz **37**, 12). À la voix de Jésus, les morts se relèvent. La fille de Jaïre avait douze ans. Jésus prend la main de l'enfant et lui dit : « *Talitha koum* », ce qui signifie : « *Jeune fille, je te le dis, lève-toi !* » Aussitôt la jeune fille se leva et se mit à mar-

cher (Mc **5**, 41-42). À Naïm, Jésus arrête le cortège du
défunt, un jeune homme, fils unique d'une veuve. Il
touche la civière et dit : « *Jeune homme, je te l'ordonne,
lève-toi.* » *Alors le mort se redressa, s'assit et se mit à
parler. Et Jésus le rendit à sa mère* (Lc **7**, 14-15).

Les temps sont accomplis ■

Oui, il est venu celui qui brise les murs de nos tombeaux.
Enlevez la pierre. [...] *Je suis la résurrection et la vie.
Celui qui croit en moi, même s'il meurt, vivra.* [...] *Lazare,
viens dehors !* (Jn **11**, 39.25.43). Le matin de Pâques, lui-
même, le « Chef des vivants » (Ac **3**, 15), surgira vivant
du tombeau. « Je suis le bon pasteur, je suis l'eau vive,
je suis la lumière, je suis la voie, la vérité, la vie. » *Je
vous le dis, celui qui croit en moi a la vie éternelle* (Jn **6**,
47). Tel est celui qu'à Noël, Marie nous a donné. À
Bethléem, il nous faudra le reconnaître. Nous n'avons
pas à en attendre un autre.

Père Jean Bihan

DIMANCHE 6 DÉCEMBRE
2e de l'Avent

Prière du matin

Réjouissez-vous dans le Seigneur,
réjouissez-vous, car il est proche !

Louez le Seigneur, tous les peuples ;   Ps 116
fêtez-le, tous les pays !

Son amour envers nous s'est montré le plus fort ;
éternelle est la fidélité du Seigneur !

Gloire au Père, et au Fils, et au Saint-Esprit,
pour les siècles des siècles. Amen.

TROPAIRE   Stance

Prêtez l'oreille !
Une voix crie dans le désert :
« Voici le Sauveur.
Retournez vos chemins vers la source :
vous serez baptisés
dans l'Esprit et le feu. »

R/ Les temps sont accomplis :
viens, Seigneur Jésus.

Ce jour-là,
tout ravin sera comblé,
toute colline abaissée.

Ce jour-là,
le loup habitera avec l'agneau,
l'enfant et le serpent joueront ensemble.

Ce jour-là,
mon peuple se réjouira,
il marchera dans ma lumière.

Ce jour-là,
le captif sera libéré,
un temps de grâce proclamé.

PSAUME 144 (I)   Hymne à Dieu

Par sa bonté pour nous dans le Christ Jésus, Dieu voulait montrer, au long des âges futurs, la richesse infinie de sa grâce.

Je t'exalterai, mon Dieu, mon Roi,   *je veux t'exalter*
je bénirai ton nom toujours et à jamais !

Chaque jour je te bénirai,
je louerai ton nom toujours et à jamais.
Il est grand, le Seigneur, hautement loué ;
à sa grandeur, il n'est pas de limite.

D'âge en âge, on vantera tes œuvres,
on proclamera tes exploits.
Je redirai le récit de tes merveilles,
ton éclat, ta gloire et ta splendeur.

On dira ta force redoutable ;
je raconterai ta grandeur.
On rappellera tes immenses bontés ;   *tu es bon*
tous acclameront ta justice.

Le Seigneur est tendresse et pitié,
lent à la colère et plein d'amour ;
la bonté du Seigneur est pour tous,
sa tendresse, pour toutes ses œuvres.

Que tes œuvres, Seigneur, te rendent grâce
et que tes fidèles te bénissent !

Ils diront la gloire de ton règne,
ils parleront de tes exploits,

annonçant aux hommes tes exploits,
la gloire et l'éclat de ton règne :
ton règne, un règne éternel,
ton empire, pour les âges des âges.

Gloire au Père, et au Fils, et au Saint-Esprit,
pour les siècles des siècles. Amen.

*Sois pour nous, Seigneur Jésus, la tendresse et l'amour
du Père. Aujourd'hui, comme hier, tous ont les yeux sur
toi, ils espèrent. Que nous puissions te bénir chaque jour,
et sans fin !*

Parole de Dieu   Romains 13, 12-14

L A NUIT est bientôt finie,
le jour est tout proche.
Rejetons les activités des ténèbres, revêtons-nous pour le
combat de la lumière. Conduisons-nous honnêtement,
comme on le fait en plein jour, sans ripailles ni beuveries,
sans orgies ni débauches, sans dispute ni jalousie, mais
revêtez le Seigneur Jésus Christ ; ne vous abandonnez pas
aux préoccupations de la chair pour satisfaire ses ten-
dances égoïstes.

Toi seul es saint ! Toi seul, Seigneur !

CANTIQUE DE ZACHARIE   (Texte, couverture B)

LOUANGE ET INTERCESSION

Tu nous as visités, Dieu notre Père, par la venue dans
la chair de ton Fils bien-aimé : garde-nous vigilants jusqu'à ta venue dans la gloire.

℟ **En toi, Seigneur, notre espérance !**

Tu nous as tracé en ton Fils un chemin de lumière. Que toute la terre se lève et marche vers toi à la clarté de son visage !

Tandis que la nuit s'achève et que le jour approche, viens secouer nos somnolences.

Accorde-nous de te servir dans la justice et la sainteté tout au long de nos jours.

Et, quand paraîtra le Fils de l'homme, qu'il nous trouve debout, prêts à l'accueillir.

Intentions libres

Ton amour et ta grâce, Seigneur notre Dieu, tu les donnes à ceux qui te prient. Ta promesse fait surgir un monde nouveau, et tu instaures un temps de paix. Convertis-nous par ton Esprit ; avec lui, nous préparerons l'avènement de Jésus notre Seigneur.

—————— • REFLETS D'ÉVANGILE • ——————

Le Royaume des cieux   **Matthieu 3, 1-12**

Tout homme en particulier et même l'humanité comme telle ont leur généalogie. Telle est la nature des choses. L'identité d'un individu s'établit à partir d'une filiation, et d'une filiation de filiations. Et tout groupe tend volontiers à remonter jusqu'à l'ancêtre commun. Or, un prophète vient déclarer renversées ces règles établies et détrônées les prérogatives qu'elles donnent. Il a pour nom Jean, le Baptiste. Pour lui, désormais, l'origine fait fi de toute ascendance. Le seul et vrai père des hommes, c'est Dieu en personne, et toute médiation physique est caduque entre lui et les êtres qu'il appelle à la vie. La vie ne dépend plus du sang ni de la chair. Elle ne saurait résulter que du plus pur ou gratuit des miracles, sans matière ni raison. Les descendants d'Abraham eux-mêmes n'échappent pas à cette Loi sans loi. On n'est pas croyant de droit, par simple filiation. Car la vie, la vraie vie, celle de la foi, n'a rien de légitime. Elle est une création, et même bien plus qu'une création. L'homme vivant ne vient plus cette fois de la terre, espace de respiration et source de fécondité. Il jaillit de la pierre, la réalité la plus dure et la plus stérile qui soit. C'est là de fait une nouvelle naissance, par transformation profonde et radicale de l'être tout entier. Quelqu'un est annoncé, qui en sera l'artisan mandaté. Il va proposer, conjointement, le bénéfice de l'Esprit qui crée et le service du feu qui purifie. Ce sera le baptême chrétien, différent du simple bain rituel couramment pratiqué jusqu'alors. Il marquera le croyant de l'estampille indélébile des membres élus du peuple nouveau, dont la vocation est de venir peupler le Royaume des cieux.

Thomas Comminges

La messe
2ᵉ dimanche de l'Avent

Peuple de Dieu, voici que le Seigneur va venir pour sauver les hommes. Le Seigneur fera retentir sa parole pour la joie de votre cœur.

Prière. Seigneur tout-puissant et miséricordieux, ne laisse pas le souci de nos tâches présentes entraver notre marche à la rencontre de ton Fils ; mais éveille en nous cette intelligence du cœur qui nous prépare à l'accueillir et nous fait entrer dans sa propre vie. Lui qui règne avec toi et le Saint-Esprit.

Lecture du livre d'Isaïe 11, 1-10

Parole du Seigneur Dieu. Un rameau sortira de la

souche de Jessé, père de David, un rejeton jaillira de ses racines. Sur lui reposera l'esprit du Seigneur : esprit de sagesse et de discernement, esprit de conseil et de force, esprit de connaissance et de crainte du Seigneur qui lui inspirera la crainte du Seigneur. Il ne jugera pas d'après les apparences, il ne tranchera pas d'après ce qu'il entend dire. Il jugera les petits avec justice, il tranchera avec droiture en faveur des pauvres du pays. Comme un bâton, sa parole frappera le pays, le souffle de ses lèvres fera mourir le méchant. Justice est la ceinture de ses hanches ; fidélité, le baudrier de ses reins. Le loup habitera avec l'agneau, le léopard se couchera près du chevreau, le veau et le lionceau seront nourris ensemble, un petit garçon les conduira. La vache et l'ourse auront même pâturage, leurs petits auront même gîte. Le lion, comme le bœuf, mangera du fourrage. Le nourrisson s'amusera sur le nid du cobra, sur le trou de la vipère l'enfant étendra la main. Il ne se fera plus rien de mauvais ni de corrompu sur ma montagne sainte ; car la connaissance du Seigneur remplira le pays comme les eaux recouvrent le fond de la mer. Ce jour-là, la racine de Jessé, père de David, sera dressée comme un étendard pour les peuples, les nations la chercheront, et la gloire sera sa demeure.

• Psaume 71 •

Voici venir un jour sans fin de justice et de paix.

Dieu, donne au roi tes pouvoirs,
à ce fils de roi ta justice.
Qu'il gouverne ton peuple avec justice,
qu'il fasse droit aux malheureux !

En ces jours-là, fleurira la justice,
grande paix jusqu'à la fin des lunes !

Qu'il domine de la mer à la mer,
et du Fleuve jusqu'au bout de la terre !

Il délivrera le pauvre qui appelle
et le malheureux sans recours.
Il aura souci du faible et du pauvre,
du pauvre dont il sauve la vie.

Que son nom dure toujours ;
sous le soleil, que subsiste son nom !
En lui, que soient bénies toutes les familles de la terre ;
que tous les pays le disent bienheureux !

Lecture de la lettre
de saint Paul Apôtre aux Romains   15, 4-9

Frères, tout ce que les livres saints ont dit avant nous est écrit pour nous instruire, afin que nous possédions l'espérance grâce à la persévérance et au courage que donne l'Écriture. Que le Dieu de la persévérance et du courage vous donne d'être d'accord entre vous selon l'esprit du Christ Jésus. Ainsi, d'un même cœur, d'une même voix, vous rendrez gloire à Dieu, le Père de notre Seigneur Jésus Christ. Accueillez-vous donc les uns les autres comme le Christ vous a accueillis pour la gloire de Dieu, vous qui étiez païens. Si le Christ s'est fait le serviteur des Juifs, c'est en raison de la fidélité de Dieu, pour garantir les promesses faites à nos pères ; mais, je vous le déclare, c'est en raison de la miséricorde de Dieu que les nations païennes peuvent lui rendre gloire ; comme le dit l'Écriture : Je te louerai parmi les nations, je chanterai ton nom.

Alléluia. Alléluia. Préparez le chemin du Seigneur, aplanissez la route : tout homme verra le salut de Dieu. Alléluia.

Évangile de Jésus Christ selon saint Matthieu 3, 1-12

E N CES JOURS-LÀ, paraît Jean le Baptiste, qui proclame dans le désert de Judée : « Convertissez-vous, car le Royaume des cieux est tout proche ! » Jean est celui que désignait la parole transmise par le prophète Isaïe : À travers le désert, une voix crie : Préparez le chemin du Seigneur, aplanissez sa route. Jean portait un vêtement de poils de chameau, et une ceinture de cuir autour des reins ; il se nourrissait de sauterelles et de miel sauvage. Alors Jérusalem, toute la Judée et toute la région du Jourdain venaient à lui, et ils se faisaient baptiser par lui dans le Jourdain en reconnaissant leurs péchés. Voyant des pharisiens et des sadducéens venir en grand nombre à ce baptême, il leur dit : « Engeance de vipères ! Qui vous a appris à fuir la colère qui vient ? Produisez donc un fruit qui exprime votre conversion, et n'allez pas dire en vousmêmes : "Nous avons Abraham pour père" ; car, je vous le dis : avec les pierres que voici, Dieu peut faire surgir des enfants à Abraham. Déjà la cognée se trouve à la racine des arbres : tout arbre qui ne produit pas de bons fruits va être coupé et jeté au feu. Moi, je vous baptise dans l'eau, pour vous amener à la conversion. Mais celui qui vient derrière moi est plus fort que moi, et je ne suis pas digne de lui retirer ses sandales. Lui vous baptisera dans l'Esprit Saint et dans le feu ; il tient la pelle à vanner dans sa main, il va nettoyer son aire à battre le blé, et il amassera le grain dans son grenier. Quant à la paille, il la brûlera dans un feu qui ne s'éteint pas. »

CREDO ———————————————————————— page 207

PRIÈRE SUR LES OFFRANDES. Laisse-toi fléchir, Seigneur, par nos prières et nos pauvres offrandes ; nous ne pouvons pas invoquer nos mérites, viens par ta grâce à notre secours. Par Jésus, le Christ, notre Seigneur.

PRÉFACE DE L'AVENT I ———————————— page 211

Lève-toi, Jérusalem, tiens-toi sur la hauteur, et contemple la joie qui te vient de ton Dieu.

PRIÈRE APRÈS LA COMMUNION. Pleins de reconnaissance pour cette eucharistie, nous te prions encore, Seigneur : apprends-nous, dans la communion à ce mystère, le vrai sens des choses de ce monde et l'amour des biens éternels. Par Jésus, le Christ.

BÉNÉDICTION SOLENNELLE ———————————— page 227

AU FIL DES JOURS

Écoutez les témoins silencieux

En vérité, le mystère chrétien de Jean Baptiste est que ce prophète, qui ne nous introduit plus en personne auprès de Jésus, continue à être le témoin pour nous des voies déconcertantes du Dieu vivant. Témoin silencieux : mais l'exercice de notre vie de foi n'a-t-il pas depuis longtemps attiré notre attention sur ce genre de témoignage ? Il y a un office public du témoignage, une prédication, une parole d'annonce et de mise en demeure : ce fut l'office du Baptiste au bord du Jourdain, un tel office commence et s'achève ; et il y a un office silencieux de témoignage, qui ne s'achève plus, qui est de l'ordre de la présence révélatrice, de l'inépuisable existence : aussi perpétuelle et nécessaire qu'une respiration ou qu'une amitié. L'Église a découvert, dans la demeure de sa foi, un tel témoignage silencieux de la Vierge : il y a un semblable témoignage silencieux du Baptiste.

Étonnant témoignage ! Ce plus grand des prophètes a été traité, par le Dieu qui pourtant l'aimait, comme le moindre dans le Royaume des cieux n'a jamais été traité. Ce privilégié du Seigneur n'a d'aucune manière été choyé par le Seigneur. Il n'a pas eu son Thabor comme Pierre, ou son troisième ciel comme Paul, il n'a goûté aucun vin et pas même celui de l'Esprit, dont se sont enivrés après lui tous les enfants du Royaume.

Prophète de l'attente et du renoncement, il a été, c'est vrai, comblé dans son renoncement en ayant entendu la voix de l'Époux ; mais cette voix ne s'adressait même pas à lui et l'Époux ne vivait que pour d'autres...

Albert-Marie Besnard, o.p.

Prière du soir

Réjouissez-vous dans le Seigneur,
réjouissez-vous, car il est proche !

Gloire au Père, et au Fils, et au Saint-Esprit !

Hymne

Voici le temps du long désir
Où l'homme apprend son indigence,
Chemin creusé pour accueillir
Celui qui vient combler les pauvres.

Pourquoi l'absence dans la nuit,
Le poids du doute et nos blessures,
Sinon pour mieux crier vers lui,
Pour mieux tenir dans l'espérance ?

Et si nos mains, pour t'appeler,
Sont trop fermées sur leurs richesses,
Seigneur Jésus, dépouille-les
Pour les ouvrir à ta rencontre.

L'amour en nous devancera
Le temps nouveau que cherche l'homme ;
Vainqueur du mal, tu nous diras :
Je suis présent dans votre attente.

Psaume 144 (II)   Le Seigneur est proche

Le Seigneur est vrai en tout ce qu'il dit,
fidèle en tout ce qu'il fait.   tu es fidèle
Le Seigneur soutient tous ceux qui tombent,
il redresse tous les accablés.

Les yeux sur toi, tous, ils espèrent :
tu leur donnes la nourriture au temps voulu ;
tu ouvres ta main :
tu rassasies avec bonté tout ce qui vit.

Le Seigneur est juste en toutes ses voies,
fidèle en tout ce qu'il fait.
Il est proche de ceux qui l'invoquent,
de tous ceux qui l'invoquent en vérité.

Il répond au désir de ceux qui le craignent ;
il écoute leur cri : il les sauve.
Le Seigneur gardera tous ceux qui l'aiment,
mais il détruira tous les impies.

Que ma bouche proclame les louanges
   du Seigneur ! *
Son nom très saint, que toute chair le bénisse
   toujours et à jamais !

Gloire au Père, et au Fils, et au Saint-Esprit...

Parole de Dieu   2 Thessaloniciens 1, 6-7. 10

Il est juste que Dieu vous
donne, à vous les opprimés,
le repos avec nous, lors de la révélation du Seigneur Jésus

qui viendra du ciel, avec les anges de sa puissance, pour être glorifié en la personne de ses saints et pour être admiré en tous ceux qui auront cru.

Viens, Seigneur, ne tarde pas !

HYMNE DE LOUANGE (Texte, couverture C)

INTERCESSION

Fils du Très-Haut, annoncé par l'ange
à la Vierge Marie,
– règne à jamais sur ton peuple.

℟ Viens et demeure avec nous !

Pour toi, Saint de Dieu, Jean le Précurseur
a tressailli d'allégresse dès avant sa naissance,
– révèle à tous les hommes la joie du salut.

Jésus dont le nom sauveur a été révélé à Joseph,
– libère ton peuple de ses péchés.

Lumière du monde, qu'attendaient Syméon
et tous les justes,
– soutiens l'espérance de ton Église.

Soleil levant, dont Zacharie a entrevu le jour,
– illumine ceux qui habitent les ténèbres
et l'ombre de la mort.

Intentions libres

Notre Père...

Car c'est à toi qu'appartiennent
le règne, la puissance et la gloire,
pour les siècles des siècles !

LUNDI 7 DÉCEMBRE
Saint Ambroise

Prière du matin

*Le Seigneur va venir,
nous verrons sa gloire.*

Gloire au Père, et au Fils, et au Saint-Esprit !

TROPAIRE

Les temps sont accomplis,   Stance
aujourd'hui naît d'une femme
celui qui nous rend fils de Dieu.
Son visage brille sur nous
et son Esprit pénètre nos cœurs.

℟   Joie dans le ciel, paix sur la terre !

Au souffle qui passe en elle,
Marie tressaille et s'émerveille.

Les pauvres sont venus ;
ils glorifient et louent l'Éternel.

D'âge en âge l'Église
reçoit la Parole de vie.

PSAUME 18 (A)   Louange de la création

Les cieux proclament la gloire de Dieu,
le firmament raconte l'ouvrage de ses mains.
Le jour au jour en livre le récit
et la nuit à la nuit en donne connaissance.

Pas de paroles dans ce récit,
pas de voix qui s'entende ;

mais sur toute la terre en paraît le message
et la nouvelle, aux limites du monde.

Là, se trouve la demeure du soleil : †
tel un époux, il paraît hors de sa tente,
il s'élance en conquérant joyeux.

Il paraît où commence le ciel, †
il s'en va jusqu'où le ciel s'achève :
rien n'échappe à son ardeur.

Gloire au Père, et au Fils, et au Saint-Esprit...

Parole de Dieu
Isaïe 2, 11-12

L'ORGUEILLEUX REGARD des humains sera abaissé, les hommes hautains devront plier : et ce jour-là, le Seigneur seul sera exalté. Car il y aura un jour pour le Seigneur, le Tout-Puissant, contre tout ce qui est fier, hautain et altier et qui sera abaissé.

Voici le Seigneur Dieu :
toute chair verra sa gloire !

LOUANGE ET INTERCESSION

Nous t'en prions, Jésus notre Sauveur, venu annoncer aux pauvres la bonne nouvelle du salut :

℟ Révèle à tous les hommes ta gloire !

Fais-toi connaître de ceux qui ne t'ont pas rencontré :
qu'ils voient ton salut et confessent ton nom.

Que l'Évangile soit proclamé en tout lieu,
pour que tous les hommes découvrent ton chemin.

Déploie ta grâce en notre vie, pour que nous te servions avec générosité et persévérance.

Préserve en nous la liberté que tu as éveillée :
qu'elle nous rende attentifs à notre prochain.

Quand tu paraîtras pour juger les vivants et les morts,
porte sur nous un regard de miséricorde.

Intentions libres

Que notre prière, Seigneur, se fraie un chemin jusqu'à
toi : suscite au cœur de ceux qui te servent les désirs
purs, les désirs forts, qui les prépareront au mystère de
l'incarnation de ton Fils. Lui qui règne avec toi.

LA MESSE
Lundi de la 2ᵉ semaine de l'Avent

SAINT AMBROISE (340-397)   *Mémoire*

● *Romain d'origine, Ambroise était préfet de
police à Milan quand il fut élu évêque de cette
ville. Il sut résister avec énergie aux empiétements
du pouvoir impérial, tandis qu'il s'attachait à
catéchiser le peuple, en commentant l'Écriture et
en propageant le chant religieux.●*

Ainsi parle le Seigneur Dieu : « Je me susciterai un prêtre fidèle,
qui agira selon mon cœur et mon désir. »

PRIÈRE. Seigneur, tu as fait de saint Ambroise un docteur de la
foi catholique et un courageux successeur des Apôtres ; suscite
en ton Église des hommes selon ton cœur, capables de la gouverner avec force et sagesse. Par Jésus Christ, ton Fils, notre
Seigneur.

● *LE DIALOGUE ENTRE LE SEIGNEUR qui annonce sa
venue et le chrétien qui implore cette venue est si
fondamental que la révélation s'achève sur lui
dans la dernière page de l'Apocalypse. Mais cette*

*venue a déjà été inaugurée dans l'incarnation du
Fils de Dieu. En ordonnant au paralytique de se
lever et de marcher, Jésus a signifié clairement que
le temps merveilleux était commencé où le boiteux
bondirait comme un cerf.* ●

Écoutez, tous les peuples, la parole du Seigneur, annoncez-
la aux terres lointaines : voici notre Sauveur qui vient, ne
craignez plus.

PRIÈRE ———————————————— page précédente

Lecture du livre d'Isaïe
35, 1-10

L E DÉSERT et la terre de la
soif, qu'ils se réjouissent !
Le pays aride, qu'il exulte et fleurisse, qu'il se couvre
de fleurs des champs, qu'il exulte et crie de joie ! La
gloire du Liban lui est donnée, la splendeur du Carmel
et de Sarône. On verra la gloire du Seigneur, la splendeur de notre Dieu. Fortifiez les mains défaillantes,
affermissez les genoux qui fléchissent, dites aux gens
qui s'affolent : « Prenez courage, ne craignez pas. Voici
votre Dieu : c'est la vengeance qui vient, la revanche
de Dieu. Il vient lui-même et va vous sauver. » Alors
s'ouvriront les yeux des aveugles et les oreilles des
sourds. Alors le boiteux bondira comme un cerf, et la
bouche du muet criera de joie. L'eau jaillira dans le
désert, des torrents dans les terres arides. Le pays tor-
ride se changera en lac, la terre de la soif, en eaux jaillis-
santes. Dans le repaire des chacals, les broussailles
deviendront des roseaux et des joncs. Il y aura là une
chaussée, on l'appellera : Voie sacrée. L'homme impur
n'y passera pas et les insensés ne viendront pas s'y éga-
rer. On n'y rencontrera pas de lion, aucune bête féroce
n'y surgira ; seuls les rachetés y marcheront. Ils reviendront, les captifs rachetés par le Seigneur, ils arriveront

à Jérusalem dans une clameur de joie, un bonheur sans
fin illuminera leur visage ; allégresse et joie les rejoindront, douleur et plainte s'enfuiront.

• PSAUME 84 •

Voici notre Dieu qui vient nous sauver.

J'écoute : que dira le Seigneur Dieu ?
Ce qu'il dit, c'est la paix pour son peuple :
son salut est proche de ceux qui le craignent,
et la gloire habitera notre terre.

Amour et vérité se rencontrent,
justice et paix s'embrassent ;
la vérité germera de la terre
et du ciel se penchera la justice.

Le Seigneur donnera ses bienfaits,
et notre terre donnera son fruit.
La justice marchera devant lui,
et ses pas traceront le chemin.

Alléluia. Alléluia. Il va venir, le Roi, le Maître de la terre ;
il ôtera nos liens, il nous délivrera. **Alléluia.**

Évangile de Jésus Christ selon saint Luc   5, 17-26

UN JOUR que Jésus ensei-
gnait, il y avait dans l'as-
sistance des pharisiens et des docteurs de la Loi, venus
de tous les villages de Galilée et de Judée, ainsi que de
Jérusalem ; et la puissance du Seigneur était à l'œuvre
pour lui faire opérer des guérisons. Arrivent des gens,
portant sur une civière un homme qui était paralysé ;
ils cherchaient à le faire entrer pour le placer devant
Jésus. Mais, ne voyant pas comment faire à cause de la
foule, ils montèrent sur le toit et, en écartant les tuiles,

ils le firent descendre avec sa civière en plein milieu devant Jésus. Voyant leur foi, il dit : « Tes péchés te sont pardonnés. » Les scribes et les pharisiens se mirent à penser : « Quel est cet homme qui dit des blasphèmes ? Qui donc peut pardonner les péchés, sinon Dieu seul ? » Mais Jésus, saisissant leurs raisonnements, leur répondit : « Pourquoi tenir ces raisonnements ? Qu'est-ce qui est le plus facile ? de dire : "Tes péchés te sont pardonnés", ou bien de dire : "Lève-toi et marche" ? Eh bien ! pour que vous sachiez que le Fils de l'homme a sur terre le pouvoir de pardonner les péchés, je te l'ordonne, dit-il au paralysé : Lève-toi, prends ta civière et retourne chez toi. » À l'instant même, celui-ci se leva devant eux, il prit ce qui lui servait de lit et s'en alla chez lui en rendant gloire à Dieu. Tous furent saisis de stupeur et ils rendaient gloire à Dieu. Remplis de crainte, ils disaient : « Aujourd'hui nous avons vu des choses extraordinaires ! »

PRIÈRE SUR LES OFFRANDES. Seigneur, nous ne pourrons jamais t'offrir que les biens venus de toi : accepte ceux que nous t'apportons ; et, puisque c'est toi qui nous donnes maintenant de célébrer l'eucharistie, fais qu'elle soit pour nous le gage du salut éternel. Par Jésus, le Christ, notre Seigneur.

PRÉFACE DE L'AVENT I ——————————— page 211

Viens, Seigneur, nous visiter dans la paix ; en ta présence nous goûterons la joie.

PRIÈRE APRÈS LA COMMUNION. Fais fructifier en nous, Seigneur, l'eucharistie qui nous a rassemblés : c'est par elle que tu formes dès maintenant, à travers la vie de ce monde, l'amour dont nous t'aimerons éternellement. Par Jésus.

———————————————————————

PRIÈRE SUR LES OFFRANDES. Que ton Esprit, Seigneur notre Dieu, nous donne, dans cette eucharistie, la lumière de la foi qui éclai-

rait saint Ambroise quand il annonçait ta gloire à son peuple.
Par Jésus, le Christ, notre Seigneur.

Le bon pasteur, le vrai berger, donne sa vie pour ses brebis.

Prière après la communion. Puisque tu nous as réconfortés,
Seigneur, par cette communion, fais-nous si bien profiter des
leçons de saint Ambroise que notre énergie à suivre tes chemins
nous prépare aux joies du festin éternel. Par Jésus, le Christ,
notre Seigneur.

• ——————————————————— •

M É D I T A T I O N   D U   J O U R

• ——————————————————— •

Ambroise et Augustin

J'arrivai ainsi à Milan chez l'évêque Ambroise,
universellement connu pour un homme d'élite, fidèle
à te rendre hommage. Orateur actif, il distribuait
alors à ton peuple la fine fleur de ton froment, l'huile
riante, le vin qui sans produire l'ivresse enivre. À
mon insu tu m'amenais à lui pour être en connaissance de cause amené par lui à toi.

L'accueil de cet homme de Dieu fut pour moi
d'un père et il eut pour ma qualité d'étranger les
égards que l'on peut attendre d'un évêque.

J'écoutais de toutes mes oreilles ses discours au
peuple, mais dans une intention autre que je n'aurais dû : comme aux aguets pour voir si son talent
de parole était au niveau de sa réputation. Souvent,
dans ses sermons au peuple, Ambroise disait,
comme une consigne où il eût mis toute sa ferveur :
« La lettre tue, l'esprit vivifie ». De l'entendre me
mettait en joie, tandis que, le voile de mystère
écarté, il ouvrait au sens spirituel ce qui, dans sa
lettre, avait l'air d'une doctrine à contresens.

Je n'arrivais pas ces jours-là à me rassasier,
merveilleuse douceur, en considérant la hauteur de

tes desseins touchant le salut du genre humain. Et que de larmes à tes hymnes, à tes cantiques ! Les voix doux-sonnantes de ton Église me faisaient vibrer à l'aigu. Elles me coulaient, ces voix, dans les oreilles et, dans mon cœur, la vérité se distillait, et c'était un bouillonnement d'émotion pieuse et un ruissellement de larmes, et cela me faisait du bien de pleurer.   *S. AUGUSTIN D'HIPPONE*

Prière du soir
Veille de l'Immaculée Conception

Avec Marie, comblée de grâce,
bénissons le Seigneur.

Gloire au Père, et au Fils, et au Saint-Esprit !

HYMNE

Humble servante du Seigneur,
Amour éveillé par la grâce,
Dieu te choisit.
Heureuse, tu accueilles le message
Du Maître de la vie.

Terre féconde au vent de Dieu,
Ta glaise nourrit la semence,
Dieu te bénit.
Le Verbe peut germer dans ton silence,
Tu portes Jésus Christ.

Joie de l'Église au long du temps,
Tu portes l'espoir du Royaume :
Christ est vivant !
Éclaire notre route jusqu'à l'aube,
Étoile de l'Avent.

Psaume 30 (I) **Supplication confiante**

En toi, Seigneur, j'ai mon refuge ;
garde-moi d'être humilié pour toujours.

Dans ta justice, libère-moi ;
écoute, et viens me délivrer.
Sois le rocher qui m'abrite,
la maison fortifiée qui me sauve.

Ma forteresse et mon roc, c'est toi ;
pour l'honneur de ton nom,
    tu me guides et me conduis.
Tu m'arraches au filet qu'ils m'ont tendu ;
oui, c'est toi mon abri.

En tes mains, je remets mon esprit ;
tu me rachètes, Seigneur, Dieu de vérité.
Je hais les adorateurs de faux dieux,
et moi, je suis sûr du Seigneur.

Ton amour me fait danser de joie :
tu vois ma misère et tu sais ma détresse.
Tu ne m'as pas livré aux mains de l'ennemi ;
devant moi, tu as ouvert un passage.

Gloire au Père, et au Fils, et au Saint-Esprit…

Parole de Dieu Romains 8, 29-30

Ceux qu'il connaissait par avance, il les a aussi destinés à être l'image de son Fils, pour faire de ce Fils l'aîné d'une multitude de frères. Ceux qu'ils destinait à cette ressemblance, il les a aussi appelés ; ceux qu'il a appelés, il en a fait des justes ; et ceux qu'il a justifiés, il leur a donné sa gloire.

J'exulte de joie dans le Seigneur !

Cantique de Marie (Texte, couverture A)

INTERCESSION

Dieu notre Père, il nous est bon de te louer,
toi qui as voulu que toutes les générations
de croyants honorent la mère de ton Fils :

℟ Que la Vierge bénie intercède pour nous !

Dieu qui fait des merveilles,
tu as introduit la Vierge Marie dans la gloire de ton Fils,
– tourne vers le ciel le regard des croyants.

À chacun de nous tu as donné Marie pour mère,
– par son intercession, guéris les malades,
console les affligés, pardonne aux pécheurs,
accorde à tous le salut et la paix.

Par ta grâce, Marie a été comblée de grâce ;
– que ta grâce nous obtienne aussi la joie
en abondance.

À la prière de Marie, viens en aide à ceux qui meurent :
– qu'ils vivent, avec le Christ, dans ton paradis.

Intentions libres

Notre Père... Car c'est à toi qu'appartiennent...

ANTIENNE MARIALE

Sainte Mère du Rédempteur
  Porte du ciel, toujours ouverte,
  Étoile de la mer,
Viens au secours du peuple qui tombe
  et qui cherche à se relever.
Tu as enfanté, ô merveille !
  celui qui t'a créée,
  et tu demeures toujours vierge.
Accueille le salut de l'ange Gabriel
  et prends pitié de nous pécheurs.

Saints
D'HIER ET D'AUJOURD'HUI

Lève-toi, Seigneur, sauve les humbles de la terre !

Saint Jean le Silentiaire
Évêque (454-558)

Arménien de Nicopolis, il n'avait pas 20 ans lorsqu'il fonda un premier monastère, sur les deniers de son héritage. Évêque de Colonie, il renonça à sa charge au bout de dix ans, pour ne pas entrer en conflit avec son beau-frère qui était gouverneur du pays.
Il se retira alors comme reclus dans la laure de Saint-Sabas, aux portes de Jérusalem, où il s'éteindra, à 104 ans – dont soixante seize de désert !

Sainte Marie-Josèphe Rossello
Vierge (1811-1888)

Native du diocèse de Savone, en Italie, de parents pauvres, Benoîte Rossello se fit tertiaire franciscaine. En 1837, elle posa les fondements du futur institut des Filles de Notre-Dame de la Miséricorde, qui se développa en Italie, puis en Amérique latine. Elle choisit alors le nom de Marie-Josèphe. Sa santé chancelante et les difficultés que rencontra la nouvelle fondation donnent la mesure de l'héroïsme de son courage.

Le Fils est sa parole dernière et définitive :
Dieu nous a tout dit ensemble et en une fois.

Saint Jean de la Croix

MARDI 8 DÉCEMBRE
Immaculée Conception de la Vierge Marie

Prière du matin

Célébrons l'Immaculée Conception de la Vierge Marie ;
adorons son Fils, le Christ, notre Seigneur.

Louez le Seigneur, tous les peuples ; Ps 116
fêtez-le, tous les pays !

Son amour envers nous s'est montré le plus fort ;
éternelle est la fidélité du Seigneur !

Gloire au Père, et au Fils, et au Saint-Esprit,
pour les siècles des siècles. Amen.

HYMNE

Voici l'aurore avant le jour,
Voici la mère virginale,
La femme promise au début des âges,
Elle a bâti sa demeure
Dans les vouloirs du Père.

Aucune peur, aucun refus,
Ne vient troubler l'œuvre de grâce,
Son cœur est rempli d'ineffable attente,
Elle offre à Dieu le silence
Où la Parole habite.

Sous le regard qui lui répond,
Les temps nouveaux tressaillent en elle,
L'avent mystérieux du Royaume à naître.
L'Esprit la prend sous son ombre
Et doucement la garde.

Voici l'épouse inépousée,
Marie, servante et souveraine,
Qui porte en secret le salut du monde,
Le sang du Christ la rachète
Mais elle en est la source.

PSAUME 138 (I)   Prière d'émerveillement

Tu me scrutes, Seigneur, et tu sais ! +
Tu sais quand je m'assois, quand je me lève ;
de très loin, tu pénètres mes pensées.

Que je marche ou me repose, tu le vois,
tous mes chemins te sont familiers.
Avant qu'un mot ne parvienne à mes lèvres,
déjà, Seigneur, tu le sais.

Tu me devances et me poursuis, tu m'enserres,
tu as mis la main sur moi.
Savoir prodigieux qui me dépasse,
hauteur que je ne puis atteindre !

Où donc aller, loin de ton souffle ?
où m'enfuir, loin de ta face ?
Je gravis les cieux : tu es là ;
je descends chez les morts : te voici.

Je prends les ailes de l'aurore
et me pose au-delà des mers :
même là, ta main me conduit,
ta main droite me saisit.

J'avais dit : « Les ténèbres m'écrasent ! »
mais la nuit devient lumière autour de moi.
Même la ténèbre pour toi n'est pas ténèbre,
et la nuit comme le jour est lumière !

Gloire au Père, et au Fils, et au Saint-Esprit...

Parole de Dieu

PAROLE DU SEIGNEUR : C'est moi qui t'ai créé, Jacob, qui t'ai formé, Israël. Ne crains pas, car je t'ai racheté, je t'ai appelé par ton nom, tu m'appartiens. Parce que tu as du prix à mes yeux, que tu as de la valeur et que je t'aime.

Je t'aime, Seigneur, ma force !

CANTIQUE DE ZACHARIE   (Texte, couverture B)

LOUANGE ET INTERCESSION

Prions notre Sauveur qui a voulu naître
de la Vierge Marie, et disons avec elle :

℟   Notre âme exalte le Seigneur.

Fils du Dieu vivant, par ta Passion tu as préservé
ta mère de toute souillure.

Rédempteur des hommes,
tu t'es incarné dans le sein de la Vierge Marie.

Maître des intelligences,
tes paroles et tes gestes pénétraient le cœur
de ta mère.

Sauveur du monde,
tu as voulu que Marie soit au pied de la croix.

Jésus ressuscité qui règnes à la droite du Père,
tu as glorifié Marie dans son âme
et dans son corps.

Intentions libres

Seigneur, tu as préparé à ton Fils une demeure digne de lui par la conception immaculée de la Vierge, puisque tu l'as préservée de tout péché par une grâce venant déjà de la mort de ton Fils, accorde-nous, à l'intercession de cette mère très pure, de parvenir jusqu'à toi, purifiés, nous aussi, de tout mal. Par Jésus Christ, ton Fils, notre Seigneur.

La messe

Solennité de l'Immaculée Conception

● *Sainte Marie, Mère de Dieu. Dès les premiers siècles, l'Église a formulé dans sa prière l'essentiel de sa foi concernant la mère de Jésus (concile d'Éphèse en 431). Mais il fallut ensuite un long temps pour découvrir peu à peu les merveilles de grâce (a. de la communion), que contenaient ces mots jaillis spontanément des lèvres du peuple chrétien. Saint Irénée avait pressenti l'immaculée conception de Marie, lorsqu'il saluait en elle « la Nouvelle Ève ». Ce n'est pourtant qu'au XVe siècle que nous voyons l'Église exposer formellement dans sa liturgie : Dieu a préparé à son Fils « une demeure digne de lui par la conception immaculée de la Vierge », préservant celle-ci « de tout péché par une grâce venant déjà de la mort de ce Fils » (p. d'ouverture). La formule est d'une telle plénitude qu'elle devait être reprise presque textuellement dans la définition dogmatique du pape Pie IX (1854). L'Immaculée Conception n'est pas seulement pour Marie la préservation du mal, elle est plénitude de grâce : Dieu l'a « comblée de grâce » (préface), « enveloppée du manteau de l'innocence » (a. d'ouverture). Comme son assomption, la conception immaculée de Marie est fondée sur la maternité divine (préface, p. d'ouverture et a. de la communion). Comme en son assomption, Marie est, en sa conception immaculée, l'image anticipée de*

l'Église : en elle, Dieu « *préfigurait l'Église, la fiancée sans ride, sans tache, resplendissante de beauté* »
(préface), sainte et irréprochable *(Ép 5, 27).* ●

Je tressaille de joie dans le Seigneur, mon âme exulte en mon
Dieu. Car il m'a enveloppée du manteau de l'innocence, et
m'a fait revêtir les vêtements du salut, comme une épouse
parée de ses bijoux.

Lecture du livre de la Genèse   3, 9... 20

QUAND L'HOMME eut déso-
béi à Dieu, le Seigneur
Dieu l'appela et lui dit : « Où es-tu donc ? » L'homme
répondit : « Je t'ai entendu dans le jardin, j'ai pris peur
parce que je suis nu, et je me suis caché. » Le Seigneur
reprit : « Qui donc t'a dit que tu étais nu ? Je t'avais
interdit de manger du fruit de l'arbre ; en aurais-tu
mangé ? » L'homme répondit : « La femme que tu m'as
donnée, c'est elle qui m'a donné du fruit de l'arbre, et
j'en ai mangé. » Le Seigneur Dieu dit à la femme :
« Qu'as-tu fait là ? » La femme répondit : « Le serpent
m'a trompée, et j'ai mangé. » Alors le Seigneur Dieu dit
au serpent : « Parce que tu as fait cela tu seras maudit
parmi tous les animaux et toutes les bêtes des champs.
Tu ramperas sur le ventre et tu mangeras de la poussière tous les jours de ta vie. Je mettrai une hostilité entre
la femme et toi, entre sa descendance et ta descendance :
sa descendance te meurtrira la tête, et toi, tu lui meur-
triras le talon. » L'homme appela sa femme : « Ève »
(c'est-à-dire : « la vivante »), parce qu'elle fut la mère de
tous les vivants.

• Psaume 97 •

Le Seigneur a fait pour toi des merveilles, Vierge Marie.

Chantez au Seigneur un chant nouveau,
car il a fait des merveilles ;
par son bras très saint, par sa main puissante,
il s'est assuré la victoire.

Le Seigneur a fait connaître sa victoire
et révélé sa justice aux nations ;
il s'est rappelé sa fidélité, son amour,
en faveur de la maison d'Israël.

La terre tout entière a vu
la victoire de notre Dieu.
Acclamez le Seigneur, terre entière,
acclamez votre roi, le Seigneur !

Lecture de la lettre
de saint Paul Apôtre aux Éphésiens   1, 3... 12

Béni soit Dieu, le Père de
notre Seigneur Jésus
Christ. Dans les cieux, il nous a comblés de sa bénédiction spirituelle en Jésus Christ. En lui, il nous a choisis avant la création du monde, pour que nous soyons,
dans l'amour, saints et irréprochables sous son regard.
Il nous a d'avance destinés à devenir pour lui des fils
par Jésus Christ : voilà ce qu'il a voulu dans sa bienveillance pour que soit chantée la merveille du don gratuit qu'il nous a fait en son Fils bien-aimé. En lui, nous
les fils d'Israël, Dieu nous a d'avance destinés à devenir son peuple ; car lui qui réalise tout ce qu'il a décidé,
il a voulu que nous soyons ceux qui avaient espéré dans
le Christ à la louange de sa gloire.

Alléluia. Alléluia. Réjouis-toi, Vierge Marie, comblée de grâce : le Seigneur est avec toi, tu es bénie entre les femmes. Alléluia.

Évangile de Jésus Christ selon saint Luc 1, 26-38

L'ange Gabriel fut envoyé par Dieu dans une ville de Galilée, appelée Nazareth, à une jeune fille, une vierge, accordée en mariage à un homme de la maison de David, appelé Joseph ; et le nom de la jeune fille était Marie. L'ange entra chez elle et dit : « Je te salue, Comblée-de-grâce, le Seigneur est avec toi. » À cette parole, elle fut toute bouleversée, et elle se demandait ce que pouvait signifier cette salutation. L'ange lui dit alors : « Sois sans crainte, Marie, car tu as trouvé grâce auprès de Dieu. Voici que tu vas concevoir et enfanter un fils ; tu lui donneras le nom de Jésus. Il sera grand, il sera appelé Fils du Très-Haut ; le Seigneur Dieu lui donnera le trône de David son père : il régnera pour toujours sur la maison de Jacob, et son règne n'aura pas de fin. » Marie dit à l'ange : « Comment cela va-t-il se faire, puisque je suis vierge ? » L'ange lui répondit : « L'Esprit Saint viendra sur toi, et la puissance du Très-Haut te prendra sous son ombre ; c'est pourquoi celui qui va naître sera saint, et il sera appelé Fils de Dieu. Et voici qu'Élisabeth, ta cousine, a conçu, elle aussi, un fils dans sa vieillesse et elle en est à son sixième mois, alors qu'on l'appelait "la femme stérile". Car rien n'est impossible à Dieu. » Marie dit alors : « Voici la servante du Seigneur : que tout se passe pour moi selon ta parole. » Alors l'ange la quitta.

CREDO ─────────────────────────────────── page 207

Prière sur les offrandes. Accueille, Seigneur, le sacrifice du salut que nous t'offrons en ce jour où nous célébrons la conception immaculée de Marie ; puisque nous reconnaissons que la prévenance de ta grâce l'a préservée de tout péché, accorde-nous, par son intercession, d'être libérés de toute faute. Par Jésus, le Christ, notre Seigneur.

PRÉFACE. Vraiment, il est juste et bon de te rendre gloire, de t'offrir notre action de grâce, toujours et en tout lieu, à toi, Père très saint, Dieu éternel et tout-puissant. Car tu as préservé la Vierge Marie de toutes les séquelles du premier péché, et tu l'as comblée de grâce pour préparer à ton Fils une mère vraiment digne de lui ; en elle, tu préfigurais l'Église, la fiancée sans ride, sans tache, resplendissante de beauté. Cette vierge pure devait nous donner le Sauveur, l'Agneau immaculé qui enlève nos fautes. Choisie entre toutes les femmes, elle intervient en faveur de ton peuple et demeure pour lui l'idéal de la sainteté. C'est pourquoi, avec tous les anges du ciel, pleins de joie, nous (disons) chantons : **Saint !...**

PRIÈRE EUCHARISTIQUE I, II OU III ————— pages 213 à 221

Nous célébrons les merveilles que le Seigneur a faites pour la Vierge Marie ; par elle nous est venu le Soleil de justice, le Christ notre Dieu.

PRIÈRE APRÈS LA COMMUNION. Que cette communion, Seigneur notre Dieu, guérisse en nous les blessures de la faute originelle dont tu as préservé la Vierge Marie, grâce au privilège de sa conception immaculée. Par Jésus, le Christ.

BÉNÉDICTION SOLENNELLE ————— page 227

MÉDITATION DU JOUR

Rien n'est impossible à Dieu

L'Église nous a appris qu'une créature est demeurée parfaitement en place au milieu de la déroute universelle.

Et ce qui nous touche, ce qui nous est précieux à nous hommes plongés dans l'épaisseur de notre aventure, le voici : elle est la Sainte Vierge, mais elle est une femme de notre chair et non pas un ange, engagée comme nous dans un monde de péchés, et cependant intacte. Tendre, aimante, douloureuse comme toute femme. Et cependant admirablement juste, alors même qu'elle ne sait pas, qu'elle ne comprend pas, qu'elle tremble, qu'elle est déchirée d'angoisse, n'inclinant jamais si peu que ce soit hors de la ligne impeccable.

Ainsi donc, si gauchie que soit notre humanité, si universel le mensonge, si empoisonnés les éléments et l'air, si pesante soit la loi de la trahison de l'esprit et de la chair, si désespéré soit ce monde où partout notre regard voit, en perçant le dehors, les incurables compromissions ; ainsi donc, il y a parmi nous un être intact, charnel et absolument pur, temporel et cependant dans la vérité absolue ! Comment, à cette nouvelle d'une exception à la loi d'airain, ne pas frémir ! S'il y a une pureté parfaite, il y a des purifications possibles. S'il y a une rectitude, il peut y avoir des redressements. Dans l'universelle déviation, il y a un axe, et non pas céleste seulement, mais traversant notre terre, notre chair. Oui, l'Immaculée Conception est le point central autour duquel gravitent toutes les questions spirituelles.

PAUL DONCŒUR, S.J.

Prière du soir

*Béni sois-tu, Seigneur,
en l'honneur de la Vierge Marie.*

*Gloire au Père, et au Fils, et au Saint-Esprit,
au Dieu qui est, qui était, et qui vient,
pour les siècles des siècles. Amen. Alléluia.*

Hymne

Plus haut que les cieux la gloire éternelle !
Et paix sur la terre aux pauvres de Dieu !

Un signe joyeux se lève aux ténèbres :
Voici que la Vierge répond à son Dieu.

Sous l'aube du feu la source éternelle,
Marie s'émerveille à l'heure de Dieu !

Il comble ses vœux, il tient la promesse
Que tout lui advienne au gré de son Dieu.

Cachée à ses yeux la vive lumière
Au cœur lui révèle l'alliance de Dieu !

Le Corps silencieux accueille le Verbe
Et toute la terre enfante son Dieu.

Cantique de l'Apocalypse   (19)

Alléluia !

Le salut, la puissance,
la gloire à notre Dieu,
Alléluia !
Ils sont justes, ils sont vrais,
ses jugements.
Alléluia !

Célébrez notre Dieu,
serviteurs du Seigneur,
Alléluia !
vous tous qui le craignez,
les petits et les grands.
Alléluia !

Il règne, le Seigneur,
notre Dieu tout-puissant,

Alléluia !
Exultons, crions de joie,
et rendons-lui la gloire !
Alléluia !

Car elles sont venues,
les Noces de l'Agneau,
Alléluia !
Et pour lui son épouse
a revêtu sa parure.
Alléluia !

Parole de Dieu

Éphésiens 5, 25b-27

LE CHRIST a aimé l'Église, il s'est livré pour elle ; il [vou]lait la rendre sainte en la purifiant par le bain du [bap]tême et la Parole de vie ; il voulait se la présenter [à] lui-même, cette Église, resplendissante, sans tache, ni ride, ni aucun défaut ; il la voulait sainte et irréprochable.

Tu es la gloire de notre peuple, Vierge Marie !

HYMNE DE LOUANGE   (Texte, couverture C)

INTERCESSION

Bénissons notre Dieu : il a voulu que toutes les générations proclament bienheureuse la mère de son Fils.

℟   Béni sois-tu, Seigneur !

Pour ton humble servante, attentive à ta parole,
modèle du cœur qui écoute.

Pour celle qui a mis ton Fils au monde,
la mère de l'Homme nouveau.

Pour celle qui a veillé sur la croissance de Jésus,
présence maternelle dans l'Église.

Pour celle qui s'est tenue debout au pied de la croix,
force des accablés.

Pour celle que tu as remplie de joie
au matin de Pâques,
espérance des vivants.

Pour celle que tu as fait monter au ciel, près de ton
Fils, secours des mourants.

Intentions libres

Notre Père...

> Car c'est à toi qu'appartiennent
> le règne, la puissance et la gloire,
> pour les siècles des siècles !

Heureuse es-tu, Vierge Marie !
Par toi, le salut est entré dans le monde.
Comblée de gloire, tu te réjouis devant le Seigneur,
tu cries de joie à l'ombre de ses ailes.
Sainte Mère de Dieu,
prie pour nous, pauvres pécheurs.

MERCREDI 9 DÉCEMBRE

Prière du matin

Allons au-devant de celui qui vient !

Gloire au Père, et au Fils, et au Saint-Esprit,
au Dieu qui est, qui était, et qui vient,
pour les siècles des siècles. Amen. Alléluia.

HYMNE

Dieu est à l'œuvre en cet âge,
Ces temps sont les derniers.
Dieu est à l'œuvre en cet âge,
Son Jour va se lever !
Ne doutons pas du Jour qui vient,
La nuit touche à sa fin.
Et l'Éclat du Seigneur remplira l'univers
Mieux que l'eau ne couvre les mers !

Quelle est la tâche des hommes
Que Dieu vient rassembler,
Afin de bâtir le Royaume
Du prince de la Paix ?
Que peut-on faire pour hâter
Ce jour tant espéré
Où l'Éclat du Seigneur remplira l'univers
Mieux que l'eau ne couvre les mers ?

Pour que ce Jour ne nous perde,
Ce jour comme un voleur,
Ne dormons pas aux ténèbres,
Veillons dans le Seigneur.
Comme l'éclair part du Levant

Et va jusqu'au Couchant,
Il viendra dans sa gloire au-dessus des nuées,
Le Seigneur qui est Dieu d'amour.

PSAUME 118 (VIII)   Je quête ton regard

Mon partage, Seigneur, je l'ai dit,
   c'est d'observer tes paroles.
De tout mon cœur, je quête ton regard :
   pitié pour moi selon tes promesses.
J'examine la voie que j'ai prise :
   mes pas me ramènent à tes exigences.
Je me hâte, et ne tarde pas,
   d'observer tes volontés.
Les pièges de l'impie m'environnent,
   je n'oublie pas ta loi.
Au milieu de la nuit, je me lève et te rends grâce
   pour tes justes décisions.
Je suis lié à tous ceux qui te craignent
   et qui observent tes préceptes.
Ton amour, Seigneur, emplit la terre ;
   apprends-moi tes commandements.

Gloire au Père, et au Fils, et au Saint-Esprit,
pour les siècles des siècles. Amen.

*Seigneur, garde-moi d'oublier que ta loi est une loi
d'amour.*

Parole de Dieu   Daniel 9, 19

Seigneur, écoute ! Seigneur,
pardonne ! Seigneur, sois
attentif et agis, ne tarde pas ! À cause de toi-même, ô mon
Dieu, car ton nom est invoqué sur ton peuple.

   Viens, Seigneur, viens, Emmanuel !

LOUANGE ET INTERCESSION

Verbe de Dieu, venu partager notre condition d'homme, fais grandir en nous le désir d'avoir part à ta gloire.

℟ En toi notre salut, Seigneur, Emmanuel !

Prince de la paix, venu pour changer les épées en charrues et les lances en faucilles, fais-nous passer de la haine à l'amour, de l'injure au pardon.

Envoyé du Père pour annoncer la délivrance des captifs, rends-nous solidaires de la lutte pour la justice et la vérité.

Maître de justice, qui ne juges pas sur l'apparence, donne-nous de vivre dans l'humilité et d'accomplir la vérité.

Quand tu viendras avec puissance et grande gloire, accorde-nous de paraître devant toi dans l'assurance de ta miséricorde.

Intentions libres

Dieu tout-puissant, tu nous demandes de préparer le chemin de ton Fils ; ne permets pas que la fatigue nous abatte, alors que nous attendons la venue bienheureuse de celui qui nous rendra les forces et la santé. Lui qui règne avec toi et le Saint-Esprit.

LA MESSE
Mercredi de la 2ᵉ semaine de l'Avent

● *LE SEIGNEUR VIENT (antienne d'ouverture et de la communion), nous devons préparer son chemin (prière d'ouverture). Le thème prophétique, repris*

*avec vigueur par Jean Baptiste à la veille de l'en-
trée de Jésus dans sa vie publique, est aujourd'hui
au cœur de notre prière (prière d'ouverture). Cette
préparation est une œuvre ardue, et l'image n'a
rien perdu de sa valeur : faire une route constitue
toujours une grande entreprise, qui exige énergie
et continuité dans l'effort. Aussi demandons-nous
au Seigneur de ne pas permettre que « la fatigue
nous abatte ».* ●

Le Seigneur va venir sans tarder éclairer ce que voilent nos
ténèbres et se manifester à toutes les nations.

PRIÈRE ──────────────── page précédente

Lecture du livre d'Isaïe   40, 25-31

A QUI DONC pourriez-vous
me comparer, qui pour-
rait être mon égal ? dit le Dieu Saint. Levez les yeux et
regardez : qui a créé tout cela ? Celui qui déploie toute
l'armée des étoiles, et les appelle chacune par son nom.
Si grande est sa force, et telle est sa puissance qu'il n'en
manque pas une. Pourquoi parles-tu ainsi, Jacob ?
Israël, pourquoi affirmes-tu : « Mon chemin est caché
à mon Dieu, le Seigneur néglige mon bon droit » ? Tu
ne le sais donc pas, tu ne l'as pas appris ? Le Seigneur
est le Dieu éternel, c'est lui qui crée la terre entière, il
ne faiblit pas, il ne se lasse pas. Son intelligence est
insondable. Il rend des forces à l'homme épuisé, il déve-
loppe la vigueur de celui qui est faible. Les jeunes gens
se fatiguent, se lassent, et les athlètes s'effondrent, mais
ceux qui mettent leur espérance dans le Seigneur trouvent des forces nouvelles ; ils prennent leur essor
comme des aigles, ils courent sans se lasser, ils avancent sans se fatiguer.

• PSAUME 102 •

Bénis le Seigneur, ô mon âme !

Bénis le Seigneur, ô mon âme,
bénis son nom très saint, tout mon être !
Bénis le Seigneur, ô mon âme,
n'oublie aucun de ses bienfaits.

Car il pardonne toutes tes offenses
et te guérit de toute maladie ;
il réclame ta vie à la tombe
et te couronne d'amour et de tendresse.

Le Seigneur est tendresse et pitié,
lent à la colère et plein d'amour ;
il n'agit pas envers nous selon nos fautes,
ne nous rend pas selon nos offenses.

Alléluia. Alléluia. Il viendra, le Seigneur, pour sauver son
peuple. Heureux ceux qui seront prêts à partir à sa rencontre ! Alléluia.

**Évangile de Jésus Christ
selon saint Matthieu**
11, 28-30

En ce temps-là, Jésus prit
la parole : « Venez à moi,
vous tous qui peinez sous le poids du fardeau, et moi,
je vous procurerai le repos. Prenez sur vous mon joug,
devenez mes disciples, car je suis doux et humble de
cœur, et vous trouverez le repos. Oui, mon joug est
facile à porter, et mon fardeau, léger. »

PRIÈRE SUR LES OFFRANDES. Permets, Seigneur, que le sacrifice de nos eucharisties te soit toujours offert dans ton Église,
pour accomplir le sacrement que tu nous as donné et pour
réaliser la merveille de notre salut. Par Jésus, le Christ, notre
Seigneur.

Préface de l'Avent I ———————————— page 211

Voici le Seigneur Dieu qui vient avec puissance ; il vient illuminer notre regard.

Prière après la communion. Seigneur notre Dieu, nous attendons de ta miséricorde que cette nourriture prise à ton autel nous empêche de céder à nos penchants mauvais et nous prépare aux fêtes qui approchent. Par Jésus, le Christ, notre Seigneur.

MÉDITATION DU JOUR

Venez à moi, vous tous

Un curé lorrain, fondateur au XVIᵉ et XVIIᵉ siècle, médite sur les choix de Dieu, dans la langue du grand siècle.

Notre Seigneur va chercher aujourd'hui des pauvres pêcheurs, simples, idiots [ignorants], rustiques et malsages pour ses apôtres. Il ne voulait prêcher que peu d'années et puis monter au ciel après la Résurrection. Il fallait amasser des disciples pour instruire en sa doctrine, et après son Ascension la prêcher aux Juifs et aux Gentils. Il fallait qu'ils la publiassent par après à tous les habitants de la terre, il fallait trouver des architectes, des ouvriers, des maçons pour bâtir ce très noble temple, cette Église de toutes les nations.

Il fallait construire de nouveaux cieux qui chanteraient la gloire de Dieu. En fin il fallait appeler des Docteurs et des Fondateurs de l'Église qui enseignassent le monde, les peuples, les princes, les rois, les philosophes, les doctes, les indoctes, et fondassent l'Église par tout le monde même, qui fussent colloqués comme belles pierres précieuses au fondement de la sainte Jérusalem.

Où s'en va Notre Seigneur pour trouver ceci ? Va-t-il point en Athènes, fontaine de la philosophie, à Rome la mère d'éloquence, en Jérusalem, cité où était enseignée la vraie sapience ? Il ne va pas en ces grandes et superbes académies y prendre des docteurs, des philosophes, des orateurs, des Cicérons, des Démosthènes, Aristotes, Platons, mais sur la mer de Galilée y prendre des pêcheurs, des pauvres gens qui n'avaient rien. Ô bonté de Dieu ! ô Puissance, ô Providence ! ô Sagesse ! Pour vous servir d'exemple et de consolation, Notre Seigneur a appelé des hommes rudes et mal polis, et en a fait des pêcheurs d'hommes.

S. PIERRE FOURIER

Prière du soir

Le Roi qui va venir,
venez, adorons-le.

Gloire au Père, et au Fils, et au Saint-Esprit !

HYMNE

Une voix parcourt la terre,
Dieu s'approche dans la nuit ;
La semence de lumière
Donne enfin son fruit.

Voici l'heure du Royaume,
L'arbre mort a refleuri ;
Mais devant le Fils de l'homme,
Qui pourra tenir ?

À l'Orient son jour se lève,
Nul n'échappe à sa venue ;
Sa Parole comme un glaive
Met les cœurs à nu.

Seul le pauvre trouve grâce,
Seul le pauvre sait aimer :
Dieu l'invite à prendre place
Près du Fils aîné.

Et l'Agneau des sources vives,
Dieu fait chair en notre temps,
Chaque jour, sous d'humbles signes,
Vient à nos devants.

Offre-lui tes mains ouvertes,
Prends son corps livré pour toi ;
Son amour sera ta fête,
Donne-lui ta foi.

Marche encore vers la Ville
Où tes yeux verront l'Agneau,
Cherche en lui la route à suivre,
Viens au jour nouveau !

PSAUME 66

Que Dieu nous prenne en grâce et nous bénisse,
que son visage s'illumine pour nous ;
et ton chemin sera connu sur la terre,
ton salut, parmi toutes les nations.

Que les peuples, Dieu, te rendent grâce ;
qu'ils te rendent grâce tous ensemble !

Que les nations chantent leur joie,
car tu gouvernes le monde avec justice ;
tu gouvernes les peuples avec droiture,
sur la terre, tu conduis les nations.

Que les peuples, Dieu, te rendent grâce ;
qu'ils te rendent grâce tous ensemble !

La terre a donné son fruit ;
Dieu, notre Dieu, nous bénit.

Que Dieu nous bénisse,
et que la terre tout entière l'adore !

Que les peuples, Dieu, te rendent grâce ;
qu'ils te rendent grâce tous ensemble !

Gloire au Père, et au Fils, et au Saint-Esprit…

Parole de Dieu   1 Corinthiens 1, 7b-9

Nous attendons de voir se révéler notre Seigneur Jésus Christ. C'est lui qui nous fera tenir solidement jusqu'au bout, et nous serons sans reproche au jour de notre Seigneur Jésus Christ. Car Dieu est fidèle, lui qui nous a appelés à vivre en communion avec son Fils.

Notre âme attend le Seigneur !

INTERCESSION

Dieu fidèle, prends soin de ton Église,
cette vigne que ta main a plantée, inspire ses pasteurs
pour qu'ils veillent sur sa fidélité.

℞   Que vienne, Seigneur, ton règne de paix !

Souviens-toi de tous les fils d'Abraham,
– accomplis tes promesses, élargis le cœur des chrétiens.

Regarde tous les peuples de la terre,
– donne-leur de découvrir ton amour sans limite.

Soutiens à travers le monde tous les artisans de paix,
– qu'ils ne se lassent pas d'espérer ton royaume.

Rappelle à toi tous ceux qui ont quitté cette vie,
– reçois-les dans la gloire auprès de toi.

Intentions libres

Notre Père… Car c'est à toi qu'appartiennent…

SAINTS
D'HIER ET D'AUJOURD'HUI

Le Seigneur est proche, réjouissons-nous !

BIENHEUREUX LIBORIUS WAGNER
Prêtre et martyr (1593-1631)

À 28 ans, ce jeune allemand quitte Mühlhausen, en
Saxe, et sa famille, luthérienne et pratiquante, pour
« chercher la vérité sur la religion ».
Un an plus tard, il embrasse la foi catholique et décide
de se préparer au sacerdoce. Ordonné en 1625,
il est nommé curé d'Altenmünster, en Allemagne,
et il se dévoue à la sanctification et à la conversion
des habitants, en grande partie protestants, défendant
aussi leurs biens matériels.
Mais lors de l'invasion du roi de Suède, qui veut
imposer la réforme protestante, le père Liborius est
trahi par des fanatiques luthériens, arrêté, et torturé
pendant cinq jours. Il répondait invariablement à
toutes les propositions d'apostasie : « Je vis, je souffre,
et je meurs comme catholique fidèle au pape. »
Il est alors crucifié devant un feu allumé et meurt,
à l'âge de 38 ans.

*Les frères ne peuvent garder ni l'unité ni la paix
s'ils ne s'encouragent pas mutuellement
en se supportant.*

Saint Cyprien

JEUDI 10 DÉCEMBRE

Prière du matin

Que l'univers chante et crie de joie car le Seigneur vient !

Gloire au Père, et au Fils, et au Saint-Esprit !

HYMNE

Dieu est à l'œuvre en cet âge,
Ces temps sont les derniers.
Dieu est à l'œuvre en cet âge,
Son Jour va se lever !
Ne doutons pas du Jour qui vient,
La nuit touche à sa fin.
Et l'Éclat du Seigneur remplira l'univers
Mieux que l'eau ne couvre les mers !

Que notre marche s'éclaire
Au signe de Jésus !
Lui seul peut sauver notre terre
Où l'homme n'aime plus.
Il faut défendre l'exploité,
Ouvrir au prisonnier,
Et l'Éclat du Seigneur remplira l'univers
Mieux que l'eau ne couvre les mers !

Dieu est amour pour son peuple,
Il aime pardonner.
Dieu est amour pour son peuple,
Il veut sa liberté.
Ne doutons pas du Jour qui vient,
La nuit touche à sa fin.
Déchirons notre cœur, revenons au Seigneur,
Car il est le Dieu qui revient.

Psaume 80   Chant d'acclamation

Dieu nourrit son peuple de la fleur du froment.

Criez de joie pour Dieu, notre force,
acclamez le Dieu de Jacob.

Jouez, musiques, frappez le tambourin,
la harpe et la cithare mélodieuse.
Sonnez du cor pour le mois nouveau,
quand revient le jour de notre fête.

C'est là, pour Israël, une règle,
une ordonnance du Dieu de Jacob ;
il en fit, pour Joseph, une loi
quand il marcha contre la terre d'Égypte.

J'entends des mots qui m'étaient inconnus : +
« J'ai ôté le poids qui chargeait ses épaules ;
ses mains ont déposé le fardeau.

« Quand tu étais sous l'oppression, je t'ai sauvé ; +
je répondais, caché dans l'orage,
je t'éprouvais près des eaux de Mériba.

« Écoute, je t'adjure, ô mon peuple ;
vas-tu m'écouter, Israël ?
Tu n'auras pas chez toi d'autres dieux,
tu ne serviras aucun dieu étranger.

« C'est moi, le Seigneur ton Dieu, +
qui t'ai fait monter de la terre d'Égypte !
Ouvre ta bouche, moi, je l'emplirai.

« Mais mon peuple n'a pas écouté ma voix,
Israël n'a pas voulu de moi.
Je l'ai livré à son cœur endurci :
qu'il aille et suive ses vues !

« Ah ! Si mon peuple m'écoutait,
Israël, s'il allait sur mes chemins !

Aussitôt j'humilierais ses ennemis,
contre ses oppresseurs je tournerais ma main.

« Mes adversaires s'abaisseraient devant lui ;
tel serait leur sort à jamais !
Je le nourrirais de la fleur du froment,
je le rassasierais avec le miel du rocher ! »

Gloire au Père, et au Fils, et au Saint-Esprit…

Parole de Dieu
Aggée 2, 6b.9

ENCORE un peu de temps, et je vais ébranler le ciel et la terre, la mer et les continents. La splendeur future de ce Temple surpassera la première, et dans ce lieu, je vous ferai don de la paix. Parole du Seigneur de l'univers.

Voici qu'il vient, le Roi de la terre !

LOUANGE ET INTERCESSION

Seigneur Jésus, venu du sein du Père pour partager notre vie, libère-nous de tout ce qui nous retient loin de toi et loin de nos frères.

℟   Visite-nous, Seigneur, dans ta miséricorde !

Toi qui viendras manifester ta gloire à tes élus,
– creuse dans nos cœurs une attente
aussi vaste que tes promesses.

Toi qui nous conduis par la lumière de la foi,
– donne-nous imagination et courage
pour accorder notre vie à notre foi.

Toi qui frémissais de compassion
devant les souffrances des hommes,
– soutiens les malades et ceux qui les soignent.

Toi qui es venu offrir à tous les hommes
le salut promis à Israël.
– protège ton Église contre toute ségrégation
en elle-même et dans le monde.

Intentions libres

Réveille-nous, Seigneur, décide-nous à préparer les chemins de ton Fils, afin que, par le mystère de sa venue,
nous puissions te servir d'un cœur purifié. Par Jésus.

LA MESSE
Jeudi de la 2ᵉ semaine de l'Avent

● *COMME HIER, LA LITURGIE nous invite à préparer les chemins du Christ. Hier elle rappelait que
c'est le Seigneur lui-même qui nous le demande.
Aujourd'hui elle en fait l'objet de notre prière (p.
d'ouverture). Telles sont les deux faces de l'agir
chrétien : tout vient de Dieu et tout dépend de
nous. L'initiative procède du Seigneur, la réponse,
du jeu de notre liberté. Mais, si nous acquiesçons
à l'appel de Dieu, c'est encore sa grâce qui nous
donnera de mener à bien l'œuvre entreprise, et
nous pourrons dire : « La main du Seigneur a fait
tout cela » (première lecture).* ●

Tu es proche, Seigneur : tous tes chemins sont droits. Dès
l'origine, j'ai su que ton alliance était fondée pour toujours.

PRIÈRE —————————————————————— ci-dessus

Lecture du livre d'Isaïe 41, 13-20

JE SUIS LE SEIGNEUR ton
Dieu. Je te prends la main
droite, et je te dis : « Ne crains pas, je viens à ton
secours. » Ne crains pas, Jacob, faible vermisseau,
Israël, misérable mortel. Je viens à ton secours, déclare

le Seigneur ; ton rédempteur, c'est le Dieu Saint d'Israël. J'ai fait de toi une herse à broyer la paille, toute neuve, hérissée de pointes : tu vas briser les montagnes, les broyer, et réduire les collines en menue paille ; tu les passeras au crible, le vent les emportera, un tourbillon les dispersera. Mais toi, tu mettras ta joie dans le Seigneur, ta fierté dans le Dieu Saint d'Israël. Les petits et les pauvres cherchent de l'eau, et il n'y en a pas ; leur langue est desséchée par la soif. Moi, le Seigneur, je les exaucerai, moi, le Dieu d'Israël, je ne les abandonnerai pas. Sur les hauteurs dénudées je ferai jaillir des fleuves, et des sources dans les ravins. Je changerai le désert en lac, et la terre aride en fontaines. Je mettrai dans le désert le cèdre et l'acacia, le myrte et l'olivier ; je mettrai dans les terres incultes le cyprès, le pin et le mélèze, afin que tous regardent et reconnaissent, afin que tous considèrent et découvrent que la main du Seigneur a fait tout cela, que le Dieu Saint d'Israël en est le créateur.

— • PSAUME 144 • —

**Béni sois-tu, Seigneur,
Dieu de tendresse et d'amour !**

Je t'exalterai, mon Dieu, mon Roi,
je bénirai ton nom toujours et à jamais !
La bonté du Seigneur est pour tous,
sa tendresse, pour toutes ses œuvres.

Que tes œuvres, Seigneur, te rendent grâce
et que tes fidèles te bénissent !
Ils diront la gloire de ton règne,
ils parleront de tes exploits.

Ils annonceront aux hommes tes exploits,
la gloire et l'éclat de ton règne :

ton règne, un règne éternel,
ton empire, pour les âges des âges.

Alléluia. Alléluia. Ciel, répands ta rosée ! Nuées, faites pleuvoir le juste ! Terre, ouvre-toi, que germe le Sauveur ! Alléluia.

Évangile de Jésus Christ selon saint Matthieu
11, 11-15

Jésus déclarait aux foules : « Amen, je vous le dis : Parmi les hommes, il n'en a pas existé de plus grand que Jean Baptiste ; et cependant le plus petit dans le Royaume des cieux est plus grand que lui. Depuis le temps de Jean Baptiste jusqu'à présent, le Royaume des cieux subit la violence, et des violents cherchent à s'en emparer. Tous les prophètes, ainsi que la Loi, ont parlé jusqu'à Jean. Et, si vous voulez bien comprendre, le prophète Élie qui doit venir, c'est lui. Celui qui a des oreilles, qu'il entende ! »

Prière sur les offrandes. Seigneur, nous ne pourrons jamais t'offrir que les biens venus de toi : accepte ceux que nous t'apportons ; et, puisque c'est toi qui nous donnes maintenant de célébrer l'eucharistie, fais qu'elle soit pour nous le gage du salut éternel. Par Jésus, le Christ, notre Seigneur.

Préface de l'Avent I ———————————— page 211

Vivons dans le monde présent en hommes raisonnables, justes et religieux pour attendre le bonheur que nous espérons : la manifestation glorieuse de Jésus Christ, notre Dieu et notre Sauveur.

Prière après la communion. Fais fructifier en nous, Seigneur, l'eucharistie qui nous a rassemblés : c'est par elle que tu formes dès maintenant, à travers la vie de ce monde, l'amour dont nous t'aimerons éternellement. Par Jésus, le Christ, notre Seigneur.

Aucun n'est plus grand que Jean

La rigueur et le dénuement de la vie du Baptiste, ce désert implacable qui fut sa seule demeure, nous épouvantent, au fur et à mesure que nous en mesurons l'intensité, l'immensité. Il fallait être Dieu pour concevoir pareil destin et le proposer à un homme ; pour oser lui demander pareil effacement, pareille passion avant que la mémoire de la Passion du Christ puisse tempérer la souffrance et en illuminer la nuit.

Nul, à part la Vierge, n'a été associé de plus près à l'incarnation du Fils de Dieu ; mais, dans sa pauvreté même, la Vierge trouvait sa gloire, tandis que le Baptiste n'a trouvé que l'abandon et la mort. Sa mort. Sa figure pourrait nous apparaître, si nous ne nous doutions de l'inconcevable amour de Dieu pour cet homme effacé, comme la seule figure réellement tragique de toute l'histoire biblique. Non, *parmi les enfants des femmes, il n'en a pas surgi de plus grand que Jean Baptiste*, mais quelle redoutable et incompréhensible grandeur que celle dont Dieu seul, les yeux fixés sur son dessein, s'est réservé la taille ! Nous pouvons à peine soupçonner dans quelle tendresse de gloire le Seigneur a dû envelopper son serviteur, l'humble prophète du Jourdain, et quel ravissement occupe désormais ce cœur qui, derrière sa rude apparence, était incapable d'aucune joie terrestre, n'avait été façonné que pour vivre et pour vibrer à

l'unique voix de l'Agneau et de l'Épouse, à l'unique
Parole du Verbe éternel.   *ALBERT-MARIE BESNARD O.P.*

Prière du soir

*Montre-nous ta miséricorde
Que nos lèvres chantent ta louange.*

*Gloire au Père, et au Fils, et au Saint-Esprit,
au Dieu qui est, qui était, et qui vient,
pour les siècles des siècles. Amen. Alléluia.*

HYMNE

Debout ! Le Seigneur vient !
Une voix prophétique
A surgi du désert,
Un désir, une attente
Ont mûri nos esprits,
Préparons-nous !

Debout ! Le Seigneur vient !
La parole s'infiltre,
Elle ébranle nos cœurs.
Et voici le Royaume,
Il s'approche, il est là.
Réveillons-nous !

Debout ! Le Seigneur vient !
L'espérance nouvelle
Entre à flots dans nos vies.
Son mystère féconde
Un silence de foi.
Purifions-nous !

Debout ! Le Seigneur vient !
Bienheureux les convives
Au festin de l'amour.

Dieu lui-même s'invite
Et nous verse la joie.
Rassemblons-nous !

Le Seigneur vient !

Chant des Béatitudes

℟ Dans ton royaume,
souviens-toi de nous, Seigneur,
souviens-toi de nous.

Heureux les pauvres en esprit :
car le Royaume des cieux est à eux !

Heureux les doux :
car ils posséderont la terre !

Heureux les affligés :
car ils seront consolés !

Heureux ceux qui ont faim et soif de la justice :
car ils seront rassasiés !

Heureux les miséricordieux :
car ils obtiendront miséricorde !

Heureux les cœurs purs :
car ils verront Dieu !

Heureux les pacifiques :
car ils seront appelés fils de Dieu !

Heureux ceux qui sont persécutés pour la justice :
car le Royaume des cieux est à eux !

Heureux êtes-vous quand on vous insulte
et quand on vous calomnie à cause de moi.
Réjouissez-vous ! Exultez !
Car votre récompense est grande dans les cieux.

Parole de Dieu

1 Thessaloniciens 3, 12-13

Que le seigneur vous donne, entre vous et à l'égard de tous les hommes, un amour de plus en plus intense et débordant. Et qu'ainsi il vous établisse fermement dans une sainteté sans reproche devant Dieu notre Père, pour le jour où notre Seigneur Jésus viendra avec tous les saints.

Peuple nouveau, chante ton Dieu !

INTERCESSION

Verbe éternel, dans ces temps qui sont les derniers, tu as pris notre nature, fais de notre vie une marche vers le Royaume des cieux.

℟   Viens, Seigneur Jésus !

Vraie lumière, qui éclaires tout homme en ce monde,
– dissipe les ténèbres de notre ignorance.

Fils unique, qui es dans le sein du Père,
– donne-nous de comprendre
combien Dieu nous aime.

Christ Jésus, né comme un homme parmi les hommes,
– conforme-nous à ton image
pour faire de nous des enfants de Dieu.

Toi qui brises les portes de nos prisons,
– accueille au festin des noces ceux qui mendient
leur pain à ta porte.

Intentions libres

Notre Père... Car c'est à toi qu'appartiennent...

SAINTS
D'HIER ET D'AUJOURD'HUI

Prince de la paix, fais de nous des artisans de paix !

BIENHEUREUX SIDNEY HODGSON
Martyr (†1591)

> Laïc converti au catholicisme, il fut pendu à Tyburn
> pour avoir aidé des prêtres catholiques, l'Acte de
> suprématie, par lequel Henri VIII s'était fait
> reconnaître comme le chef de l'Église d'Angleterre,
> interdisant la présence des prêtres catholiques
> sur le sol anglais.

SAINT POLYDORE PLASDEN
Prêtre et martyr (1563-1591)

> Né à Londres, il étudia la théologie à Reims et à Rome
> et fut ordonné prêtre en 1588. Il subit le martyre
> à Tyburn, sous la persécution d'Élisabeth 1ʳᵉ.

SAINT EDMOND GENINGS
Prêtre et martyr (†1591)

> Protestant converti, né en Allemagne, il fit ses études
> à Reims et fut ordonné prêtre en 1590. Passé à
> la mission anglaise l'année suivante, il fut arrêté
> et condamné à mort. Il subit le martyre à Londres,
> aux Gray's Inn Fields, où il fut pendu et écartelé.

*Dieu a promis le salut éternel, la vie bienheureuse
avec les anges, la douceur de son visage.*

Saint Augustin d'Hippone

VENDREDI 11 DÉCEMBRE
Saint Damase Ier

Prière du matin

Allons au-devant de celui qui vient !

Gloire au Père, et au Fils, et au Saint-Esprit !

HYMNE

Lumière pour l'homme aujourd'hui
Qui viens depuis que sur la terre
Il est un pauvre qui t'espère,
Atteins jusqu'à l'aveugle en moi :
Touche mes yeux afin qu'ils voient
De quel amour
Tu me poursuis.
Comment savoir d'où vient le jour
Si je ne reconnais ma nuit ?

Parole de Dieu dans ma chair
Qui dis le monde et son histoire
Afin que l'homme puisse croire,
Suscite une réponse en moi :
Ouvre ma bouche à cette voix
Qui retentit
Dans le désert.
Comment savoir quel mot tu dis
Si je ne tiens mon cœur ouvert ?

Semence éternelle en mon corps
Vivante en moi plus que moi-même
Depuis le temps de mon baptême,
Féconde mes terrains nouveaux :
Germe dans l'ombre de mes os
Car je ne suis

Que cendre encore.
Comment savoir quelle est ta vie,
Si je n'accepte pas ma mort ?

Psaume 147   Dieu, maître de la nature, bénit son peuple

Glorifie le Seigneur, Jérusalem !
Célèbre ton Dieu, ô Sion !

Il a consolidé les barres de tes portes,
dans tes murs il a béni tes enfants ;
il fait régner la paix à tes frontières,
et d'un pain de froment te rassasie.

Il envoie sa parole sur la terre :
rapide, son verbe la parcourt.
Il étale une toison de neige,
il sème une poussière de givre.

Il jette à poignées des glaçons ;
devant ce froid, qui pourrait tenir ?
Il envoie sa parole : survient le dégel ;
il répand son souffle : les eaux coulent.

Il révèle sa parole à Jacob,
ses volontés et ses lois à Israël.
Pas un peuple qu'il ait ainsi traité ;
nul autre n'a connu ses volontés.

Gloire au Père, et au Fils, et au Saint-Esprit...

Parole de Dieu   Baruc 3, 5-6

Ne te souviens pas des
fautes de nos pères, mais,
en cette heure, souviens-toi de ta main et de ton Nom.
Oui, c'est toi, le Seigneur, notre Dieu.

Vienne la paix de Dieu !

Louange et intercession

Seigneur Jésus, venu nous appeler à ton royaume de
lumière, que cette lumière éclaire nos vies.

℟ Tu es proche, Seigneur : vienne ton jour !

Tu te tiens, comme un inconnu, au milieu de nous :
– accorde aux hommes de notre temps
de reconnaître ton visage.

Tu es plus proche de nous que nous-mêmes :
– fais-nous la grâce de te préférer à tout.

Tu nous aimes d'un amour sans condition :
– apprends-nous à nous accueillir les uns les autres.

Ta miséricorde te porte au secours des hommes éprouvés :
– viens au-devant de ceux qui t'attendent sans le savoir.

Intentions libres

Tiens ton peuple éveillé, Seigneur, pour la venue de ton
Fils ; puissions-nous, fidèles à son avertissement, garder
au cœur toutes lumières de foi et d'amour pour nous porter à sa rencontre. Lui qui règne avec toi et le Saint-Esprit.

LA MESSE

Vendredi de la 2ᵉ semaine de l'Avent

Saint Damase Iᵉʳ (ivᵉ s.)   *Mémoire facultative*

● *Le pape Damase Iᵉʳ est surtout connu pour son
zèle à promouvoir le culte des martyrs de Rome.
En aménageant les anciens cimetières, en recueil-
lant dans ses inscriptions les souvenirs de la grande
persécution, il donna à ce culte une impulsion
décisive. C'est, de plus, à la demande de Damase
que Jérôme traduisit la Bible en latin.●*

Prière. **Accorde-nous, Seigneur, d'être fidèles à l'exemple du pape Damase qui restaura le culte des martyrs et sut le promouvoir avec amour. Par Jésus Christ, ton Fils, notre Seigneur.**

● *POUR SAISIR LA PORTÉE de la collecte de ce jour, il faut se reporter à la parabole des dix jeunes filles qui attendaient le cortège nuptial. Avec celles qui furent prévoyantes, nous devons rester éveillés et garder en nous la lumière de la foi (prière d'ouverture), afin de nous porter à la rencontre du Christ quand il viendra, car nous ne savons « ni le jour ni l'heure » (Mt **25**, 13). Le Christ adresse cet avertissement à ses disciples, à l'Église qui chemine vers lui au long des siècles, mais aussi à chacun de nous, car nous vivrons à notre compte l'événement unique lors de notre mort.* ●

Voici que le Seigneur viendra. Dans la lumière il vient, pour visiter son peuple, pour lui donner la paix et la vie éternelle.

Prière ———————————————————————— page précédente

Lecture du livre d'Isaïe 48, 17-19

AINSI PARLE le Seigneur, ton Rédempteur, le Dieu Saint d'Israël : Je suis le Seigneur ton Dieu, qui te donne un enseignement salutaire, qui te guide sur le chemin où tu marches. Si tu avais été attentif à mes commandements, ta paix serait comme un fleuve, ta justice comme les flots de la mer. Ta postérité serait comme le sable, et tes descendants nombreux comme les grains de sable ; ton nom ne serait ni retranché ni effacé devant moi.

• PSAUME 1 •

**Qui marche à ta suite, Seigneur,
aura la lumière de la vie.**

Heureux est l'homme
qui n'entre pas au conseil des méchants,
qui ne suit pas le chemin des pécheurs,
mais se plaît dans la loi du Seigneur
et murmure sa loi jour et nuit !

Il est comme un arbre
planté près d'un ruisseau,
qui donne du fruit en son temps,
et jamais son feuillage ne meurt ;
tout ce qu'il entreprend réussira.

Tel n'est pas le sort des méchants :
ils sont comme la paille
balayée par le vent.
Le Seigneur connaît le chemin des justes,
mais le chemin des méchants se perdra.

Alléluia. Alléluia. Le Seigneur vient : allez à sa rencontre !
C'est lui le Prince de la paix. Alléluia.

Évangile de Jésus Christ
selon saint Matthieu   11, 16-19

JÉSUS DÉCLARAIT aux foules :
« À qui vais-je comparer
cette génération ? Elle ressemble à des gamins assis sur
les places, qui en interpellent d'autres : "Nous vous
avons joué de la flûte, et vous n'avez pas dansé. Nous
avons entonné des chants de deuil, et vous ne vous êtes
pas frappé la poitrine." Jean Baptiste est venu, en effet ;
il ne mange pas, il ne boit pas, et l'on dit : "C'est un
possédé !" Le Fils de l'homme est venu ; il mange et il
boit, et l'on dit : "C'est un glouton et un ivrogne, un
ami des publicains et des pécheurs." Mais la sagesse de
Dieu se révèle juste, à travers ce qu'elle fait. »

PRIÈRE SUR LES OFFRANDES. Laisse-toi fléchir, Seigneur, par nos prières et nos pauvres offrandes ; nous ne pouvons pas invoquer nos mérites, viens par ta grâce à notre secours. Par Jésus, le Christ, notre Seigneur.

PRÉFACE DE L'AVENT I ———————————— page 211

Nous attendons notre Sauveur, le Seigneur Jésus Christ, lui qui transformera nos pauvres corps à l'image de son corps glorieux.

PRIÈRE APRÈS LA COMMUNION. Pleins de reconnaissance pour cette eucharistie, nous te prions encore, Seigneur : apprends-nous, dans la communion à ce mystère, le vrai sens des choses de ce monde et l'amour des biens éternels. Par Jésus, le Christ, notre Seigneur.

———————————————————————

PRIÈRE SUR LES OFFRANDES. En célébrant, Seigneur, la mémoire de saint Damase, nous offrons ce sacrifice à ta louange ; c'est en lui que nous mettons notre espoir ; qu'il nous délivre du mal aujourd'hui et demain. Par Jésus, le Christ, notre Seigneur.

PRIÈRE APRÈS LA COMMUNION. Que cette communion, Seigneur notre Dieu, ravive en nous l'ardeur de charité et nous brûle de ce feu qui dévorait saint Damase alors qu'il se dépensait pour son Église. Par Jésus, le Christ, notre Seigneur.

•   MÉDITATION   DU   JOUR   •

Marie et l'Église

Le Christ unique est le Fils d'un seul Dieu dans le ciel et d'une seule mère sur la terre. Il y a beaucoup de fils, et il n'y a qu'un seul fils. Et de même que la tête et le corps sont un seul fils et plusieurs fils, de même Marie et l'Église sont une seule mère et plusieurs mères, une seule vierge et plusieurs vierges. L'une et l'autre sont mères ; l'une et l'autre, vierges. L'une et l'autre ont conçu du Saint-Esprit, sans attrait charnel. L'une et l'autre ont donné une progéniture à Dieu le Père, sans péché. L'une a engendré, sans aucun péché, une tête pour le corps ; l'autre a fait naître, dans la rémission des péchés, un corps pour la tête. L'une et l'autre sont mères du Christ, mais aucune des deux ne l'enfante tout entier sans l'autre. Aussi c'est à juste titre que, dans les Écritures divinement inspirées, ce qui est dit en général de la vierge mère qu'est l'Église s'applique en particulier à la Vierge Marie ; et ce qui est dit de la vierge mère qu'est Marie, en particulier, se comprend en général de la vierge mère qu'est l'Église.

Isaac de l'Étoile

Prière du soir

Le Roi qui va venir,
venez, adorons-le.

Gloire au Père, et au Fils, et au Saint-Esprit !

HYMNE

Encore un peu de temps,
Le Seigneur sera là…
Trouvera-t-il en nous
La foi qu'il espère ?
Si nous avons bâti
Nos maisons sur le sable
Quand il fallait creuser
Le roc de vérité,
Pourrons-nous soutenir
L'assaut du torrent ?

Encore un peu de temps,
Le Seigneur sera là…
Tous nos secrets viendront
En pleine lumière.
Si nous avons dormi,
Prisonniers de nos rêves,
Quand il fallait veiller
Aux heures d'agonie,
Pourrons-nous supporter
L'éclat de son Jour ?

Encore un peu de temps,
Le Seigneur sera là…
Pour annoncer la paix
Aux hommes qu'il aime.
Si nous avons dressé
Entre nous des barrières
Quand il fallait ouvrir
Sa porte à l'étranger,
Pourrons-nous contempler
La face de Dieu ?

CANTIQUE DE L'APOCALYPSE (15)

Grandes, merveilleuses, tes œuvres,
Seigneur, Dieu de l'univers !

Ils sont justes, ils sont vrais, tes chemins,
Roi des nations.

Qui ne te craindrait, Seigneur ?
À ton nom, qui ne rendrait gloire ?

Oui, toi seul est saint ! +
Oui, toutes les nations viendront
   et se prosterneront devant toi ; *
oui, ils sont manifestés, tes jugements.

Parole de Dieu

2 Timothée 2, 22-25

Fuis les passions de la jeunesse. Cherche à vivre dans
la justice, la foi, l'amour et la paix, avec ceux qui invoquent le Seigneur d'un cœur pur. Évite les discussions
folles et absurdes : tu sais qu'elles finissent par des que-
relles. Or un serviteur du Seigneur ne doit pas être que-
relleur ; il doit être plein de bonté envers tous, capable
d'enseigner et de supporter la malveillance ; il doit
reprendre avec douceur les opposants, car Dieu leur donnera peut-être de se convertir et de connaître la vérité.

Vienne la paix de Dieu !

INTERCESSION

Seigneur Jésus, Berger du peuple de Dieu, rassemble ton
Église dans l'unité de la foi et de l'amour.

℟   Visite-nous par ton amour !

Viens en aide aux pasteurs de ton peuple,
– qu'ils conduisent leurs frères dans la vérité,
jusqu'au jour de ta venue.

Choisis parmi nous des messagers de ta parole,
– qu'ils annoncent l'Évangile à toute la terre.

Prends pitié de ceux qui peinent
et défaillent en chemin
– donne-leur de rencontrer le soutien d'un ami.

Reconnais ceux qui ont ici-bas écouté ta voix,
– fais-les entrer dans la paix du ciel.

Intentions libres

Notre Père... Car c'est à toi qu'appartiennent...

SAINTS
D'HIER ET D'AUJOURD'HUI

Montre-nous ton visage et nous serons sauvés !

BIENHEUREUSE MARAVILLAS PIDAL Y CHICO DE GUZMAN
Vierge (1891-1974)

Son père était ambassadeur d'Espagne près
du Saint-Siège. À 5 ans, elle décida de se consacrer à
Dieu. À la suite de la lecture de Thérèse d'Avila
et de Jean de la Croix, elle décida d'entrer au Carmel
de l'Escurial, à Madrid, où elle reçut l'habit en 1920.
Elle fondera un premier Carmel à Cerro de los
Angeles (Madrid), puis multipliera les « maisons
de la Vierge » comme elle aimait appeler les Carmels.
En 1936, les carmélites de Cerro furent arrêtées et
déportées à Getafe. Leur Carmel sera détruit, mais,
malgré les privations, elles sortiront indemnes
de la guerre civile. En 1972, mère Maravillas
obtiendra l'approbation du Saint-Siège pour
l'association Sainte-Thérèse, qui réunit les Carmels
fondés par elle. Elle s'éteignit à 83 ans en répétant :
« Quel bonheur de mourir carmélite ! »

Il est impossible que l'amour ne voie pas ce qu'il aime.
L'amour qui désire voir Dieu a une piété ardente.
Saint Pierre Chrysologue

SAMEDI 12 DÉCEMBRE
Sainte Jeanne-Françoise de Chantal

Prière du matin

Dieu, fais-nous revenir,
que ton visage s'éclaire et nous serons sauvés.

Gloire au Père, et au Fils, et au Saint-Esprit !

Tropaire

Quel est cet homme
aux rives du Jourdain ?
Est-il celui qui doit venir ?
Il est le Précurseur
et l'ami de l'Époux :
il nous invite aux noces.

Stance

℟ Repentez-vous,
croyez à l'Évangile.

Vienne celui qui délivrera le pauvre aux abois
et le malheureux sans recours.

Vienne celui qui prendra soin du faible
et du pauvre,
du pauvre dont il sauve la vie.

Vienne celui qui nous fait vivre,
il sera la joie de son peuple.

Psaume 60   De la plainte à la louange

Dieu, entends ma plainte,
exauce ma prière ; *
des terres lointaines je t'appelle
quand le cœur me manque.

Jusqu'au rocher trop loin de moi
   tu me conduiras, *
car tu es pour moi un refuge,
   un bastion, face à l'ennemi.

Je veux être chez toi pour toujours,
me réfugier à l'abri de tes ailes.

Oui, mon Dieu, tu exauces mon vœu,
tu fais largesse à ceux qui craignent ton nom.

Accorde au roi des jours et des jours :
que ses années deviennent des siècles !

Qu'il trône à jamais devant la face de Dieu !
Assigne à sa garde Amour et Vérité.

Alors, je chanterai sans cesse ton nom,
j'accomplirai mon vœu jour après jour.

Gloire au Père, et au Fils, et au Saint-Esprit…

Parole de Dieu
Isaïe 4, 3

EN CES JOURS-LÀ, ceux qui seront restés dans Sion, les survivants de Jérusalem, seront appelés saints : tous seront inscrits dans Jérusalem, et ils vivront.

> *Le Seigneur apparaîtra dans sa gloire !*

LOUANGE ET INTERCESSION

Ô Christ, notre Seigneur, dont les prophètes ont annoncé la naissance, fais grandir en nous le désir que tu viennes au monde.

℞   Viens, Seigneur, Jésus !

Accorde-nous de vivre en ce monde avec sobriété, justice et ferveur, témoignant ainsi de notre espérance.

Tu es venu consoler les hommes au cœur brisé :
accorde-nous de partager les peines les uns des autres.

En vue du jour où tu jugeras les vivants et les morts,
que ton pardon nous relève et nous garde vigilants.

Intentions libres

Nous t'en prions, Dieu tout-puissant, que la splendeur
de ta gloire se lève en nos cœurs : et l'avènement de
ton Fils unique, dissipant les dernières ombres de la
nuit, fera voir au grand jour que nous sommes fils de
ta lumière. Par Jésus Christ, ton Fils, notre Seigneur.

LA MESSE
Samedi de la 2ᵉ semaine de l'Avent

Sainte Jeanne-Françoise   *Mémoire facultative*
de Chantal (1572-1641)

● *Veuve du baron de Chantal à 28 ans et mère
de six enfants, Jeanne-Françoise eut la grâce de
trouver sur sa route François de Sales, qui allait
guider sa montée vers Dieu. En 1610, quittant les
siens, elle fonda l'ordre de la Visitation à Annecy.
Le reste de sa vie devait être consacré à la diffusion de sa famille religieuse.●*

Prière. Seigneur, tu as donné à sainte Jeanne-Françoise de
Chantal d'atteindre une haute sainteté à travers différents états
de vie ; accorde-nous, à sa prière, de répondre fidèlement à notre
vocation, pour témoigner de la lumière en toute circonstance.
Par Jésus Christ, ton Fils, notre Seigneur.

● *Le thème de la lumière, auquel s'attache
aujourd'hui la collecte, tient une place centrale
dans la liturgie de l'Avent. Zacharie, le père de*

Jean Baptiste, saluait le Messie tout proche comme le Soleil levant, et nous l'invoquons sous ce titre en ces jours d'attente : « Viens, Soleil levant, splendeur de la lumière éternelle. » Soleil du matin, le Christ est aussi la lampe qui brille au long de la nuit, et vers lui monte dans le soir l'acclamation de l'Église : « Joyeuse lumière de la gloire éternelle du Père, le Très-Haut, le Très-Saint, ô Jésus Christ ! » ●

Viens, Seigneur, montre-nous ton visage, et nous serons sauvés.

Prière ———————————————————— page précédente

Lecture du livre de Ben Sirac le Sage   48, 1... 11

L E prophète Élie surgit comme un feu, sa parole brûlait comme une torche. Il fit venir la famine sur les hommes d'Israël, et, dans son ardeur, en fit périr un grand nombre. Par la parole du Seigneur, il ferma le ciel, et à trois reprises il en fit descendre le feu. Comme tu étais redoutable, Élie, dans tes prodiges ! Qui pourrait se glorifier d'être ton égal ? Toi qui fus emporté dans un tourbillon de feu par un char aux coursiers de feu ; toi qui fus préparé pour la fin des temps, ainsi qu'il est écrit, afin d'apaiser la colère avant qu'elle n'éclate, afin de ramener le cœur des pères vers les fils et de rétablir les tribus de Jacob, heureux ceux qui te verront, heureux ceux qui se sont endormis dans l'amour du Seigneur, car nous aussi, nous posséderons la vraie vie.

———————— • **Psaume 79** • ————————

Fais-nous revenir à toi, Seigneur,
et nous serons sauvés.

Berger d'Israël, écoute,
resplendis au-dessus des Kéroubim.
Réveille ta vaillance
et viens nous sauver.

Dieu de l'univers, reviens !
Du haut des cieux, regarde et vois :
visite cette vigne, protège-la,
celle qu'a plantée ta main puissante.

Que ta main soutienne ton protégé,
le fils de l'homme qui te doit sa force.
Jamais plus nous n'irons loin de toi :
fais-nous vivre et invoquer ton nom !

Alléluia. Alléluia. Préparez le chemin du Seigneur, aplanissez la route : tout homme verra le salut de Dieu. Alléluia.

**Évangile de Jésus Christ
selon saint Matthieu** 17, 10-13

L ES DISCIPLES interrogèrent Jésus : « Pourquoi donc les scribes disent-ils que le prophète Élie doit venir d'abord ? » Jésus leur répondit : « Élie va venir pour remettre tout en place. Mais, je vous le déclare : Élie est déjà venu ; au lieu de le reconnaître, ils lui ont fait tout ce qu'ils ont voulu. Le Fils de l'homme, lui aussi, va souffrir par eux. » Alors les disciples comprirent qu'il leur parlait de Jean le Baptiste.

Prière sur les offrandes. Permets, Seigneur, que le sacrifice de nos eucharisties te soit toujours offert dans ton Église, pour accomplir le sacrement que tu nous as donné et pour réaliser la merveille de notre salut. Par Jésus, le Christ.

Préface de l'Avent I ——————————— page 211

« Voici que je viens sans tarder, dit le Seigneur, et j'apporte avec moi le salaire que je vais donner à chacun selon ce qu'il aura fait. »

PRIÈRE APRÈS LA COMMUNION. Seigneur notre Dieu, nous attendons de ta miséricorde que cette nourriture prise à ton autel nous empêche de céder à nos penchants mauvais et nous prépare aux fêtes qui approchent. Par Jésus, le Christ, notre Seigneur.

PRIÈRE SUR LES OFFRANDES. Accepte, Seigneur, comme un hommage de tes serviteurs l'offrande que nous déposons sur ton autel en cette fête de sainte Jeanne-Françoise de Chantal ; permets qu'en nous détachant des biens de la terre nous n'ayons d'autres richesses que toi. Par Jésus, le Christ, notre Seigneur.

PRIÈRE APRÈS LA COMMUNION. Par la puissance de cette communion, Seigneur, conduis-nous toujours dans la voie de ton amour, comme tu fis pour sainte Jeanne-Françoise de Chantal. L'œuvre de salut que tu as entreprise en nous, poursuis-la jusqu'au jour du Christ. Lui qui règne avec toi.

MÉDITATION DU JOUR

Marie, l'Église et l'âme croyante

Chaque âme croyante est également, à sa manière propre, épouse du Verbe de Dieu, mère, fille et sœur du Christ, vierge et féconde. Ainsi donc c'est la Sagesse même de Dieu, le Verbe du Père, qui désigne à la fois l'Église au sens universel, Marie dans un sens très spécial et chaque âme croyante en particulier. C'est pourquoi l'Écriture dit : *Je demeurerai dans l'héritage du Seigneur.* L'héritage du Seigneur, dans sa totalité, c'est l'Église, c'est tout spécialement Marie, et c'est l'âme de chaque croyant en particulier. En la demeure du sein de Marie, le Christ est resté neuf mois, en la demeure de la foi de l'Église, il restera jusqu'à la fin de ce monde, et dans la connaissance et l'amour du croyant, pour les siècles des siècles.   ISAAC DE L'ÉTOILE

Prière du soir
3ᵉ semaine de l'Avent

*Que ma prière devant toi s'élève comme un encens,
et mes mains, comme l'offrande du soir.*

Gloire au Père, et au Fils, et au Saint-Esprit !

HYMNE

Il viendra,
Un soir
Où nul ne l'attend plus,
Peut-être.
Appelé par son nom,
Quelqu'un tressaillira.
　　Au cœur sans mémoire,
　　Qu'un temps soit accordé
　　Pour qu'il se souvienne !

Il viendra,
Un soir
Pareil à celui-ci,
Peut-être.
À l'orient, devant lui,
Le ciel s'embrasera.
　　Au pauvre, allez dire
　　Que tout s'accomplira
　　Selon la promesse.

Il viendra,
Un soir
Où rôde le malheur,
Peut-être.
Ce soir-là, sur nos peurs,
L'amour l'emportera.

> Criez à tous les hommes
> Que rien n'est compromis
> De leur espérance.

Il viendra ;
Un soir
Sera le dernier soir
Du monde.
Un silence d'abord,
Et l'hymne éclatera.

> Un chant de louange
> Sera le premier mot
> Dans l'aube nouvelle.

PSAUME 115   En toute chose, rendre grâce à Dieu

Je crois, et je parlerai,
moi qui ai beaucoup souffert,
moi qui ai dit dans mon trouble :
« L'homme n'est que mensonge. »

Comment rendrai-je au Seigneur
tout le bien qu'il m'a fait ?
J'élèverai la coupe du salut,
j'invoquerai le nom du Seigneur.
Je tiendrai mes promesses au Seigneur,
oui, devant tout son peuple !

Il en coûte au Seigneur
de voir mourir les siens !
Ne suis-je pas, Seigneur, ton serviteur,

ton serviteur, le fils de ta servante, *
moi, dont tu brisas les chaînes ?

Je t'offrirai le sacrifice d'action de grâce,
j'invoquerai le nom du Seigneur.
Je tiendrai mes promesses au Seigneur,
oui, devant tout son peuple,
à l'entrée de la maison du Seigneur,
au milieu de Jérusalem !

Gloire au Père, et au Fils, et au Saint-Esprit,
pour les siècles des siècles. Amen.

Parole de Dieu   Luc 12, 33-36

Vendez ce que vous avez
et donnez-le en aumône.
Faites-vous une bourse qui ne s'use pas, un trésor inépuisable dans les cieux, là où le voleur n'approche pas, où la
mite ne ronge pas. Car là où est votre trésor, là aussi sera
votre cœur. Restez en tenue de service, et gardez vos
lampes allumées. Soyez comme des gens qui attendent
leur maître à son retour des noces, pour lui ouvrir dès
qu'il arrivera et frappera à la porte.

Qu'il vienne, le Roi de gloire !

Cantique de Marie   (Texte, couverture A)

Intercession

Appelons le Christ, le Sauveur promis, avec tous ceux qui
l'attendent :

℟   Viens, Seigneur, ne tarde pas.

Dans la joie, nous attendons ta venue,
viens combler l'espérance des hommes.

Toi qui es avant les siècles,
viens sauver le monde aujourd'hui.

Toi qui as créé l'univers,
viens achever l'œuvre de tes mains.

Toi qui es venu pour donner ta vie,
viens redonner vie à nos frères défunts.

Intentions libres

Notre Père...

Car c'est à toi qu'appartiennent
le règne, la puissance et la gloire,
pour les siècles des siècles !

Heureuse es-tu, Vierge Marie !
Par toi, le salut est entré dans le monde.
Comblée de gloire, tu te réjouis devant le Seigneur,
tu cries de joie à l'ombre de ses ailes.
Sainte Mère de Dieu,
prie pour nous, pauvres pécheurs.

SAINTS
D'HIER ET D'AUJOURD'HUI

Réjouis-toi, Marie, tu donnes le Sauveur au monde.

SAINT CORENTIN
Évêque (VIIe s.)

Ce saint populaire en Bretagne aurait été, d'après sa
vie légendaire, disciple de saint Martin de Tours
(†397). Cette vie le montre plutôt ermite qu'évêque.
En réalité, sa figure émerge difficilement des brumes
du passé. Le diocèse de Quimper le considère comme
son premier évêque et la cathédrale porte son nom.

SAINT SIMON HOA
Martyr († 1840)

Médecin vietnamien, père de douze enfants,
et chef de village, il fut arrêté pour avoir hébergé un
missionnaire, sous le règne de Minh-Mang
(1820-1841). Pendant plus de vingt interrogatoires,
il résista aux tortures sans apostasier et fit même des
observations médicales sur les effets des tenailles
froides ou brûlantes. Finalement, le bourreau lui
trancha la tête d'un coup de sabre.

> *Marie et l'Église sont mères ;*
> *l'une et l'autre sont vierges.*
> *L'une et l'autre ont conçu du Saint-Esprit.*
> Isaac de l'Étoile

Paroles de Dieu

pour un dimanche

Ayez de la patience...

Que de promesses chez le prophète Isaïe ! Aveugles, sourds, muets, boiteux retrouveront la pleine santé, et les captifs la liberté. Et encore, Isaïe parle au futur ; le psaume 145, lui, plus audacieux, semble-t-il, parle au présent : *Le Seigneur fait justice aux opprimés, aux affamés, il donne le pain, le Seigneur délie les enchaînés.* Mais, tout compte fait, nos malheurs persistent ! Et Jésus lui-même n'a pas guéri tout le monde, tant s'en faut. Et pourtant il ose faire dire à Jean Baptiste qui se pose des questions dans sa prison : *Les aveugles voient, les boiteux marchent, les lépreux sont purifiés, les sourds entendent, les morts ressuscitent.* En fait, quelques aveugles, quelques boiteux sont guéris, quelques morts ressuscitent, mais pas tous... Alors ? Faudra-t-il attendre encore longtemps la réalisation des promesses ?

Saint Jacques nous invite à la patience : *En attendant la venue du Seigneur, ayez de la patience. Voyez le cultivateur : il attend les produits précieux de la terre avec patience.* Les miracles accomplis par Jésus manifestent bien le « commencement de la fin » ; « le royaume de Dieu s'est approché » comme dit Jésus : l'heure du règne de Dieu sur la terre, qui est aussi celle de la disparition de tout mal, de toute douleur, a sonné ; elle est commencée ; c'est cela que Jésus envoie dire à Jean Baptiste ; et c'est pourquoi le psaume peut parler au présent ; mais cette heure durera tout le temps qu'il faudra pour que nous apportions chacun notre petite pierre à la construction du monde nouveau.

M.-N. T

Des idées

pour célébrer

▪ L'ouverture de la célébration ▪

Pour l'entrée, *Joie sur terre* E 32 est sans doute « le » chant de ce troisième dimanche de l'Avent, avec son mode de *ré* si caractéristique. Citons aussi *Joie au ciel* E 33 ou *Quittons nos robes de tristesse* E 187, étant bien entendu que les chants de base de l'Avent sont toujours possibles : *Aube nouvelle* E 130, *Toi qui viens pour tout sauver* E 68, *L'Espoir de la terre* E 203, *Préparez le chemin du Seigneur* E 13-95...
Pour faire écho à la journée Pax Christi, on pourra choisir pour la préparation pénitentielle *Jésus, Seigneur, toi qui es notre paix* G 312-1.

▪ La liturgie de la Parole ▪

Pour le psaume, si l'on a un bon soliste, on pourra prendre *Dieu rend justice aux opprimés* ZL 145-1 : de forme responsoriale – l'assemblée ponctue chaque phrase d'un alléluia s'élevant d'un demi-ton à chaque fois –, il convient bien à l'allégresse de ce troisième dimanche. Plus simplement, on pourra opter pour l'antienne proposée dans le *MNA* à ce même psaume : « Viens, Seigneur, et sauve-nous ! »

On soignera particulièrement l'acclamation à l'Évangile : on peut reprendre la composition de J. Berthier *Préparez les chemins du Seigneur* (*Choristes* n° 80 ou 108), à moins que l'on préfère l'alléluia de la fiche E 135, *Le monde ancien s'en est allé*, ou le refrain de *Voici que vient le Seigneur* E 113. Si l'on a pris Z 145-1 pour le psaume, on aura intérêt à reprendre ses alléluias vigoureux en chantant les cinq dernières mesures (14 à 18). Après la proclamation de l'Évangile (ou après l'homélie), il est possible de méditer la parole de Dieu avec *Dis-nous les signes de l'Esprit* E 216, un chant en lien direct avec les lectures de ce dimanche et qui pose la question de l'Évangile posée à Jésus : *Es-tu celui qui doit venir ?* (cf. aussi E 193-1, qui porte ce titre). Cette question fondamentale se trouve aussi dans le chant *Les mots que tu nous dis* E 164. *Ouvriers de la paix* T 61 sera également tout à fait approprié pour conclure la liturgie de la Parole.

▪ La liturgie eucharistique ▪

On choisira un Sanctus assez festif, comme celui de la messe *Peuples, battez des mains* AL 45, ou bien *Saint, le Seigneur de l'univers* C 178, ou encore C 220-1 (messe *Que tes œuvres sont belles*). La prière eucharistique pourra se conclure sur un Amen tout aussi joyeux, par exemple CL 9-1 (messe *Au cœur de ce monde*). Comme chant de fraction, on reprendra *Agneau de l'Alliance fidèle* A 240-1, au climat de paix sereine. Dans le même esprit, après la communion, on pourra chanter *Ouvriers de la paix* T 61, s'il n'a pas été pris après la Parole, mais également *Vienne la paix* T 150 ou *Terre d'espérance* E 258.

Fais-nous marcher à ta lumière E 252 ou le choral de Bach *Peuples, criez de joie* M 27 expriment une joie plus exubérante. Mais attention ! le rose de ce troisième dimanche de l'Avent n'est pas le blanc éclatant du matin de Pâques ! Le ton serait plutôt celui du chant *Quand s'éveilleront nos cœurs* E 160, un chant qui emploie tous ses verbes au futur pour aboutir au présent du Royaume (couplet 3) ! C'est bien ce temps liturgique de l'Avent qui nous tourne, plein d'espérance, vers l'avenir...

■ L'envoi ■

Au cœur de ce monde A 238 sera également le bienvenu pour conclure cette célébration et susciter en nous des énergies nouvelles dans l'attente de la venue du Seigneur !

X. L.

■ La prière universelle ■

Ces intentions sont à compléter par la communauté qui célèbre sans oublier l'actualité de cette fin d'année.

Puisque Dieu est au milieu de nous, adressons-lui nos prières avec confiance

Pour l'Église, afin que la joie que Dieu lui donne la fasse grandir...

Pour ceux qui possèdent des biens, de l'argent ou le pouvoir, afin qu'ils s'en servent dans un esprit de partage et de justice...

Pour ceux qui ont perdu toute joie de vivre, afin qu'un rayon d'espérance les atteigne...

Pour les membres présents ou absents de notre communauté, afin que l'approche de Noël ravive la vie fraternelle...

Dieu qui es au milieu de nous, comble de ta joie tous ceux que nos prières nomment devant toi, par Jésus.

DIMANCHE 13 DÉCEMBRE
3ᵉ de l'Avent

Prière du matin

Réjouissez-vous dans le Seigneur,
réjouissez-vous, car il est proche !

Louez le Seigneur, tous les peuples ;   Ps 116
fêtez-le, tous les pays !

Son amour envers nous s'est montré le plus fort ;
éternelle est la fidélité du Seigneur !

Gloire au Père, et au Fils, et au Saint-Esprit...

Voici venir les temps
Où le Seigneur de Justice
Accomplira sa promesse de Paix
Pour tous les hommes qu'il aime !

Laissez le deuil et les pleurs,
Mettez vos habits de joie :
    Celui qui est venu
    Revient sur la nuée !

L'amour de Dieu vous conduit ;
Sa Gloire est votre soleil :
    Celui qui est venu
    Revient victorieux !

Pourquoi ne pas vous hâter
Vers le jour de votre Dieu ?
    Celui qui est venu
    Revient pour notre joie.

Préparons ses chemins,
Accueillons le pardon ;
Chacun de nous verra
La grâce de son Dieu
Au jour du jugement !

Bienheureux qui a cru
Que s'accompliraient un jour
Les paroles de son Dieu
Pour tous les hommes qu'il aime !

Psaume 148   Hymne de toute la création

Louez le Seigneur du haut des cieux,
louez-le dans les hauteurs.
Vous, tous ses anges, louez-le,
louez-le, tous les univers.

Louez-le, soleil et lune,
louez-le, tous les astres de lumière ;
vous, cieux des cieux, louez-le,
et les eaux des hauteurs des cieux.

Qu'ils louent le nom du Seigneur :
sur son ordre ils furent créés ;
c'est lui qui les posa pour toujours
sous une loi qui ne passera pas.

Louez le Seigneur depuis la terre,
monstres marins, tous les abîmes ;
feu et grêle, neige et brouillard,
vent d'ouragan qui accomplis sa parole ;

les montagnes et toutes les collines,
les arbres des vergers, tous les cèdres ;
les bêtes sauvages et tous les troupeaux,
le reptile et l'oiseau qui vole ;

les rois de la terre et tous les peuples,
les princes et tous les juges de la terre ;
tous les jeunes gens et jeunes filles,
les vieillards comme les enfants.

Qu'ils louent le nom du Seigneur,
le seul au-dessus de tout nom ;
sur le ciel et sur la terre, sa splendeur :
il accroît la vigueur de son peuple.

Louange de tous ses fidèles,
des fils d'Israël, le peuple de ses proches !

Gloire au Père, et au Fils, et au Saint-Esprit…

Dieu qui fais exister tout ce qui est, loué soit ton nom au-
dessus de tout nom ! Oui, ton peuple te loue, Dieu Très-
Haut, d'être proche de lui en Jésus, ton Fils bien-aimé.

Parole de Dieu   1 Timothée 6, 14-16

GARDE le commandement du Seigneur, en demeurant irréprochable et droit jusqu'au moment où se manifestera notre Seigneur Jésus Christ. Celui qui fera paraître le Christ au temps fixé, c'est le Souverain unique et bienheureux, le Roi des rois, le Seigneur des seigneurs, le seul qui possède l'immortalité, lui qui habite la lumière inaccessible, lui que personne n'a jamais vu, et que personne ne peut voir. À lui, honneur et puissance éternelle. Amen.

Viens, Seigneur, ne tarde pas !

CANTIQUE DE ZACHARIE   (Texte, couverture B)

LOUANGE ET INTERCESSION

Avec confiance, prions le Christ, que le Père a établi juge des vivants et des morts :

℟ Viens, Jésus, Sauveur !

Seigneur Jésus, venu sauver les pécheurs,
garde-nous de succomber aux assauts du mal.

Toi qui as annoncé ta venue comme juge,
manifeste en nous la puissance de ton salut.

Donne-nous la force de l'Esprit,
pour être dans le monde des artisans de paix.

Toi, le Béni, qui règnes sur toutes choses,
accorde-nous de vivre en ce monde dans la fidélité
et la sobriété, en espérant la manifestation de ta gloire.

Intentions libres

Seigneur, Dieu de l'univers, la terre déjà chante sa joie,
ta parole est promesse de renouveau. Nous t'en prions :
que l'annonce de notre délivrance nous parvienne, qu'elle
nous tienne dans la patience et l'espérance, et nos voix
acclameront la venue de ton Envoyé. Béni soit celui qui
vient en ton nom, béni soit-il pour les siècles des siècles.

──◆ REFLETS D'ÉVANGILE ◆──

Le dernier prophète   **Matthieu 11, 2-11**

*L'histoire des hommes est
une chaîne de moments ou de périodes marquées en bien
ou en mal par l'œuvre de grands agents. Il y a les chefs,
militaires et politiques, avec la stratégie des armes et le
jeu des systèmes. Il y a les créateurs et les maîtres, dont
monuments et registres immortalisent les noms. Mais
d'autres figures s'imposent surtout comme à jamais exem-
plaires. Leur force à elles vient du cœur et leur voix de
l'esprit. Le dénuement leur sert volontiers d'argument et le
silence de parole, mais pour autant l'excès du geste*

comme du verbe demeure parfois leur lot. Ceux-là sont prophètes. Rien jamais n'anéantit leur œuvre, qui s'épanouit même superbement dans l'échec. La prison, en effet, attire vers eux une clarté qui s'en va rejaillir vers des perspectives sans fin. Ce n'est autre que la lumière du « premier jour », celle qui fait que la vie infailliblement commence. Ces gens sont de vrais justes, témoins d'un avenir auquel ils n'accéderont point. Car le monde de lumière, dont ils sont les visionnaires, appartient irrésistiblement aux autres. Et, parmi ceux-là, il y a un « premier », comme dans l'ordre de la Création : le premier d'une lignée nouvelle qui de fait est la dernière. Tel fut le privilège unique de Jean le Baptiste qui eut le génie de révéler au monde qu'il n'était à la vérité ni rien ni personne. Un autre, qui vient, sera quelque chose et tout à la fois, quelqu'un et tous à la fois. Un peuple nouveau se constituera autour de lui, rassemblé par la force même de sa parole. Une relation de vie et d'amour s'instaurera, où tout homme est invité à trouver sa place : là, il sera grand avec le plus grand car premier avec le premier, dans le Royaume des cieux.

T. C.

LA MESSE
3ᵉ dimanche de l'Avent

Soyez dans la joie du Seigneur, soyez toujours dans la joie, le Seigneur est proche.

PRIÈRE. Tu le vois, Seigneur, ton peuple se prépare à célébrer la naissance de ton Fils ; dirige notre joie vers la joie d'un si grand mystère : pour que nous fêtions notre salut avec un cœur vraiment nouveau. Par Jésus Christ, ton Fils, notre Seigneur.

Lecture du livre d'Isaïe
35, 1-6a.10

L E DÉSERT et la terre de la soif, qu'ils se réjouissent ! Le pays aride, qu'il exulte et fleurisse, qu'il se couvre de fleurs des champs, qu'il exulte et crie de joie ! La gloire du Liban lui est donnée, la splendeur du Carmel et de Sarône. On verra la gloire du Seigneur, la splendeur de notre Dieu. Fortifiez les mains défaillantes, affermissez les genoux qui fléchissent, dites aux gens qui s'affolent : « Prenez courage, ne craignez pas. Voici votre Dieu : c'est la vengeance qui vient, la revanche de Dieu. Il vient lui-même et va vous sauver. » Alors s'ouvriront les yeux des aveugles et les oreilles des sourds. Alors le boiteux bondira comme un cerf et la bouche du muet criera de joie. Ils reviendront, les captifs rachetés par le Seigneur, ils arriveront à Jérusalem dans une clameur de joie, un bonheur sans fin illuminera leur visage ; allégresse et joie les rejoindront, douleur et plainte s'enfuiront.

• PSAUME 145 •

Viens, Seigneur, et sauve-nous !

Le Seigneur fait justice aux opprimés,
aux affamés, il donne le pain,
le Seigneur délie les enchaînés.

Le Seigneur ouvre les yeux des aveugles,
le Seigneur redresse les accablés,
le Seigneur aime les justes.

Le Seigneur protège l'étranger,
il soutient la veuve et l'orphelin.
D'âge en âge, le Seigneur régnera.

Lecture de la lettre de saint Jacques 5, 7-10

FRÈRES, en attendant la venue du Seigneur, ayez de la patience. Voyez le cultivateur : il attend les produits précieux de la terre avec patience, jusqu'à ce qu'il ait fait la première et la dernière récolte. Ayez de la patience vous aussi, et soyez fermes, car la venue du Seigneur est proche. Frères, ne gémissez pas les uns contre les autres, ainsi vous ne serez pas jugés. Voyez : le Juge est à notre porte. Frères, prenez pour modèles d'endurance et de patience les prophètes qui ont parlé au nom du Seigneur.

Alléluia. Alléluia. Prophète du Très-Haut, Jean est venu préparer la route devant le Seigneur et rendre témoignage à la Lumière. Alléluia.

Évangile de Jésus Christ
selon saint Matthieu 11, 2-11

JEAN LE BAPTISTE, dans sa prison, avait appris ce que faisait le Christ. Il lui envoya demander par ses disciples : « Es-tu celui qui doit venir, ou devons-nous en attendre un autre ? » Jésus leur répondit : « Allez rapporter à Jean ce que vous entendez et voyez : les aveugles voient, les boiteux marchent, les lépreux sont purifiés, les sourds entendent, les morts ressuscitent, et la Bonne Nouvelle est annoncée aux pauvres. Heureux celui qui ne tombera pas à cause de moi ! » Tandis que les envoyés de Jean se retiraient, Jésus se mit à dire aux foules à propos de Jean : « Qu'êtes-vous allés voir au désert ? un roseau agité par le vent ?... Alors, qu'êtes-vous donc allés voir ? un homme aux vêtements luxueux ? Mais ceux qui portent de tels vêtements vivent dans les palais des rois. Qu'êtes-vous donc allés voir ? un prophète ? Oui, je vous le dis, et bien plus qu'un prophète. C'est de lui qu'il est écrit : Voici que j'envoie mon messager en avant de toi, pour qu'il prépare le chemin devant toi. Amen, je vous le dis : parmi les hommes, il n'en a pas existé de plus grand que Jean Baptiste ; et cependant le plus petit dans le Royaume des cieux est plus grand que lui. »

CREDO ———————————————————— page 207

PRIÈRE SUR LES OFFRANDES. Permets, Seigneur, que le sacrifice de nos eucharisties te soit toujours offert dans ton Église, pour accomplir le sacrement que tu nous as donné et pour réaliser la merveille de notre salut. Par Jésus, le Christ, notre Seigneur.

PRÉFACE DE L'AVENT I OU II ———————————— page 211

Dites aux esprits abattus : « Prenez courage, ne craignez pas ; voici notre Dieu qui vient : il vient nous sauver. »

PRIÈRE APRÈS LA COMMUNION. Seigneur notre Dieu, nous attendons de ta miséricorde que cette nourriture prise à ton autel nous empêche de céder à nos penchants mauvais et nous prépare aux fêtes qui approchent. Par Jésus, le Christ.

BÉNÉDICTION SOLENNELLE ———————————— page 227

A U   F I L   D E S   J O U R S

Écouter la Bonne Nouvelle
annoncée aux pauvres

Seigneur, tu as voulu que le Fils de ta droite, l'homme que tu as affermi, soit appelé Jésus, c'est-à-dire Sauveur. C'est lui qui sauvera son peuple de ses péchés ; en dehors de lui il n'y a pas de salut. C'est lui qui nous a appris à l'aimer quand le premier il nous a aimés, et jusqu'à la mort de la croix. Par son amour et sa dilection, il éveille en nous l'amour pour lui, lui qui le premier nous a aimés jusqu'à l'extrême.

Oui, il en est bien ainsi : tu nous as aimés le premier, pour que nous t'aimions. Non que tu aies besoin de notre amour ; c'est nous qui ne pouvions, sans t'aimer, devenir ce pour quoi tu nous as faits. C'est pourquoi, souvent, dans le passé, dans ces jours où nous sommes, tu nous as parlé par le Fils, ton Verbe ; c'est par lui que les cieux ont été faits, et par le souffle de sa bouche tout l'univers. Parler par ton Fils, pour toi, ce n'est pas autre chose que de mettre en plein soleil, de faire voir avec éclat combien et comment tu nous as aimés, puisque tu n'as pas épargné ton propre Fils, mais tu l'as livré pour nous tous. Et lui aussi, il nous a aimés, et il s'est livré lui-même pour nous.

Telle est la Parole, le Verbe tout-puissant que tu nous adresses, Seigneur. *GUILLAUME DE SAINT-THIERRY*

Complies
avant le repos de la nuit

*(Révision de la journée :
recherche de Dieu ou recherche de moi ?)*

**Dieu, viens à mon aide,
Seigneur, à notre secours.**

Gloire au Père, et au Fils, et au Saint-Esprit !

HYMNE

Avant la fin de la lumière,
Nous te prions, Dieu créateur,
Pour que, fidèle à ta bonté,
Tu nous protèges, tu nous gardes.

Que loin de nous s'enfuient les songes,
Et les angoisses de la nuit.
Préserve-nous de l'ennemi :
Que ton amour sans fin nous garde.

Exauce-nous, Dieu notre Père,
Par Jésus Christ, notre Seigneur,
Dans l'unité du Saint-Esprit,
Régnant sans fin dans tous les siècles.

PSAUME 90   Vienne la paix de Dieu

Quand je me tiens sous l'abri du Très-Haut
et repose à l'ombre du Puissant,
je dis au Seigneur : « Mon refuge,
mon rempart, mon Dieu dont je suis sûr ! »

C'est lui qui te sauve des filets du chasseur
    et de la peste maléfique ; *
il te couvre et te protège.
Tu trouves sous son aile un refuge :
sa fidélité est une armure, un bouclier.

Tu ne craindras ni les terreurs de la nuit,
ni la flèche qui vole au grand jour,
ni la peste qui rôde dans le noir,
ni le fléau qui frappe à midi.

Qu'il en tombe mille à tes côtés, +
qu'il en tombe dix mille à ta droite, *
toi, tu restes hors d'atteinte.

Il suffit que tu ouvres les yeux,
tu verras le salaire du méchant.
Oui, le Seigneur est ton refuge :
tu as fait du Très-Haut ta forteresse.

Le malheur ne pourra te toucher,
ni le danger, approcher de ta demeure ;

il donne mission à ses anges
de te garder sur tous tes chemins.

Ils te porteront sur leurs mains
pour que ton pied ne heurte les pierres ;
tu marcheras sur la vipère et le scorpion,
tu écraseras le lion et le Dragon.

« Puisqu'il s'attache à moi, je le délivre ;
je le défends, car il connaît mon nom.
Il m'appelle, et moi, je lui réponds ;
je suis avec lui, dans son épreuve.

« Je veux le libérer, le glorifier ; [+]
de longs jours, je veux le rassasier, [*]
et je ferai qu'il voie mon salut. »

Gloire au Père, et au Fils, et au Saint-Esprit…

Parole de Dieu   Apocalypse 22, 4-5

LES SERVITEURS de Dieu verront son visage, et son nom
sera écrit sur leur front. La nuit n'existera plus, ils n'auront plus besoin de la lumière d'une lampe ni de la
lumière du soleil, parce que le Seigneur Dieu les illuminera, et ils régneront pour les siècles des siècles.

En tes mains, Seigneur, je remets mon esprit.
Sur ton serviteur, que s'illumine ta face.
Gloire au Père, et au Fils, et au Saint-Esprit.
En tes mains, Seigneur, je remets mon esprit.

CANTIQUE DE SYMÉON   (Texte, couverture C)
Sauve-nous, Seigneur, quand nous veillons ; garde-nous quand nous
dormons : nous veillerons avec le Christ, et nous reposerons en paix.

Prière

Notre Seigneur et notre Dieu, tu nous as fait entendre ton amour au matin de la résurrection ; quand viendra pour nous le moment de mourir, que ton souffle de vie nous conduise en ta présence. Par Jésus, le Christ, notre Seigneur. Amen.

Bénédiction

Que le Seigneur nous bénisse et nous garde,
le Père, le Fils, et le Saint-Esprit. Amen.

Antienne mariale

Sainte Mère de notre Rédempteur
   Porte du ciel, toujours ouverte,
   Étoile de la mer,
Viens au secours du peuple qui tombe
   et qui cherche à se relever.
Tu as enfanté, ô merveille !
   celui qui t'a créée,
   et tu demeures toujours vierge.
Accueille le salut de l'ange Gabriel
   et prends pitié de nous, pécheurs.

LUNDI 14 DÉCEMBRE
Saint Jean de la Croix

Prière du matin

*Que brille sur nous ton visage
et nous serons sauvés !*

Gloire au Père, et au Fils, et au Saint-Esprit !

HYMNE

Toute forme évanouie,
vers la seule Figure
tu guides notre vie,
Jean de la Croix,
à travers la nuit obscure
de la foi.

℟   Sans autre lumière
que celle du cœur,
nous passerons la dernière
frontière
vers le Seigneur.

Aucun piège ne retient
ta vigilance extrême,
ni chair, ni monde, rien,
ni la beauté,
et tu vas jusqu'à toi-même,
te quitter.

Sur la pente que ton pas
encore nous signale,
nous entendons ta voix
prier l'Époux

de rompre l'ultime voile
entre vous.

Quand la parole se tait,
quand le silence explique,
au creux de ton secret
illuminé,
Il te rencontre, l'unique
Bien-Aimé.

PSAUME 95   **Hymne à Dieu, roi et juge de l'univers**

Chantez au Seigneur un chant nouveau,
chantez au Seigneur, terre entière,
chantez au Seigneur et bénissez son nom !   chantez

De jour en jour, proclamez son salut,
racontez à tous les peuples sa gloire,   proclamez
à toutes les nations ses merveilles !   racontez

Il est grand, le Seigneur, hautement loué,
redoutable, au-dessus de tous les dieux :
néant, tous les dieux des nations !

Lui, le Seigneur, a fait les cieux :
devant lui, splendeur et majesté,
dans son sanctuaire, puissance et beauté.

Rendez au Seigneur, familles des peuples,   rendez gloire
rendez au Seigneur la gloire et la puissance,
rendez au Seigneur la gloire de son nom.

Apportez votre offrande, entrez dans ses parvis,
adorez le Seigneur, éblouissant de sainteté :   entrez
tremblez devant lui, terre entière.   adorez

Allez dire aux nations : « Le Seigneur est roi ! »
Le monde, inébranlable tient bon.
Il gouverne les peuples avec droiture.   allez dire

Joie au ciel ! Exulte la terre !
Les masses de la mer mugissent,
la campagne tout entière est en fête   joie !

Les arbres des forêts dansent de joie
devant la face du Seigneur, car il vient,   joie !
car il vient pour juger la terre   il vient

Il jugera le monde avec justice *
et les peuples selon sa vérité !

Gloire au Père, et au Fils, et au Saint-Esprit,
pour les siècles des siècles. Amen.

Parole de Dieu   Isaïe 30, 27a. 29

VOICI VENIR de loin le nom
du Seigneur ! Vous chan-
terez comme la nuit où l'on célèbre la fête, vous aurez le
cœur joyeux, comme celui qui marche au son de la flûte,
qui va vers la montagne du Seigneur.

Tu es la vraie lumière,
jaillie dans notre nuit !

LOUANGE ET INTERCESSION

Frères bien-aimés, prions le Christ qui vient sauver de la
mort ceux qui se tournent vers lui :

℟   Viens, Seigneur Jésus ! Viens, source de vie !

Alors que nous proclamons ta venue,
purifie notre cœur de tout esprit de vanité.

Que ton Église, fondée par toi sur le roc de ta parole,
te sanctifie parmi toutes les nations.

Que ta loi, lumière de nos yeux,
protège et soutienne ceux qui comptent sur toi.

Tu as donné mission à ton Église
d'annoncer la joie de ta venue,
accorde-nous de t'accueillir avec ferveur.

Intentions libres

Prête l'oreille à nos prières, Seigneur : que la venue de ton
Fils au milieu de nous éclaire la nuit de nos cœurs. Lui
qui règne avec toi et le Saint-Esprit.

La messe
Lundi de la 3ᵉ semaine de l'Avent

Saint Jean de la Croix (1542-1591)   *Mémoire*

● *Jean de la Croix, religieux carme espagnol, rencontra à 25 ans Thérèse d'Avila, la réformatrice du
Carmel. Il voulut adopter, lui aussi, l'observance
primitive, mais ses supérieurs s'y opposèrent vio-
lemment. La persécution ne fit qu'aider à son union
avec Dieu sur les sommets de la vie mystique, dont
ses écrits ont gardé la brûlure.* ●

Que la croix de notre Seigneur Jésus Christ soit ma seule fierté.
Par elle, le monde est à jamais crucifié pour moi, et moi pour
le monde.

Prière. Dieu qui inspiras à ton prêtre saint Jean un extraordi-
naire amour de la croix et le renoncement total à lui-même, fais
qu'en nous attachant à le suivre, nous parvenions à la contem-
plation éternelle de ta gloire. Par Jésus Christ, ton Fils,

● *Jésus est l'astre issu de Jacob, que Balaam, le
voyant, annonçait du fond des âges (première lecture), il est le Prince de la paix. Lumière et paix,
tel sera le don qu'il nous fera dans la nuit de Noël.
C'est aujourd'hui l'objet de notre prière. L'appel*

*vers la lumière monte dans la collecte, où nous
implorons le Seigneur d'« éclairer la nuit de nos
cœurs » (prière d'ouverture). Au moment de participer à l'eucharistie, nous lui demanderons de
« nous visiter dans la paix » pour nous faire goûter sa joie (antienne de la communion).* ●

Écoutez, tous les peuples, la parole du Seigneur, annoncez-la
aux terres lointaines : voici notre Sauveur qui vient, ne craignez plus.

PRIÈRE ─────────────────────── **page précédente**

Lecture du livre des Nombres   24, 2... 17a

Le prophète païen Balaam
était venu pour maudire
Israël. Levant les yeux, il vit le peuple qui campait,
rangé par tribus. L'esprit de Dieu vint sur lui, et il prononça ces paroles prophétiques : « Oracle de Balaam,
fils de Béor, oracle de l'homme au regard pénétrant,
oracle de celui qui entend les paroles de Dieu. Il voit
ce que le Tout-Puissant lui fait voir, il tombe en extase,
et ses yeux s'ouvrent. Que tes tentes sont belles, Jacob,
et tes demeures, Israël ! Elles s'étendent comme des vallées, comme des jardins au bord d'un fleuve ; le Seigneur les a plantées comme des aloès, comme des
cèdres auprès des eaux ! Un héros sortira de sa descendance, il dominera sur des peuples nombreux. Son
règne sera plus grand que celui de Gog, sa royauté
s'étendra. » Balaam prononça encore ces paroles prophétiques : « Oracle de Balaam, fils de Béor, oracle de
l'homme au regard pénétrant. Ce héros, je le vois –
mais pas pour maintenant – je l'aperçois – mais pas de
près : un astre se lève, issu de Jacob, un sceptre se
dresse, issu d'Israël. »

• PSAUME 24 •

Fais-moi connaître tes chemins, Seigneur !

Seigneur, enseigne-moi tes voies,
fais-moi connaître ta route.
Dirige-moi par ta vérité, enseigne-moi,
car tu es le Dieu qui me sauve.

Rappelle-toi, Seigneur, ta tendresse,
ton amour qui est de toujours.
Oublie les révoltes, les péchés de ma jeunesse ;
dans ton amour, ne m'oublie pas.

Il est droit, il est bon, le Seigneur,
lui qui montre aux pécheurs le chemin.
Sa justice dirige les humbles,
il enseigne aux humbles son chemin.

Les voies du Seigneur sont amour et vérité
pour qui veille à son alliance et à ses lois.
Le secret du Seigneur est pour ceux qui le craignent ;
à ceux-là, il fait connaître son alliance.

Alléluia. Alléluia. Montre-nous, Seigneur, ta miséricorde,
fais-nous voir le jour de ton salut. Alléluia.

**Évangile de Jésus Christ
selon saint Matthieu**   21, 23-27

JÉSUS était entré dans le Temple, et, pendant qu'il
enseignait, les chefs des prêtres et les anciens du peuple
l'abordèrent pour lui demander : « Par quelle autorité
fais-tu cela, et qui t'a donné cette autorité ? » Jésus leur
répliqua : « À mon tour, je vais vous poser une seule
question ; et si vous me répondez, je vous dirai, moi
aussi, par quelle autorité je fais cela : Le baptême de

Jean, d'où venait-il, du ciel ou des hommes ? » Ils faisaient en eux-mêmes ce raisonnement : « Si nous disons : "Du ciel", il va nous dire : "Pourquoi donc n'avez-vous pas cru à sa parole ?" Si nous disons : "Des hommes", nous devons redouter la foule, car tous tiennent Jean pour un prophète. » Ils répondirent donc à Jésus : « Nous ne savons pas ! » Il leur dit à son tour : « Moi non plus, je ne vous dirai pas par quelle autorité je fais cela. »

PRIÈRE SUR LES OFFRANDES. Seigneur, nous ne pourrons jamais t'offrir que les biens venus de toi : accepte ceux que nous t'apportons ; et, puisque c'est toi qui nous donnes maintenant de célébrer l'eucharistie, fais qu'elle soit pour nous le gage du salut éternel. Par Jésus, le Christ, notre Seigneur.

PRÉFACE DE L'AVENT I ———————————— page 211

Viens, Seigneur, nous visiter dans la paix ; en ta présence nous goûterons la joie.

PRIÈRE APRÈS LA COMMUNION. Fais fructifier en nous, Seigneur, l'eucharistie qui nous a rassemblés : c'est par elle que tu formes dès maintenant, à travers la vie de ce monde, l'amour dont nous t'aimerons éternellement. Par Jésus.

PRIÈRE SUR LES OFFRANDES. Regarde, Seigneur tout-puissant, le sacrifice que nous offrons en la fête de saint Jean de la Croix ; et donne-nous d'exprimer par notre vie les mystères de la Passion du Sauveur que nous célébrons dans cette liturgie. Par Jésus, le Christ, notre Seigneur.

« Si quelqu'un veut marcher à ma suite, dit le Seigneur, qu'il renonce à lui-même, qu'il prenne sa croix, et qu'il me suive. »

PRIÈRE APRÈS LA COMMUNION. Dieu qui as fait de saint Jean un apôtre du mystère de la croix, accorde-nous, maintenant que nous sommes fortifiés par ce sacrifice, de rester toujours unis au Christ, et de travailler dans l'Église au salut de nos frères. Par Jésus.

Au souffle de l'Esprit

L'Amour est un je ne sais quoi,
Qui vient de je ne sais où,
Qui entre je ne sais par où
Et donne la mort je ne sais comment.

C'est une touche délicate
Qui frappe sans faire de bruit
Sans qu'on sente comment elle est produite,
Et sans qu'on sache comment cela s'est passé,
Elle se meut on ne sait vers quel but,
Elle entre on ne sait par où.
Et elle donne la mort on ne sait comment.

Elle est toujours dans un endroit fixé
Et aussitôt au moment voulu,
Elle se meut comme un feu
Depuis les profondeurs du firmament.

Mais bien qu'elle soit dans un endroit fixé
On ne sait alors d'où elle vient,
Car elle se meut on ne sait par où
Et elle donne la mort on ne sait comment.

Elle fait une divine blessure
Qui cause une glorieuse mort.
Et cela est de telle sorte
Qu'on meurt et qu'on reste avec la vie,
On voit Dieu et on ne le voit pas.
Je ne sais comment il se cache,
Je ne sais par où il entre
Et il donne la mort je ne sais comment.

S. JEAN DE LA CROIX, O.C.D.

Prière du soir

Que l'univers chante et crie de joie
car le Seigneur vient !

Gloire au Père, et au Fils, et au Saint-Esprit !

HYMNE

Dieu s'approchait comme le fruit
D'un long désir,
Comme le sceau d'une alliance
Dont il était l'avenir.
Il répondait à l'espérance
D'un peuple en marche vers lui.

Toute une race de croyants
Guettait son Jour ;
La foi patiente des pauvres
Tenait la veille d'amour.
Devinaient-ils les feux de l'aube
Dans le regard d'une enfant ?

L'ultime étape commençait
Avec Marie.
La Vierge était l'héritière
De la promesse de vie.
Bienheureux ceux qui façonnèrent
Le cœur que Dieu choisissait.

Ils préparèrent le chemin
Du Dieu Sauveur
Qui changerait en exode
L'ancien exil des pécheurs.
Il s'approchait... Il vient encore,
Nous attendons son matin.

PSAUME 39 (I)   Prière d'action de grâce

Tu n'as pas voulu de sacrifices ni d'offrandes,
mais tu m'as fait un corps.

D'un grand espoir
    j'espérais le Seigneur : *
Il s'est penché vers moi
    pour entendre mon cri.

Il m'a tiré de l'horreur du gouffre,
    de la vase et de la boue ; *
il m'a fait reprendre pied sur le roc,
    il a raffermi mes pas.

Dans ma bouche, il a mis un chant nouveau,
    une louange à notre Dieu. *
Beaucoup d'hommes verront, ils craindront,
    ils auront foi dans le Seigneur.

Heureux est l'homme
    qui met sa foi dans le Seigneur *
et ne va pas du côté des violents,
    dans le parti des traîtres.

Tu as fait pour nous tant de choses,
    toi, Seigneur mon Dieu ! *
Tant de projets et de merveilles !
    non, tu n'as point d'égal !

Je les dis, je les redis encore ; *
    mais leur nombre est trop grand !

Tu ne voulais ni offrande ni sacrifice,
    tu as ouvert mes oreilles ; *
tu ne demandais ni holocauste ni victime,
    alors j'ai dit : « Voici je viens.

« Dans le livre, est écrit pour moi
    ce que tu veux que je fasse. *

Mon Dieu, voilà ce que j'aime :
ta loi me tient aux entrailles. »

Gloire au Père, et au Fils, et au Saint-Esprit…

Parole de Dieu
Luc 12, 37-38

HEUREUX les serviteurs que le maître, à son arrivée, trouvera en train de veiller. Amen, je vous le dis : il prendra la tenue de service, les fera passer à table et les servira chacun à son tour. S'il revient vers minuit ou plus tard encore et qu'il les trouve ainsi, heureux sont-ils !

Viens, Emmanuel !

INTERCESSION

Frères bien-aimés, présentons nos demandes au Christ, le Juge des vivants et des morts :

℟   Viens, Seigneur Jésus ! Viens, semence de vie !

Que le monde te reçoive, germe de justice,
et que ta gloire habite notre terre.

Dans ta bonté pour nous, tu as partagé
notre faiblesse humaine ;
accorde aux hommes le secours de ta puissance divine.

Fais resplendir ta connaissance sur ceux
que tu vois prisonniers des ténèbres de l'ignorance.

Par ton humiliation, tu as pris sur toi notre injustice :
conduis nos frères défunts
jusqu'à ton royaume céleste.

Intentions libres

Notre Père… Car c'est à toi qu'appartiennent…

SAINTS
D'HIER ET D'AUJOURD'HUI

Visite-nous, Seigneur, dans ta miséricorde.

Bienheureux Nimatullah
Youssef Kassab al-Hardini
Prêtre (1808-1858)

Né à Hardine, au nord du Liban, dans une famille de
chrétiens maronites de six enfants, il entre en 1928
dans l'ordre libanais maronite au monastère Saint-
Antoine de Houb, où il fait ses études secondaires.
Après sa profession monastique, il est envoyé au
monastère de Saints-Cyprien-et-Justine pour étudier
la philosophie et la théologie, sans abandonner
les sept heures de prière au chœur, et les travaux des
champs. Ordonné prêtre en 1835, il devient directeur
du scolasticat et professeur de théologie morale.
Il fonde « l'école sous le chêne », gratuite pour les
enfants des environs du monastère.
Beaucoup de monastères sont brûlés, des églises
détruites et des chrétiens maronites massacrés durant
les guerres de 1840 à 1860. Lui, il ne cesse de répéter :
« Le sage, c'est celui qui sauve son âme. » Il s'appuie
sur la présence de Marie et le témoignage de
la « communion » fraternelle. À 43 ans, il est nommé
assistant général de l'ordre, mais il refuse la charge de
général. Il meurt d'une pneumonie, du fait d'un hiver
glacial, le 14 décembre 1858, à 50 ans.

Chaque âme croyante est également, à sa manière,
épouse du Verbe de Dieu, mère,
fille et sœur du Christ, vierge et féconde.
Isaac de l'Étoile

MARDI 15 DÉCEMBRE

Prière du matin

Montre-nous ta miséricorde.
Que nos lèvres chantent ta louange.

Gloire au Père, et au Fils, et au Saint-Esprit !

HYMNE

Seigneur, venez, la terre est prête pour vous accueillir.
Seigneur, venez, sur nos sillons le grain peut mûrir.
Car toute chair attend le Verbe de Dieu.
Qu'à notre désir enfin se rouvrent les cieux !

℟   Mon Dieu, que votre règne arrive !

Seigneur, venez, le pain nous manque
    et nos âmes ont faim.
Seigneur, venez, la table est mise pour le festin
Que votre corps nous soit la force du jour !
Que votre présence en nous ravive l'amour !

Seigneur, venez souffrir en nous les tourments
    de la mort.
Seigneur, venez porter le poids qui courbe nos corps.
Que votre croix se dresse et calme nos pleurs !
Que votre regard bientôt dissipe nos peurs !

Seigneur, venez, le froid nous mord
    et la nuit est sans fin.
Seigneur, venez, nos yeux espèrent votre matin.
Que votre paix se lève sur nos douleurs !
Qu'au feu de l'Esprit renaisse un monde qui meurt !

Psaume 39 (ii)

Dieu, viens à mon aide

J'annonce la justice
dans la grande assemblée ; *
vois, je ne retiens pas mes lèvres,
Seigneur, tu le sais.

Je n'ai pas enfoui ta justice au fond de mon cœur, +
je n'ai pas caché ta fidélité, ton salut ; *
j'ai dit ton amour et ta vérité
à la grande assemblée.

Toi, Seigneur,
ne retiens pas loin de moi ta tendresse ; *
que ton amour et ta vérité
sans cesse me gardent !

Les malheurs m'ont assailli : *
leur nombre m'échappe !

Mes péchés m'ont accablé :
ils m'enlèvent la vue ! *
Plus nombreux que les cheveux de ma tête,
ils me font perdre cœur.

Daigne, Seigneur, me délivrer ;
Seigneur, viens vite à mon secours ! *

Mais tu seras l'allégresse et la joie
de tous ceux qui te cherchent ; *
toujours ils rediront : « Le Seigneur est grand ! »
ceux qui aiment ton salut.

Je suis pauvre et malheureux,
mais le Seigneur pense à moi. *
Tu es mon secours, mon libérateur :
mon Dieu, ne tarde pas !

Gloire au Père, et au Fils, et au Saint-Esprit…

Parole de Dieu
Ézékiel 34, 15-16

C'EST MOI qui ferai paître mon troupeau, et c'est moi qui le ferai reposer, déclare le Seigneur Dieu ! La brebis perdue, je la chercherai. Celle qui est blessée, je la soignerai. Celle qui est faible, je lui rendrai des forces. Celle qui est grasse et vigoureuse, je la garderai, je la ferai paître avec justice.

LOUANGE ET INTERCESSION

Adressons notre prière et notre joyeuse acclamation au Christ, la Parole qui illumine tout homme en ce monde :

℟ Viens, Seigneur Jésus !
   Viens, Lumière d'en haut !

Que la lumière de ta présence
dissipe nos ténèbres et nous ouvre à tes dons.

Sauve-nous, toi notre Dieu fait homme,
pour qu'en ce jour nous confessions ton nom.

Enflamme nos cœurs pour leur donner une soif
ardente de toi et un grand désir de ta communion.

Toi qui as pris sur toi notre faiblesse, secours les malades
et ceux qui affronteront aujourd'hui la mort.

Intentions libres

Dieu qui as fait de nous une créature nouvelle dans ton Fils, regarde avec bonté l'œuvre de ta miséricorde, et, tandis que nous attendons sa venue, préserve-nous de toute déchéance. Par Jésus Christ, ton Fils, notre Seigneur et notre Dieu, qui règne avec toi et le Saint-Esprit, maintenant et pour les siècles des siècles. Amen.

La messe

Mardi de la 3ᵉ semaine de l'Avent

● *La célébration eucharistique nous fait vivre constamment le présent, le passé et l'avenir du mystère du Christ. Nous attendons sa manifestation (antienne d'ouverture, prière d'ouverture et antienne de la communion), mais en même temps nous évoquons sa venue dans notre chair, quand il prit « la condition des hommes pour nous ouvrir le chemin du salut » (préface I), et nous vivons de sa présence en nous : par le baptême, nous sommes dès maintenant en Jésus « une créature nouvelle » (prière d'ouverture). Telle est l'incomparable richesse de la vie dans le Christ.* ●

Voici que le Seigneur va venir, et, avec lui, tous ceux qui ont cru en lui ; on verra, ce jour-là, une grande lumière.

Prière ————————————————— page précédente

Lecture du livre de Sophonie   3, 1... 13

Parole du Seigneur à Jérusalem : Malheureuse la rebelle, l'impure, la ville tyrannique ! Elle n'a écouté la voix de personne, elle n'a pas accepté de leçon, elle n'a pas fait confiance au Seigneur, elle ne s'est pas présentée pour servir son Dieu. Mais moi, je vais transformer les peuples et purifier leurs lèvres, pour qu'ils invoquent tous ensemble le nom du Seigneur et le servent d'un seul cœur. D'au-delà des fleuves de l'Éthiopie, mes adorateurs, mes enfants dispersés m'apporteront mon offrande. Ce jour-là, tu n'auras plus à rougir pour tous les méfaits que tu as commis contre moi, car alors j'extirperai de toi les orgueilleux et leur insolence, et tu ne reviendras plus te pavaner sur ma montagne sainte.

Israël, je ne laisserai subsister au milieu de toi qu'un peuple petit et pauvre, qui aura pour refuge le nom du Seigneur. Ce Reste d'Israël ne commettra plus l'iniquité. Il renoncera au mensonge, on ne trouvera plus de tromperie dans sa bouche. Il pourra paître et se reposer sans que personne puisse l'effrayer.

———— • Psaume 33 • ————

Quand un pauvre appelle, le Seigneur entend.

Je bénirai le Seigneur en tout temps,
sa louange sans cesse à mes lèvres.
Je me glorifierai dans le Seigneur :
que les pauvres m'entendent et soient en fête !

Qui regarde vers lui resplendira,
sans ombre ni trouble au visage.
Un pauvre crie ; le Seigneur entend :
il le sauve de toutes ses angoisses.

Le Seigneur regarde les justes,
il écoute, attentif à leurs cris.
Le Seigneur entend ceux qui l'appellent :
de toutes leurs angoisses, il les délivre.

Il est proche du cœur brisé,
il sauve l'esprit abattu.
Le Seigneur rachètera ses serviteurs :
pas de châtiment pour qui trouve en lui son refuge.

Alléluia. Alléluia. Viens, Seigneur, ne tarde plus, délivre ton peuple de ses fautes ! Alléluia.

**Évangile de Jésus Christ
selon saint Matthieu**   21, 28-32

Jésus disait aux chefs des prêtres et aux anciens :

« Que pensez-vous de ceci ? Un homme avait deux fils. Il vint trouver le premier et lui dit : "Mon enfant, va travailler aujourd'hui à ma vigne." Celui-ci répondit : "Je ne veux pas." Mais ensuite, s'étant repenti, il y alla. Abordant le second, le père lui dit la même chose. Celui-ci répondit : "Oui, Seigneur !" et il n'y alla pas. Lequel des deux a fait la volonté du père ? » Ils lui répondent : « Le premier. » Jésus leur dit : « Amen, je vous le déclare : les publicains et les prostituées vous précèdent dans le royaume de Dieu. Car Jean Baptiste est venu à vous, vivant selon la justice, et vous n'avez pas cru à sa parole ; tandis que les publicains et les prostituées y ont cru. Mais vous, même après avoir vu cela, vous ne vous êtes pas repentis pour croire à sa parole. »

PRIÈRE SUR LES OFFRANDES. Laisse-toi fléchir, Seigneur, par nos prières et nos pauvres offrandes ; nous ne pouvons pas invoquer nos mérites, viens par ta grâce à notre secours. Par Jésus.

PRÉFACE DE L'AVENT I ——————————— page 211

Le Seigneur, dans sa justice, remettra leur récompense à tous ceux qui désirent ardemment sa venue dans la gloire.

PRIÈRE APRÈS LA COMMUNION. Pleins de reconnaissance pour cette eucharistie, nous te prions encore, Seigneur : apprends-nous, dans la communion à ce mystère, le vrai sens des choses de ce monde et l'amour des biens éternels. Par Jésus.

MÉDITATION DU JOUR

Viens, Seigneur, ne tarde plus

Ton corps est « usé par l'attente du salut » (Psaume 118, 81).

Heureuse faiblesse, où se marque le désir du bien non encore obtenu, certes, mais passionnément convoité ! À qui donc reviennent ces paroles, sinon, depuis les origines de l'humanité jusqu'à la fin des siècles, à la race élue, au sacerdoce royal, au peuple acquis, à tout homme qui, sur cette terre et avec son temps, a vécu, vit ou vivra dans le désir du Christ ?

L'Église dans les premiers temps, avant l'enfantement de la Vierge, a compté des saints qui désiraient la venue du Christ dans la chair. Dans les temps où nous sommes depuis l'Ascension, la même Église compte d'autres saints, qui désirent la manifestation du Christ pour juger les vivants et les morts.

Jamais, depuis le début jusqu'à la fin des temps, cette attente de l'Église n'a connu le moindre arrêt, si ce n'est durant la période où le Seigneur a vécu sur terre en compagnie de ses disciples. Et ainsi, c'est le Corps du Christ tout entier, gémissant en cette vie, qu'il convient d'entendre chanter dans le psaume : *Usé par l'attente du salut, j'espère en ta parole.* Sa parole, c'est la promesse, et l'espérance permet d'attendre dans la patience ce que les croyants ne voient pas. S. Augustin d'Hippone

Prière du soir

Dieu, viens à mon aide,
Seigneur, à notre secours.

Gloire au Père, et au Fils, et au Saint-Esprit !

Tropaire

Saisis de joie, vous demandez :   Stance
« Quel sera cet enfant ? »
C'est lui le Messager de la grande espérance ;

accueillez-le de la part du Seigneur :
Il vient tracer le chemin de l'Époux
et préluder au chant des Noces.

℟ Béni soit le Dieu fidèle,
   il vient nous donner son amour !

Il se souvient de l'Alliance sainte
jadis annoncée par les prophètes.

Il nous suscite une force de salut
dans la maison de David son serviteur.

Cantique de l'Apocalypse   (4)

Au Dieu créateur

Tu es digne, Seigneur notre Dieu, *
de recevoir
   l'honneur, la gloire et la puissance.

C'est toi qui créas l'univers ; *
tu as voulu qu'il soit :
   il fut créé.

Tu es digne, Christ et Seigneur, *
de prendre le Livre
   et d'en ouvrir les sceaux.

Car tu fus immolé, +
rachetant pour Dieu, au prix de ton sang, *
des hommes de toute tribu,
   langue, peuple et nation.

Tu as fait de nous, pour notre Dieu,
   un royaume et des prêtres, *
et nous régnerons sur la terre.

Il est digne, l'Agneau immolé, +
de recevoir puissance et richesse,

sagesse et force, *
honneur, gloire et louange.

Parole de Dieu
1 Pierre 4, 12-13

Mes bien-aimés, ne vous laissez pas dérouter : vous êtes mis à l'épreuve par les événements qui ont éclaté chez vous comme un incendie ; ce n'est pas quelque chose de déroutant qui vous arrive. Mais, puisque vous communiez aux souffrances du Christ, réjouissez-vous, afin d'être dans la joie et l'allégresse quand sa gloire se révélera.

Viens, Seigneur, Emmanuel !

INTERCESSION

Avec joie, implorons le Christ, notre Rédempteur et Seigneur, qui se manifestera au dernier jour :

℞ Viens, Seigneur Jésus ! Viens, présence de Dieu !

Sauveur, né dans la chair pour prendre le joug
de la Loi, obtiens-nous la liberté des fils.

Toi, dont la divinité a assumé notre nature,
apporte ta vie à notre humanité.

Par ta présence, purifie nos désirs,
oriente-les vers ton amour.

Que nous puissions te servir d'une conscience pure,
et nous réjouir avec toi dans la gloire.

Que la rosée de ta miséricorde
entoure les défunts de tendresse et de joie.

Intentions libres

Notre Père... Car c'est à toi qu'appartiennent

Saints
D'HIER ET D'AUJOURD'HUI

Viens, Seigneur Jésus, viens, lumière de nos vies !

Saint Folquin
Évêque (†855)

Évêque de Thérouanne, Folquin exerça
particulièrement sa charité lorsque les Normands
commencèrent à tout dévaster en Morinie et en
Flandre. Il mourut au cours d'une visite de
son diocèse au village d'Esquelbecq (Nord),
le 14 décembre 855.

Sainte Élisabeth-Rose
Vierge (†1130)

Moniale de Chelles, elle se fit ensuite ermite à Melun
puis à Château-Landon et enfin à Rosoy-en-Gâtinais,
d'où son surnom de « Rose ». Des compagnes la
rejoignirent, et elle y mourut abbesse. Son monastère
se transférera plus tard à Villechasson, près
de Moret-sur-Loing.

Bienheureuse Virginie Centurione,
Mère de famille puis religieuse (1587-1651)

Contrainte par son père, Virginie épouse un jeune
homme riche et d'une illustre famille de Gênes. Mais
il brûle sa jeunesse dans les plaisirs et le jeu, et meurt
en 1607. Elle se consacre alors à Dieu et aux pauvres.
Ses deux filles une fois mariées, elle fonde les Dames
auxiliaires de la miséricorde. Son corps est demeuré
intact dans la mort.

Pour toi, mon Dieu,
dominer sur nous, c'est nous sauver,
pour nous, te servir, c'est être sauvés par toi.
Guillaume de Saint-Thierry

MERCREDI 16 DÉCEMBRE

Prière du matin

Seigneur, ouvre mes lèvres,
et ma bouche publiera ta louange.

Gloire au Père, et au Fils, et au Saint-Esprit,
au Dieu qui est, qui était, et qui vient,
pour les siècles des siècles. Amen. Alléluia.

HYMNE

Aube nouvelle dans notre nuit :
Pour sauver son peuple, Dieu va venir.
Joie pour les pauvres, fête aujourd'hui :
Il faut préparer la route au Seigneur.

Bonne nouvelle, cris et chansons :
Pour sauver son peuple, Dieu va venir.
Voix qui s'élève dans nos déserts :
Il faut préparer la route au Seigneur.

Terre nouvelle, monde nouveau :
Pour sauver son peuple, Dieu va venir.
Paix sur la terre, ciel parmi nous :
Il faut préparer la route au Seigneur.

PSAUME 97   Dieu vainqueur et juge

Toute chair verra le salut de Dieu.

Chantez au Seigneur un chant nouveau,
car il a fait des merveilles ;
par son bras très saint, par sa main puissante,
il s'est assuré la victoire.

Le Seigneur a fait connaître sa victoire
et révélé sa justice aux nations ;
il s'est rappelé sa fidélité, son amour,
en faveur de la maison d'Israël ;
la terre tout entière a vu
la victoire de notre Dieu.

Acclamez le Seigneur, terre entière,
sonnez, chantez, jouez ;
jouez pour le Seigneur sur la cithare,
sur la cithare et tous les instruments ;
au son de la trompette et du cor,
acclamez votre roi, le Seigneur !

Que résonnent la mer et sa richesse,
le monde et tous ses habitants ;
que les fleuves battent des mains,
que les montagnes chantent leur joie,
à la face du Seigneur, car il vient
    pour gouverner la terre, *
pour gouverner le monde avec justice
    et les peuples avec droiture !

Gloire au Père, et au Fils, et au Saint-Esprit,
pour les siècles des siècles. Amen.

*Tu t'es rappelé, Seigneur, ta fidélité quand tu as fait
venir ton Fils en ce monde et assuré sa victoire sur la
mort. Fais connaître aux hommes de ce temps son règne
de justice, pour que la terre entière, à la vue de tes merveilles, chante le chant toujours nouveau de la reconnaissance.*

Parole de Dieu
                                          Isaïe 10, 24-27

A INSI PARLE le Seigneur,
Dieu de l'univers : Ô mon
peuple qui habites en Sion, ne crains pas. Il adviendra, en

ce jour-là, que le fardeau glissera de ton épaule et le joug, de ta nuque.

La joie du Seigneur
est notre rempart !

LOUANGE ET INTERCESSION

Prions notre Seigneur Jésus Christ qui nous visite dans sa grande miséricorde :

℟   Viens, Seigneur Jésus !
     Viens, tendresse de Dieu !

Tu es sorti du sein du Père
pour revêtir notre humanité ;
libère notre vie du péché et de la seconde mort.

Tu viendras manifester ta gloire parmi tes élus ;
fais entendre aujourd'hui ton appel
à ceux qui sont loin de toi.

Nous nous glorifions dans ta louange ;
dès maintenant, visite-nous par ton salut.

Tu nous as conduits, par la foi, vers la lumière :
fais-nous vivre, par ta justice, de manière à te plaire.

Intentions libres

Nous t'en prions, Dieu tout-puissant, que les fêtes prochaines de la venue de ton Fils nous apportent la grâce pour la vie présente et nous préparent au bonheur pour l'éternité. Par Jésus Christ, ton Fils, notre Seigneur et notre Dieu, qui règne avec toi et le Saint-Esprit, maintenant et pour les siècles des siècles. Amen.

La messe

Mercredi de la 3ᵉ semaine de l'Avent

● « *Les fêtes prochaines de la venue du Christ* » (p. d'ouverture) *constituent l'horizon immédiat de l'Église en ces semaines de l'Avent : l'Avent est d'abord apparu dans la liturgie comme une préparation à Noël. Mais la grâce de Noël est une grâce de salut et de paix, qui achemine le croyant vers* « *le bonheur pour l'éternité* » *(p. d'ouverture), en le faisant pénétrer dès maintenant dans une intimité plus profonde avec Dieu. L'Incarnation est une lumière sur Dieu ; elle nous révèle que le créateur des cieux est le Dieu Sauveur.* ●

Le Seigneur va venir sans tarder éclairer ce que voilent nos ténèbres et se manifester à toutes les nations.

Prière ——————————————————————— page précédente

Lecture du livre d'Isaïe
45, 6... 25

« Je suis le Seigneur, il n'y en a pas d'autre : je fais la lumière et je crée les ténèbres, j'établis la paix et je crée le malheur. C'est moi, le Seigneur, qui fais tout cela. Que les cieux distillent la rosée, que les nuages répandent la justice, que la terre s'entrouvre et que le salut s'épanouisse, que la justice fasse éclater en même temps tous ses bourgeons. Moi, le Seigneur, je crée tout cela. » Ainsi parle le Seigneur, le créateur des cieux, lui qui est Dieu, lui qui a modelé la terre et l'a formée, lui qui l'a fixée ; il ne l'a pas créée comme un désert, il l'a formée pour qu'elle soit habitée : « Je suis le Seigneur, il n'y en a pas d'autre. Il n'y a pas d'autre Dieu que moi ; un Dieu juste et sauveur, il n'y en a pas en dehors de moi. Tournez-vous vers moi pour être sauvés, habitants de la terre entière. Car c'est moi qui suis Dieu, il n'y en a pas d'autre. Je le jure par moi-même : de ma bouche sortira le salut, cette parole ne reviendra pas en arrière ; devant moi toute créature tombera à genoux, par moi jurera toute langue en disant : "Au Seigneur seul la justice et la force !" » Vers lui viendront, couverts de honte, tous ceux qui s'étaient dressés contre lui. Et toute la descendance d'Israël trouvera dans le Seigneur sa justice et sa fierté.

———— • PSAUME 84 • ————

Ciel, répands ta rosée !
Nuées, faites pleuvoir le juste !

J'écoute : que dira le Seigneur Dieu ?
Ce qu'il dit, c'est la paix pour son peuple :
son salut est proche de ceux qui le craignent,
et la gloire habitera notre terre.

Amour et vérité se rencontrent,
justice et paix s'embrassent ;
la vérité germera de la terre
et du ciel se penchera la justice.

Le Seigneur donnera ses bienfaits,
et notre terre donnera son fruit.
La justice marchera devant lui,
et ses pas traceront le chemin.

Alléluia. Alléluia. Élève la voix, messager de la Bonne Nouvelle ! Voici le Seigneur Dieu : il vient avec puissance. Alléluia.

Évangile de Jésus Christ selon saint Luc　　　7, 18b-23

JEAN BAPTISTE appela deux de ses disciples et les envoya demander au Seigneur : « Es-tu celui qui doit venir, ou devons-nous en attendre un autre ? » Arrivés près de Jésus, ils lui dirent : « Jean Baptiste nous a envoyés te demander : Es-tu celui qui doit venir, ou devons-nous en attendre un autre ? » À ce moment-là, Jésus guérit beaucoup de malades, d'infirmes et de possédés, et il rendit la vue à beaucoup d'aveugles. Puis il répondit aux envoyés : « Allez rapporter à Jean ce que vous avez vu et entendu : les aveugles voient, les boiteux marchent, les lépreux sont purifiés, les sourds entendent, les morts ressuscitent, la Bonne Nouvelle est annoncée aux pauvres. Heureux celui qui ne tombera pas à cause de moi ! »

Prière sur les offrandes. Permets, Seigneur, que le sacrifice de nos eucharisties te soit toujours offert dans ton Église, pour accomplir le sacrement que tu nous as donné et pour réaliser la merveille de notre salut. Par Jésus, le Christ.

Préface de l'Avent I ——————————— page 211

Voici le Seigneur Dieu qui vient avec puissance ; il vient illuminer notre regard.

Prière après la communion. Seigneur notre Dieu, nous attendons de ta miséricorde que cette nourriture prise à ton autel nous empêche de céder à nos penchants mauvais et nous prépare aux fêtes qui approchent. Par Jésus, le Christ.

MÉDITATION DU JOUR

Tournez-vous vers moi pour être sauvés

Nous savons bien qu'il ne sert à rien à l'homme de gagner l'univers s'il vient à se perdre lui-même, mais l'attente de la nouvelle terre, loin d'affaiblir en nous le souci de cultiver cette terre, doit plutôt le réveiller : le corps de la nouvelle famille humaine y grandit, qui offre déjà quelque ébauche du siècle à venir. C'est pourquoi, s'il faut soigneusement distinguer le progrès terrestre de la croissance du règne du Christ, ce progrès a cependant beaucoup d'importance pour le royaume de Dieu, dans la mesure où il peut contribuer à une meilleure organisation de la société humaine.

Car ces valeurs de dignité, de communion fraternelle et de liberté, tous ces fruits excellents de notre nature et de notre industrie, que nous aurons propagés sur terre selon le commandement du Seigneur et dans son Esprit, nous les retrouverons plus tard, mais purifiés de toute souillure, illuminés, transfigurés, lorsque le Christ remettra à son Père « un royaume éternel et universel : royaume de vérité et de vie, royaume de sainteté et de grâce, royaume de justice, d'amour et de paix ». Mystérieusement, le royaume est déjà présent sur cette terre ; il atteindra sa perfection quand le Seigneur reviendra. *VATICAN II*

Prière du soir

Allons au-devant de celui qui vient !

Gloire au Père, et au Fils, et au Saint-Esprit,
au Dieu qui est, qui était, et qui vient,
pour les siècles des siècles. Amen. Alléluia.

HYMNE

Viens bientôt, Sauveur du monde,
Lève-toi, clarté d'en haut ;
Vrai soleil du jour nouveau,
Viens percer la nuit profonde.

Ta naissance dans l'histoire
Transfigure nos tourments
En douleurs d'enfantement
Où, déjà, surgit ta gloire.

Vois le mal et la souffrance
Et tant d'hommes chancelants
Dans l'immense enchaînement
Du mépris et des violences.

Psaume 102   Hymne à la miséricorde

Bénis le Seigneur, ô mon âme,
bénis son nom très saint, tout mon être !
Bénis le Seigneur, ô mon âme,
n'oublie aucun de ses bienfaits !

Car il pardonne toutes tes offenses
et te guérit de toute maladie ;
il réclame ta vie à la tombe
et te couronne d'amour et de tendresse ;
il comble de biens tes vieux jours ;
tu renouvelles, comme l'aigle, ta jeunesse.

Le Seigneur fait œuvre de justice,
il défend le droit des opprimés.
Il révèle ses desseins à Moïse,
aux enfants d'Israël ses hauts faits.

Le Seigneur est tendresse et pitié,
lent à la colère et plein d'amour ;
il n'est pas pour toujours en procès,
ne maintient pas sans fin ses reproches ;
il n'agit pas envers nous selon nos fautes,
ne nous rend pas selon nos offenses.

Comme le ciel domine la terre,
fort est son amour pour qui le craint ;

aussi loin qu'est l'orient de l'occident,
il met loin de nous nos péchés ;
comme la tendresse du père pour ses fils,
la tendresse du Seigneur pour qui le craint !

Il sait de quoi nous sommes pétris,
il se souvient que nous sommes poussière.
L'homme ! ses jours sont comme l'herbe ;
comme la fleur des champs, il fleurit :
dès que souffle le vent, il n'est plus,
même la place où il était l'ignore.

Mais l'amour du Seigneur, sur ceux qui le craignent,
    est de toujours à toujours, *
et sa justice pour les enfants de leurs enfants,
pour ceux qui gardent son alliance
et se souviennent d'accomplir ses volontés.
Le Seigneur a son trône dans les cieux :
sa royauté s'étend sur l'univers.

Messagers du Seigneur, bénissez-le,
    invincibles porteurs de ses ordres, *
attentifs au son de sa parole !
Bénissez-le, armées du Seigneur,
serviteurs qui exécutez ses désirs !
Toutes les œuvres du Seigneur, bénissez-le,
sur toute l'étendue de son empire !

Bénis le Seigneur, ô mon âme !

Gloire au Père, et au Fils, et au Saint-Esprit,
pour les siècles des siècles. Amen.

Dieu de tendresse, notre Père, toi qui veux la vie de tes enfants, tu nous as révélé dans le Christ la hauteur, la largeur et la profondeur de ton amour. En lui, renouvelle la jeunesse de ton Église ; par lui garde-la fidèle à ton Alliance, pour qu'avec lui elle ne cesse de te bénir.

Parole de Dieu

Cantique des cantiques 2, 8-10

VOICI MON BIEN-AIMÉ qui vient ! il escalade les montagnes, il franchit les collines, il accourt comme la gazelle, comme le petit d'une biche. Le voici qui se tient derrière notre mur ; il regarde par la fenêtre, il guette à travers le treillage.

Viens, Seigneur, viens !

INTERCESSION

Dans l'humilité et la confiance, prions pour être libérés de la nuit :

℟ Viens, Seigneur Jésus !
Viens, Sauveur des hommes !

Rassemble ton peuple de toutes les régions de la terre,
confirme l'alliance que tu as conclue avec lui.

Agneau de Dieu, venu ôter les péchés du monde,
purifie-le de toute souillure.

Toi qui es venu sauver ce qui était perdu,
ne cesse pas de pardonner.

Toi que nous contemplons dans la foi,
fais-nous partager la joie éternelle,
à l'heure du jugement.

Toi qui jugeras les vivants et les morts,
reçois parmi les bienheureux les âmes
de nos frères défunts.

Intentions libres

Notre Père...

Car c'est à toi qu'appartiennent
le règne, la puissance et la gloire,
pour les siècles des siècles !

SAINTS
D'HIER ET D'AUJOURD'HUI

Viens, Seigneur Jésus, viens, présence de Dieu.

BIENHEUREUX HONORAT KOZMINSKI
Prêtre (1829-1916)

Né à Biala Podlaska (Pologne), Honorat Kozminski
s'est dévoué avec magnanimité et jusqu'au bout à son
idéal capucin. Il se montra un ministre assidu du
sacrement de réconciliation et de pénitence et son
« service héroïque au confessionnal » devint une
véritable direction spirituelle. Il vécut à l'époque
troublée de la suppression des instituts religieux, et de
la fermeture des noviciats pour les monastères
épargnés. Il inventa alors de nouvelles formes de vie
consacrée, de façon à régénérer tous les milieux.

BIENHEUREUX PHILIPPE SIPHONG ONPHITAK
Martyr (1907-1940)

L'Église de Thaïlande fait aujourd'hui mémoire de ce
catéchiste de 33 ans qui dirigeait l'école du village de
Song-khon et devint, après l'expulsion du
missionnaire, le moteur de la communauté
catholique. Il fut assassiné par le brigadier Lu, venu
l'arrêter. Celui-ci reconnut, au cours du procès de
béatification, avoir agi afin de déraciner la foi.

> *L'humble, Dieu le défend et le délivre ;*
> *il le chérit, il le console ;*
> *il lui révèle ses secrets, il l'attire.*
> **Imitation de Jésus Christ**

LITURGIE DE LA MESSE

■ Au nom du Père, et du Fils, et du Saint-Esprit.
■ Amen.

Salutation mutuelle

■ La grâce de Jésus notre Seigneur,
l'amour de Dieu le Père,
et la communion de l'Esprit Saint,
soient toujours avec vous.
■ Et avec votre esprit.

Préparation pénitentielle

Préparons-nous à la célébration de l'eucharistie
en reconnaissant que nous sommes pécheurs.

1 ────────────────────────────────

Je confesse à Dieu tout-puissant,
je reconnais devant mes frères que j'ai péché
en pensée, en parole, par action et par omission ;
oui, j'ai vraiment péché.

C'est pourquoi je supplie la Vierge Marie,
les anges et tous les saints,
et vous aussi, mes frères,
de prier pour moi le Seigneur notre Dieu.

2 ────────────────────────────────

(Ou bien on peut dire le dialogue suivant :)

■ Seigneur, accorde-nous ton pardon.
■ Nous avons péché contre toi.
■ Montre-nous ta miséricorde.
■ Et nous serons sauvés.

3 ────────────────────────────────

(Ou encore la litanie suivante ou une autre semblable :)

■ Seigneur Jésus, envoyé par le Père
pour guérir et sauver les hommes,

prends pitié de nous.
- Prends pitié de nous.

- Ô Christ, venu dans le monde
  appeler tous les pécheurs,
  prends pitié de nous.
- Prends pitié de nous.

- Seigneur, élevé dans la gloire du Père,
  où tu intercèdes pour nous,
  prends pitié de nous.
- Prends pitié de nous.

- Que Dieu tout-puissant nous fasse miséricorde ; qu'il nous
  pardonne nos péchés et nous conduise à la vie éternelle.
- Amen.

Prière de supplication

- Seigneur, prends pitié.   Kyrie, eleison.
- Seigneur, prends pitié.   Kyrie, eleison.
- Ô Christ, prends pitié.   Christe, eleison.
- Ô Christ, prends pitié.   Christe, eleison.
- Seigneur, prends pitié.   Kyrie, eleison.
- Seigneur, prends pitié.   Kyrie, eleison.

Chant de louange

Gloire à Dieu, au plus haut des cieux,
Et paix sur la terre aux hommes qu'il aime.
Nous te louons, nous te bénissons, nous t'adorons.
Nous te glorifions, nous te rendons grâce,
    pour ton immense gloire,
Seigneur Dieu, Roi du ciel, Dieu le Père tout-puissant.
Seigneur, Fils unique, Jésus Christ,
Seigneur Dieu, Agneau de Dieu, le Fils du Père ;
Toi qui enlèves le péché du monde,
    prends pitié de nous ;

Toi qui enlèves le péché du monde,
    reçois notre prière ;
Toi qui es assis à la droite du Père,
    prends pitié de nous.
Car toi seul es saint, toi seul es Seigneur,
Toi seul es le Très-Haut : Jésus Christ,
    avec le Saint-Esprit
Dans la gloire de Dieu le Père. Amen.

Gloria in excelsis Deo
et in terra pax hominibus bonae voluntatis.
Laudamus te, benedicimus te, adoramus te,
glorificamus te, gratias agimus tibi
propter magnam gloriam tuam,
Domine Deus, Rex caelestis,
Deus Pater omnipotens.
Domine Fili unigenite, Iesu Christe,
Domine Deus, Agnus Dei, Filius Patris,
qui tollis peccata mundi, miserere nobis,
qui tollis peccata mundi,
suscipe deprecationem nostram ;
qui sedes ad dexteram Patris, miserere nobis.
Quoniam tu solus Sanctus,
tu solus Dominus,
tu solus Altissimus, Iesu Christe,
cum Sancto Spiritu :
in gloria Dei Patris. Amen.

Première lecture

Psaume

Deuxième lecture

Acclamation de l'Évangile

Purifie mon cœur et mes lèvres, Dieu très saint,
pour que je fasse entendre à mes frères la Bonne Nouvelle.

Évangile

- Le Seigneur soit avec vous.
- Et avec votre esprit.
- Évangile de Jésus Christ + selon saint...
- Gloire à toi, Seigneur.

(À la fin de l'Évangile :)

- Acclamons la parole de Dieu.
- Louange à toi, Seigneur Jésus.

Homélie

Profession de foi
Le symbole des Apôtres

Je crois en Dieu, le Père tout-puissant,
créateur du ciel et de la terre.
Et en Jésus Christ, son Fils unique, notre Seigneur,
qui a été conçu du Saint-Esprit,
est né de la Vierge Marie,
a souffert sous Ponce Pilate,
a été crucifié, est mort et a été enseveli,
est descendu aux enfers,
le troisième jour, est ressuscité des morts,
est monté aux cieux,
est assis à la droite de Dieu le Père tout-puissant,
d'où il viendra juger les vivants et les morts.

Je crois en l'Esprit Saint,
à la sainte Église catholique,
à la communion des saints,
à la rémission des péchés,
à la résurrection de la chair,
à la vie éternelle. Amen.

Le symbole de Nicée-Constantinople

Je crois en un seul Dieu,
le Père tout-puissant, créateur du ciel et de la terre,
de l'univers visible et invisible.

Je crois en un seul Seigneur, Jésus Christ,
le Fils unique de Dieu,
né du Père avant tous les siècles :
Il est Dieu, né de Dieu,
lumière, née de la lumière,
vrai Dieu, né du vrai Dieu,
Engendré, non pas créé, de même nature que le Père ;
et par lui tout a été fait.
Pour nous les hommes, et pour notre salut,
il descendit du ciel.
Par l'Esprit Saint, il a pris chair de la Vierge Marie,
et s'est fait homme.
Crucifié pour nous sous Ponce Pilate,
il souffrit sa Passion et fut mis au tombeau.
Il ressuscita le troisième jour,
conformément aux Écritures,
et il monta au ciel ; il est assis à la droite du Père.
Il reviendra dans la gloire,
pour juger les vivants et les morts ;
et son règne n'aura pas de fin.
Je crois en l'Esprit Saint,
qui est Seigneur et qui donne la vie ;
il procède du Père et du Fils.
Avec le Père et le Fils,
il reçoit même adoration et même gloire ;
il a parlé par les prophètes.
Je crois en l'Église, une, sainte, catholique
et apostolique.
Je reconnais un seul baptême
pour le pardon des péchés.
J'attends la résurrection des morts,
et la vie du monde à venir.
Amen.

Credo in unum Deum,
Patrem omnipotentem, factorem caeli et terrae,

visibilium omnium et invisibilium.
Et in unum Dominum Iesum Christum,
Filium Dei unigenitum,
et ex Patre natum ante omnia saecula.
Deum de Deo,
lumen de lumine,
Deum verum de Deo vero,
genitum, non factum, consubstantialem Patri :
per quem omnia facta sunt.
Qui propter nos homines et propter nostram salutem
descendit de caelis.
Et incarnatus est de Spiritu Sancto ex Maria Virgine,
et homo factus est.
Crucifixus etiam pro nobis sub Pontio Pilato,
passus et sepultus est,
et resurrexit tertia die, secundum Scripturas,
et ascendit in caelum, sedet ad dexteram Patris.
Et iterum venturus est cum gloria,
iudicare vivos et mortuos,
cuius regni non erit finis.
Et in Spiritum Sanctum,
Dominum et vivificantem :
qui ex Patre Filioque procedit ;
qui cum Patre et Filio,
simul adoratur et conglorificatur :
qui locutus est per prophetas.
Et unam, sanctam, catholicam et apostolicam Ecclesiam.
Confiteor unum baptisma in remissionem peccatorum
Et exspecto resurrectionem mortuorum,
et vitam venturi saeculi. Amen.

Prière universelle

LITURGIE EUCHARISTIQUE

La préparation des dons

■ Tu es béni, Dieu de l'univers, toi qui nous donnes ce pain,
fruit de la terre et du travail des hommes ; nous te le présentons : il deviendra le pain de la vie.

■ Béni soit Dieu, maintenant et toujours !

Comme cette eau se mêle au vin pour le sacrement de l'Alliance, puissions-nous être unis à la divinité de Celui qui a pris notre humanité.

- Tu es béni, Dieu de l'univers, toi qui nous donnes ce vin, fruit de la vigne et du travail des hommes ; nous te le présentons : il deviendra le vin du Royaume éternel.
- **Béni soit Dieu, maintenant et toujours !**

Humbles et pauvres, nous te supplions, Seigneur ; accueille-nous : que notre sacrifice, en ce jour, trouve grâce devant toi. Lave-moi de mes fautes, Seigneur, purifie-moi de mon péché.

Prière sur les offrandes

- Prions ensemble, au moment d'offrir le sacrifice de toute l'Église.
- **Pour la gloire de Dieu et le salut du monde.**

Prière eucharistique

- Le Seigneur soit avec vous.
- **Et avec votre esprit.**
- Élevons notre cœur.
- **Nous le tournons vers le Seigneur.**
- Rendons grâce au Seigneur notre Dieu.
- **Cela est juste et bon.**

- Dominus vobiscum.
- **Et cum spiritu tuo.**
- Sursum corda.
- **Habemus ad Dominum.**
- Gratias agamus Domino Deo nostro.
- **Dignum et iustum est.**

(Les préfaces se trouvent habituellement au jour concerné.)

Préface de l'Avent I

Du 1er dimanche de l'Avent au 16 décembre

Vraiment, il est juste et bon de te rendre gloire, de t'offrir notre action de grâce, toujours et en tout lieu, à toi, Père très saint, Dieu éternel et tout-puissant, par le Christ, notre Seigneur. Car il est déjà venu, en prenant la condition des hommes, pour accomplir l'éternel dessein de ton amour et nous ouvrir le chemin du salut ; il viendra de nouveau, revêtu de sa gloire, afin que nous possédions dans la pleine lumière les biens que tu nous as promis et que nous attendons en veillant dans la foi. C'est pourquoi, avec les anges et tous les saints, nous proclamons ta gloire, en chantant (disant) d'une seule voix : Saint !…

Préface de l'Avent II

Du 17 décembre au 24 décembre

Vraiment, il est juste et bon de te rendre gloire, de t'offrir notre action de grâce, toujours et en tout lieu, à toi, Père très saint, Dieu éternel et tout-puissant, par le Christ, notre Seigneur. Il est celui que tous les prophètes avaient chanté, celui que la Vierge attendait avec amour, celui dont Jean Baptiste a proclamé la venue et révélé la présence au milieu des hommes. C'est lui qui nous donne la joie d'entrer déjà dans le mystère de Noël, pour qu'il nous trouve, quand il viendra, vigilants dans la prière et remplis d'allégresse.

C'est pourquoi, avec les anges et tous les saints, nous proclamons ta gloire, en chantant (disant) d'une seule voix : Saint !…

Préface de la Nativité I

Vraiment, il est juste et bon de te rendre gloire, de t'offrir notre action de grâce, toujours et en tout lieu, à toi, Père très saint, Dieu éternel et tout-puissant.

Car la révélation de ta gloire s'est éclairée pour nous d'une lumière nouvelle dans le mystère du Verbe incarné : maintenant, nous connaissons en lui Dieu qui s'est rendu visible à nos yeux, et nous sommes entraînés par lui à aimer ce qui demeure invisible.

C'est pourquoi, avec les anges et tous les saints, nous proclamons ta gloire, en chantant (disant) d'une seule voix : Saint !…

Préface de la Nativité II

Vraiment, il est juste et bon de te rendre gloire, de t'offrir notre action de grâce, toujours et en tout lieu, à toi, Père très saint, Dieu éternel et tout-puissant.

Dans le mystère de la Nativité, celui qui par nature est invisible se rend visible à nos yeux ; engendré avant le temps, il entre dans le cours du temps. Faisant renaître en lui la création déchue, il restaure toute chose et remet l'homme égaré sur le chemin de ton Royaume.

C'est pourquoi, avec les anges et tous les saints, nous proclamons ta gloire, en chantant (disant) d'une seule voix : Saint !…

Préface de la Nativité III

Vraiment, il est juste et bon de te rendre gloire, de t'offrir notre action de grâce, toujours et en tout lieu, à toi, Père très saint, Dieu éternel et tout-puissant, par le Christ, notre Seigneur. Par lui s'accomplit en ce jour l'échange merveilleux où nous sommes régénérés : lorsque ton Fils prend la condition de l'homme, la nature humaine en reçoit une incomparable noblesse ; il devient tellement l'un de nous que nous devenons éternels.

C'est pourquoi, avec les anges qui proclamaient ta gloire dans les cieux, pleins de joie, nous (disons) chantons :

Saint ! Saint ! Saint,
le Seigneur, Dieu de l'univers !
Le ciel et la terre sont remplis de ta gloire.
Hosanna au plus haut des cieux.
Béni soit celui qui vient au nom du Seigneur.
Hosanna au plus haut des cieux.

- **Sanctus, Sanctus, Sanctus**
  Dominus Deus Sabaoth.
  Pleni sunt caeli et terra gloria tua.
  Hosanna in excelsis.
  Benedictus qui venit in nomine Domini.
  Hosanna in excelsis.

PRIÈRES EUCHARISTIQUES

I : ci-dessous ; II : p. 216 ; III : p. 219 ; IV : p. 221.

Prière eucharistique I

Père infiniment bon, toi vers qui montent nos louanges, nous te supplions par Jésus Christ, ton Fils, notre Seigneur, d'accepter et de bénir ces offrandes saintes.

Nous te les présentons avant tout pour ta sainte Église catholique : accorde-lui la paix et protège-la, daigne la rassembler dans l'unité et la gouverner par toute la terre ; nous les présentons en même temps pour ton serviteur le pape..., pour notre évêque... et tous ceux qui veillent fidèlement sur la foi catholique reçue des Apôtres. Souviens-toi, Seigneur, de tes serviteurs... et de tous ceux qui sont ici réunis, dont tu connais la foi et l'attachement.

Nous t'offrons pour eux, ou ils t'offrent pour eux-mêmes et tous les leurs, ce sacrifice de louange, pour leur propre rédemption, pour le salut qu'ils espèrent ; et ils te rendent cet hommage à toi, Dieu éternel, vivant et vrai.

Dans la communion de toute l'Église, nous voulons nommer en premier lieu la bienheureuse Marie toujours Vierge, Mère de notre Dieu et Seigneur, Jésus Christ ;

PROPRE DU DIMANCHE

Dans la communion de toute l'Église, nous célébrons le jour où le Christ est ressuscité d'entre les morts ; et nous voulons

nommer en premier lieu la bienheureuse Marie toujours
Vierge, Mère de notre Dieu et Seigneur, Jésus Christ ;

Propre de l'Immaculée Conception

Dans la communion de toute l'Église, nous célébrons le jour
où la Vierge Marie a été conçue sans la faute originelle,
puisque tu l'avais choisie pour être la mère du Sauveur, et
nous voulons nommer en premier lieu cette Vierge bienheureuse, la Mère de notre Dieu et Seigneur, Jésus Christ ;

Propre de la Nativité

(De la Nativité du Seigneur jusqu'au 1er janvier inclus)

Dans la communion de toute l'Église, nous célébrons (la nuit
très sainte) le jour très saint où Marie, dans la gloire de sa virginité, enfanta le Sauveur du monde ; et nous voulons nommer en premier lieu cette Vierge bienheureuse, la Mère de
notre Dieu et Seigneur, Jésus Christ :

---

saint Joseph, son époux, les saints Apôtres et martyrs Pierre et
Paul, André [Jacques et Jean, Thomas, Jacques et Philippe, Bar-
thélemy et Matthieu, Simon et Jude, Lin, Clet, Clément, Sixte,
Corneille et Cyprien, Laurent, Chrysogone, Jean et Paul, Côme
et Damien,] et tous les saints. Accorde-nous, par leur prière et
leurs mérites, d'être, toujours et partout, forts de ton secours
et de ta protection.

Voici l'offrande que nous présentons devant toi, nous, tes serviteurs, et ta famille entière : dans ta bienveillance, accepte-la.
Assure toi-même la paix de notre vie, arrache-nous à la dam-
nation et reçois-nous parmi tes élus.

Sanctifie pleinement cette offrande par la puissance de ta
bénédiction, rends-la parfaite et digne de toi : qu'elle
devienne pour nous le corps et le sang de ton Fils bien-aimé,
Jésus Christ, notre Seigneur.

La veille de sa Passion,
il prit le pain dans ses mains très saintes et,
les yeux levés au ciel, vers toi, Dieu,
son Père tout-puissant, en te rendant grâce il le bénit,
le rompit, et le donna à ses disciples, en disant :
« Prenez, et mangez-en tous ;
ceci est mon corps livré pour vous. »

De même, à la fin du repas,
il prit dans ses mains cette coupe incomparable ;
et te rendant grâce à nouveau
il la bénit, et la donna à ses disciples, en disant :
« Prenez, et buvez-en tous,
car ceci est la coupe de mon sang,
le sang de l'Alliance nouvelle et éternelle,
qui sera versé pour vous et pour la multitude,
en rémission des péchés.
Vous ferez cela, en mémoire de moi. »

■ Il est grand le mystère de la foi :
■ Nous proclamons ta mort, Seigneur Jésus,
   nous célébrons ta résurrection,
   nous attendons ta venue dans la gloire.

C'est pourquoi nous aussi, tes serviteurs, et ton peuple saint
avec nous, faisant mémoire de la Passion bienheureuse de ton
Fils, Jésus Christ, notre Seigneur, de sa résurrection du séjour
des morts et de sa glorieuse ascension dans le ciel, nous te
présentons, Dieu de gloire et de majesté, cette offrande préle-
vée sur les biens que tu nous donnes, le sacrifice pur et saint,
le sacrifice parfait, pain de la vie éternelle et coupe du salut.

Et comme il t'a plu d'accueillir les présents d'Abel le Juste, le
sacrifice de notre père Abraham, et celui que t'offrit Melkisédek, ton grand prêtre, en signe du sacrifice parfait, regarde
cette offrande avec amour et, dans ta bienveillance, accepte-
la.

Nous t'en supplions, Dieu tout-puissant : qu'elle soit portée
par ton ange en présence de ta gloire, sur ton autel céleste,

afin qu'en recevant ici, par notre communion à l'autel, le corps et le sang de ton Fils, nous soyons comblés de ta grâce et de tes bénédictions.

Souviens-toi de tes serviteurs... qui nous ont précédés, marqués du signe de la foi, et qui dorment dans la paix...

Pour eux et pour tous ceux qui reposent dans le Christ, nous implorons ta bonté : qu'ils entrent dans la joie, la paix et la lumière.

Et nous pécheurs, qui mettons notre espérance en ta miséricorde inépuisable, admets-nous dans la communauté des bienheureux Apôtres et martyrs, de Jean Baptiste, Étienne, Matthias et Barnabé, [Ignace, Alexandre, Marcellin et Pierre, Félicité et Perpétue, Agathe, Lucie, Agnès, Cécile, Anastasie], et de tous les saints.

Accueille-nous dans leur compagnie, sans nous juger sur le mérite mais en accordant ton pardon, par Jésus Christ, notre Seigneur. C'est par lui que tu ne cesses de créer tous ces biens, que tu les bénis, leur donnes la vie, les sanctifies et nous en fais le don.

Par lui, avec lui et en lui, à toi, Dieu le Père tout-puissant, dans l'unité du Saint-Esprit, tout honneur et toute gloire, pour les siècles des siècles !

■ **Amen.** (Notre Père : page 224)

Prière eucharistique II

Toi qui es vraiment saint, toi qui es la source de toute sainteté, Seigneur, nous te prions :

PROPRE DU DIMANCHE

Toi qui es vraiment saint, toi qui es la source de toute sainteté, nous voici rassemblés devant toi, et, dans la communion de toute l'Église, en ce premier jour de la semaine, nous célébrons le jour où le Christ est ressuscité d'entre les morts. Par lui que tu as élevé à ta droite, Dieu notre Père, nous te prions :

PROPRE DE L'IMMACULÉE CONCEPTION

Toi qui es vraiment saint, toi qui es la source de toute sainteté, nous voici rassemblés devant toi, et, dans la communion de toute l'Église, nous célébrons le jour où la Vierge Marie a été conçue sans la faute originelle, puisque tu l'avais choisie pour être la mère du Sauveur. Par lui, qui a enlevé le péché du monde, Dieu notre Père, nous te prions :

PROPRE DE LA NATIVITÉ
(De la Nativité du Seigneur jusqu'au 1er janvier inclus)

Toi qui es vraiment saint, toi qui es la source de toute sainteté, nous voici rassemblés devant toi, et, dans la communion de toute l'Église, nous célébrons (la nuit très sainte) le jour très saint où Marie, dans la gloire de sa virginité, enfanta le Sauveur du monde. Par lui, notre Rédempteur et notre Seigneur, Dieu notre Père, nous te prions :

Sanctifie ces offrandes en répandant sur elles ton Esprit ; qu'elles deviennent pour nous le corps et le sang de Jésus, le Christ, notre Seigneur.

Au moment d'être livré
et d'entrer librement dans sa Passion,
il prit le pain, il rendit grâce, il le rompit
et le donna à ses disciples, en disant :
« Prenez, et mangez-en tous :
ceci est mon corps livré pour vous. »
De même à la fin du repas,
il prit la coupe ; de nouveau il rendit grâce,
et la donna à ses disciples, en disant :
« Prenez, et buvez-en tous,

car ceci est la coupe de mon sang,
le sang de l'Alliance nouvelle et éternelle,
qui sera versé pour vous et pour la multitude
en rémission des péchés.
Vous ferez cela, en mémoire de moi. »

- Quand nous mangeons ce pain et buvons à cette coupe,
  nous célébrons le mystère de la foi :
- **Nous rappelons ta mort,
  Seigneur ressuscité,
  et nous attendons que tu viennes.**

Faisant ici mémoire de la mort et de la résurrection de ton Fils, nous t'offrons, Seigneur, le pain de la vie et la coupe du salut, et nous te rendons grâce, car tu nous as choisis pour servir en ta présence.

Humblement, nous te demandons qu'en ayant part au corps et au sang du Christ, nous soyons rassemblés par l'Esprit Saint en un seul corps.

Souviens-toi, Seigneur, de ton Église répandue à travers le monde : fais-la grandir dans ta charité avec le pape..., notre évêque..., et tous ceux qui ont la charge de ton peuple.

Souviens-toi aussi de nos frères qui se sont endormis dans l'espérance de la résurrection, et de tous les hommes qui ont quitté cette vie : reçois-les dans ta lumière, auprès de toi.

Sur nous tous enfin, nous implorons ta bonté : permets qu'avec la Vierge Marie, la bienheureuse Mère de Dieu, avec les Apôtres et les saints de tous les temps qui ont vécu dans ton amitié, nous ayons part à la vie éternelle, et que nous chantions ta louange, par Jésus Christ, ton Fils bien-aimé.

Par lui, avec lui et en lui, à toi, Dieu le Père tout-puissant, dans l'unité du Saint-Esprit, tout honneur et toute gloire, pour les siècles des siècles.

- Amen.

(Notre Père : page 224)

Prière eucharistique III

Tu es vraiment saint, Dieu de l'univers, et toute la création proclame ta louange, car c'est toi qui donnes la vie, c'est toi qui sanctifies toutes choses, par ton Fils, Jésus Christ, notre Seigneur, avec la puissance de l'Esprit Saint ; et tu ne cesses de rassembler ton peuple, afin qu'il te présente partout dans le monde une offrande pure.

C'est pourquoi nous te supplions de consacrer toi-même les offrandes que nous apportons :

PROPRE DU DIMANCHE

C'est pourquoi nous voici rassemblés devant toi et, dans la communion de toute l'Église, en ce premier jour de la semaine, nous célébrons le jour où le Christ est ressuscité d'entre les morts. Par lui, que tu as élevé à ta droite, Dieu tout-puissant, nous te supplions de consacrer toi-même les offrandes que nous apportons :

PROPRE DE L'IMMACULÉE CONCEPTION

C'est pourquoi nous voici rassemblés devant toi, et, dans la communion de toute l'Église, nous célébrons le jour où la Vierge Marie a été conçue sans la faute originelle, puisque tu l'avais choisie pour être la mère du Sauveur. Par lui, qui a enlevé le péché du monde, Dieu tout-puissant, nous te supplions de consacrer toi-même les offrandes que nous apportons :

PROPRE DE LA NATIVITÉ

(De la Nativité du Seigneur jusqu'au 1ᵉʳ janvier inclus)

C'est pourquoi nous voici rassemblés devant toi, et, dans la communion de toute l'Église, nous célébrons (la nuit très sainte) le jour très saint où Marie, dans la gloire de sa virginité, enfanta le Sauveur du monde. Par lui, notre Rédempteur et notre Seigneur, Dieu tout-puissant, nous te supplions de consacrer toi-même les offrandes que nous apportons :

Sanctifie-les par ton Esprit pour qu'elles deviennent le corps et le sang de ton Fils, Jésus Christ, notre Seigneur, qui nous a dit de célébrer ce mystère. La nuit même où il fut livré, il prit le pain, en te rendant grâce il le bénit, il le rompit et le donna à ses disciples, en disant : « Prenez, et mangez-en tous : ceci est mon corps livré pour vous. »

De même à la fin du repas,
il prit la coupe, en te rendant grâce il la bénit
et la donna à ses disciples, en disant :
« Prenez, et buvez-en tous,
car ceci est la coupe de mon sang,
le sang de l'Alliance nouvelle et éternelle,
qui sera versé pour vous et pour la multitude
en rémission des péchés.
Vous ferez cela, en mémoire de moi. »

■ Proclamons le mystère de la foi :
■ Gloire à toi qui étais mort,
    gloire à toi qui es vivant,
    notre Sauveur et notre Dieu :
    Viens, Seigneur Jésus !

En faisant mémoire de ton Fils, de sa Passion qui nous sauve, de sa glorieuse résurrection et de son ascension dans le ciel, alors que nous attendons son dernier avènement, nous présentons cette offrande vivante et sainte pour te rendre grâce. Regarde, Seigneur, le sacrifice de ton Église, et daigne y reconnaître celui de ton Fils qui nous a rétablis dans ton Alliance ; quand nous serons nourris de son corps et de son sang et remplis de l'Esprit Saint, accorde-nous d'être un seul corps et un seul esprit dans le Christ.

Que l'Esprit Saint fasse de nous une éternelle offrande à ta gloire, pour que nous obtenions un jour les biens du monde à venir auprès de la Vierge Marie, la bienheureuse Mère de Dieu, avec les Apôtres, les martyrs, [saint...] et tous les saints, qui ne cessent d'intercéder pour nous.

Et maintenant, nous te supplions, Seigneur : par le sacrifice qui nous réconcilie avec toi, étends au monde entier le salut et la paix. Affermis la foi et la charité de ton Église au long de son chemin sur la terre : veille sur ton serviteur le pape..., et notre évêque..., l'ensemble des évêques, les prêtres, les diacres, et tout le peuple des rachetés.

Écoute les prières de ta famille assemblée devant toi, et ramène à toi, Père très aimant, tous tes enfants dispersés.

Pour nos frères défunts, pour les hommes qui ont quitté ce monde et dont tu connais la droiture, nous te prions : reçois-les dans ton Royaume, où nous espérons être comblés de ta gloire, tous ensemble et pour l'éternité, par le Christ, notre Seigneur, par qui tu donnes au monde toute grâce et tout bien.

P̲ar lui, avec lui et en lui, à toi, Dieu le Père tout-puissant, dans l'unité du Saint-Esprit, tout honneur et toute gloire, pour les siècles des siècles.

■ Amen.   (Notre Père : page 224)

Prière eucharistique IV

V̲raiment, il est bon de te rendre grâce, il est juste et bon de te glorifier, Père très saint, car tu es le seul Dieu, le Dieu vivant et vrai : tu étais avant tous les siècles, tu demeures éternellement lumière au-delà de toute lumière. Toi, le Dieu de bonté, la source de la vie, tu as fait le monde pour que toute créature soit comblée de tes bénédictions, et que beaucoup se réjouissent de ta lumière. Ainsi, les anges innombrables qui te servent jour et nuit se tiennent devant toi, et, contemplant la splendeur de ta face, n'interrompent jamais leur louange. Unis à leur hymne d'allégresse, avec la création tout entière qui t'acclame par nos voix, Dieu, nous te chantons : Saint !...

Père très saint, nous proclamons que tu es grand et que tu as créé toutes choses avec sagesse et par amour : tu as fait l'homme à ton image, et tu lui as confié l'univers, afin qu'en te servant, toi son Créateur, il règne sur la création. Comme il avait perdu ton amitié en se détournant de toi, tu ne l'as pas abandonné au pouvoir de la mort. Dans ta miséricorde, tu es venu en aide à tous les hommes pour qu'ils te cherchent et puissent te trouver. Tu as multiplié les alliances avec eux, et tu les as formés, par les prophètes, dans l'espérance du salut.

Tu as tellement aimé le monde, Père très saint, que tu nous as envoyé ton propre Fils, lorsque les temps furent accomplis, pour qu'il soit notre Sauveur. Conçu de l'Esprit Saint, né de la Vierge Marie, il a vécu notre condition d'homme en toute chose, excepté le péché, annonçant aux pauvres la Bonne Nouvelle du salut ; aux captifs, la délivrance ; aux affligés, la joie.

Pour accomplir le dessein de ton amour, il s'est livré lui-même à la mort, et, par sa résurrection, il a détruit la mort et renouvelé la vie. Afin que notre vie ne soit plus à nous-mêmes, mais à lui qui est mort et ressuscité pour nous, il a envoyé d'auprès de toi, comme premier don fait aux croyants, l'Esprit qui poursuit son œuvre dans le monde et achève toute sanctification.

Que ce même Esprit Saint, nous t'en prions, Seigneur sanctifie ces offrandes : qu'elles deviennent ainsi le corps et le sang de ton Fils dans la célébration de ce grand mystère, que lui-même nous a laissé en signe de l'Alliance éternelle.

Quand l'heure fut venue où tu allais le glorifier, comme il avait aimé les siens qui étaient dans le monde, il les aima jusqu'au bout : pendant le repas qu'il partageait avec eux, il prit le pain, il le bénit, il le rompit et le donna à ses disciples, en disant :

« Prenez, et mangez-en tous :
ceci est mon corps livré pour vous. »

De même, il prit la coupe remplie de vin, il rendit grâce, et la donna à ses disciples en disant :

« Prenez, et buvez-en tous,
car ceci est la coupe de mon sang,
le sang de l'Alliance nouvelle et éternelle
qui sera versé pour vous et pour la multitude
en rémission des péchés.
Vous ferez cela, en mémoire de moi. »

■ Il est grand, le mystère de la foi :
■ **Nous proclamons ta mort, Seigneur Jésus,
nous célébrons ta résurrection,
nous attendons ta venue dans la gloire.**

Voilà pourquoi, Seigneur, nous célébrons aujourd'hui le mémorial de notre rédemption : en rappelant la mort de Jésus Christ et sa descente au séjour des morts, en proclamant sa résurrection et son ascension à ta droite dans le ciel, en attendant aussi qu'il vienne dans la gloire, nous t'offrons son corps et son sang, le sacrifice qui est digne de toi et qui sauve le monde. Regarde, Seigneur, cette offrande que tu as donnée toi-même à ton Église ; accorde à tous ceux qui vont partager ce pain et boire à cette coupe d'être rassemblés par l'Esprit Saint en un seul corps, pour qu'ils soient eux-mêmes dans le Christ une vivante offrande à la louange de ta gloire.

Et maintenant, Seigneur, rappelle-toi tous ceux pour qui nous offrons le sacrifice : le pape..., notre évêque... et tous les évêques, les prêtres et ceux qui les assistent, les fidèles qui présentent cette offrande, les membres de notre assemblée, le peuple qui t'appartient et tous les hommes qui te cherchent avec droiture.

Souviens-toi aussi de nos frères qui sont morts dans la paix du Christ, et de tous les morts dont toi seul connais la foi.

À nous qui sommes tes enfants, accorde, Père très bon, l'héritage de la vie éternelle auprès de la Vierge Marie, la bienheureuse Mère de Dieu, auprès des Apôtres et de tous les saints, dans ton Royaume, où nous pourrons, avec la création tout entière enfin libérée du péché et de la mort, te glorifier par le Christ, notre Seigneur, par qui tu donnes au monde toute grâce et tout bien.

Par lui, avec lui et en lui, à toi, Dieu le Père, tout-puissant, dans l'unité du Saint-Esprit, tout honneur et toute gloire, pour les siècles des siècles.

■ Amen.   (Notre Père : ci-dessous)

Prière du Seigneur Jésus

Unis dans le même Esprit, nous pouvons dire avec confiance la prière que nous avons reçue du Sauveur :

Notre Père, qui es aux cieux,
que ton nom soit sanctifié,
que ton règne vienne,
que ta volonté soit faite
sur la terre comme au ciel.
Donne-nous aujourd'hui
notre pain de ce jour.
Pardonne-nous nos offenses,
comme nous pardonnons aussi
à ceux qui nous ont offensés.
Et ne nous soumets pas à la tentation,
mais délivre-nous du Mal.

Pater noster, qui es in caelis :
sanctificetur nomen tuum ;
adveniat regnum tuum ;
fiat voluntas tua,
sicut in caelo, et in terra.
Panem nostrum quotidianum
da nobis hodie ;
et dimitte nobis debita nostra,
sicut et nos dimittimus
debitoribus nostris ;

et ne nos inducas in tentationem ;
sed libera nos a Malo.

- Délivre-nous de tout mal, Seigneur, et donne la paix à
  notre temps ; par ta miséricorde, libère-nous du péché,
  rassure-nous devant les épreuves en cette vie où nous
  espérons le bonheur que tu promets et l'avènement de
  Jésus Christ, notre Sauveur.

- **Car c'est à toi qu'appartiennent**
  le règne, la puissance et la gloire,
  pour les siècles des siècles !

La paix

Seigneur Jésus Christ, tu as dit à tes Apôtres : « Je vous laisse
la paix, je vous donne ma paix » ; ne regarde pas nos péchés
mais la foi de ton Église ; pour que ta volonté s'accomplisse,
donne-lui toujours cette paix, et conduis-la vers l'unité parfaite, toi qui règnes pour les siècles des siècles.

- **Amen.**
- Que la paix du Seigneur soit toujours avec vous.
- **Et avec votre esprit.**

        (Ensuite, le prêtre, ou le diacre, peut dire aux fidèles :)
Frères, dans la charité du Christ, donnez-vous la paix.

Fraction du pain

- **Agneau de Dieu, qui enlèves le péché du monde,**
  prends pitié de nous.
  Agneau de Dieu, qui enlèves le péché du monde,
  prends pitié de nous.
  Agneau de Dieu, qui enlèves le péché du monde,
  donne-nous la paix.

- **Agnus Dei, qui tollis peccata mundi :**
  miserere nobis.
  Agnus Dei, qui tollis peccata mundi :

miserere nobis.
Agnus Dei, qui tollis peccata mundi :
dona nobis pacem.

(Le prêtre laisse tomber un petit fragment de l'hostie
dans le vin consacré en disant à voix basse :)

Que le corps et le sang de Jésus Christ, réunis dans cette
coupe, nourrissent en nous la vie éternelle.

Prière avant la communion

Seigneur Jésus Christ, Fils du Dieu vivant, selon la volonté
du Père et avec la puissance du Saint-Esprit, tu as donné, par
ta mort, la vie au monde ; que ton corps et ton sang me déli-
vrent de mes péchés et de tout mal ; fais que je demeure fidèle
à tes commandements et que jamais je ne sois séparé de toi.

(Ou bien :)

Seigneur Jésus Christ, que cette communion à ton corps et à
ton sang n'entraîne pour moi ni jugement ni condamnation ;
mais qu'elle soutienne mon esprit et mon corps et me donne
la guérison.

Communion

(En présentant le pain consacré, le prêtre dit à haute voix :)

- Heureux les invités au repas du Seigneur !
  Voici l'Agneau de Dieu qui enlève le péché du monde.

(Prêtre et fidèles disent ensemble en se frappant la poitrine :)

- Seigneur, je ne suis pas digne de te recevoir ;
  mais dis seulement une parole et je serai guéri.

(Le prêtre communie au corps et au sang du Christ.)

Prière après la communion

Annonces

BÉNÉDICTIONS SOLENNELLES

Bénédiction solennelle en Avent

- Vous croyez que le Fils de Dieu est venu dans ce monde
  et vous attendez le jour où il viendra de nouveau ; à la
  clarté de cette lumière qui lève, que Dieu son Père vous
  guide en toutes vos démarches et qu'il multiplie sur vous
  ses bénédictions.
- **Amen.**
- Qu'il rende ferme votre foi,
  joyeuse votre espérance, et constante votre charité.
- **Amen.**
- La venue du Rédempteur pauvre parmi les pauvres
  est déjà pour vous une grande joie ; quand il apparaîtra
  dans toute sa gloire, qu'il vous ouvre le bonheur sans fin.
- **Amen.**
- Et que Dieu tout-puissant vous bénisse...

Bénédiction solennelle du 8 décembre

- Dieu a voulu sauver l'homme par son Fils :
  il a choisi la Vierge Marie pour le mettre au monde ;
  qu'il vous envoie d'en haut toute grâce.
- **Amen.**
- Qu'il vous donne d'aimer cette Vierge sainte,
  qu'elle soit tout près de vous, enfants de Dieu,
  celle qui nous a donné l'auteur de la vie.
- **Amen.**
- Elle est près de son Fils, fêtez-la tous ensemble,
  demeurez dans la joie de son cantique d'action
  de grâce : le Seigneur bénit les fils de sa servante.
- **Amen.**
- Et que Dieu tout-puissant...

Bénédiction solennelle de Noël

- Dans son amour infini,
  Dieu a donné son Fils au monde

pour en dissiper les ténèbres ;
par le mystère de la nativité du Christ,
il a fait resplendir cette nuit très sainte (ce jour béni) :
qu'il nous sauve de l'aveuglement du péché
et qu'il ouvre vos yeux à sa lumière.

- Amen.
- Il a voulu que les bergers reçoivent d'un ange l'annonce
d'une grande joie pour tout le peuple,
qu'il mette en vos cœurs cette même joie et vous prenne
comme messagers de sa Bonne Nouvelle :
« Aujourd'hui, il vous est né un Sauveur. »
- Amen.
- Par l'incarnation de son Fils,
il a scellé l'Alliance du ciel et de la terre :
qu'il vous donne sa paix,
qu'il vous tienne en sa bienveillance,
qu'il vous unisse dès maintenant
à l'Église du ciel.
- Amen.
- Et que Dieu tout-puissant...

Renvoi de l'assemblée

- Le Seigneur soit avec vous.
- Et avec votre esprit.
- Que Dieu tout-puissant vous bénisse,
le Père, le Fils et le Saint-Esprit.
- Amen.
- Allez, dans la paix du Christ.
- **Nous rendons grâce à Dieu.**

JEUDI 17 DÉCEMBRE

Prière du matin

Bénissons le Seigneur : il se souvient de son amour.

Gloire au Père, et au Fils, et au Saint-Esprit !

TROPAIRE   Stance

La Parole et l'Esprit
ont fécondé la Terre
où germe la semence du Royaume ;
dans le silence et dans la paix
mûrit le fruit de la promesse.

℟ Bénie sois-tu, Vierge Marie !
   En toi vit le Seigneur, alléluia !

L'Esprit te couvre de son ombre,
tu accueilles en toi la rosée du ciel.

Le Verbe se fait chair ;
l'homme devient fils de Dieu.

Déjà les temps sont accomplis :
au loin blanchissent les moissons.

CANTIQUE D'ISAÏE   (40)
              Bonne nouvelle du salut !

Voici votre Dieu !
Voici le Seigneur Dieu !

Il vient avec puissance ;
son bras lui soumet tout.
Avec lui, le fruit de son travail ;
et devant lui, son ouvrage.

Comme un berger, il fait paître son troupeau :
son bras le rassemble.
Il porte ses agneaux sur son cœur,
il mène au repos les brebis.

Qui a mesuré dans sa main les eaux des mers,
jaugé de ses doigts les cieux,
évalué en boisseaux la poussière de la terre,
pesé les montagnes à la balance
	et les collines sur un crochet ?

Qui a jaugé l'esprit du Seigneur ?
Quel conseiller peut l'instruire ?

A-t-il pris conseil de quelqu'un pour discerner, †
pour apprendre les chemins du jugement, *
pour acquérir le savoir
	et s'instruire des voies de la sagesse ?

Voici les nations,
	comme la goutte au bord d'un seau, *
le grain de sable sur un plateau de balance !
Voici les îles, *
comme une poussière qu'il soulève !

Le Liban ne pourrait suffire au feu,
ni ses animaux, suffire à l'holocauste.

Toutes les nations, devant lui, sont comme rien,
vide et néant pour lui.

Gloire au Père, et au Fils, et au Saint-Esprit…

Parole de Dieu   Isaïe 4, 2

E N CE JOUR-LÀ, le Germe que
    fera pousser le Seigneur
sera l'honneur et la gloire des rescapés d'Israël, le Fruit
de la terre sera leur fierté et leur couronne.

Ô Sagesse de la bouche du Très-Haut,
toi qui régis l'univers avec force et douceur,
enseigne-nous le chemin de vérité,
viens, Seigneur, viens nous sauver !

LOUANGE ET INTERCESSION

Prions Dieu notre Père, qui depuis toujours a décidé de sauver les hommes :

℟   Sauve ton peuple, Seigneur.

Toi qui as promis à ton peuple un Messie de justice,
– fais germer la paix là où règne la guerre.

Renouvelle-nous par ton Esprit,
– conduis nos pas à la rencontre de ta miséricorde.

Donne-nous un cœur qui écoute,
– pour que nous soyons prêts à recevoir ta parole.

Refais nos forces, Dieu de bonté,
– jusqu'au jour où viendra le Seigneur Jésus Christ.

Intentions libres

Dieu, créateur et rédempteur des hommes, tu as voulu que ton Verbe éternel prenne chair dans le sein de la Vierge ; sois favorable à notre prière : que ton Fils unique, qui s'est fait l'un de nous, nous donne part à sa vie divine. Lui qui règne avec toi et le Saint-Esprit.

LA MESSE
Messe du 17 décembre

● *C'EST DANS LA JOIE que nous abordons la semaine préparatoire à Noël : « Le ciel se réjouit, le monde est en fête, car le Seigneur vient » (a. d'ouverture). Tandis que la préface évoque les grandes figures de*

*l'Avent : les prophètes, la Vierge, qui « attendait avec
amour », Jean Baptiste, les lectures nous disent les
enracinements humains de Jésus, « fils de David, fils
d'Abraham ». La collecte, pour sa part, nous invite
à méditer sur le mystère du Verbe éternel qui a pris
chair « dans le sein de la Vierge », se faisant « l'un
de nous » pour nous donner « part à sa vie divine »
(p. d'ouverture).●*

Le ciel se réjouit, le monde est en fête, car le Seigneur vient ;
il va prendre en pitié les pauvres de son peuple.

Prière ───────────────────── page précédente

Lecture du livre de la Genèse 49, 2.8-10

Jacob appela ses fils : « Je
veux vous dévoiler ce qui
vous arrivera dans les temps à venir. Rassemblez-vous,
écoutez, fils d'Israël, écoutez votre père Jacob. Juda,
tes frères te rendront hommage, ta main fera plier la
nuque de tes ennemis et les fils de ton père s'inclineront devant toi. Juda mon fils est un jeune lion ; il est
revenu de la chasse ; il s'est accroupi, il s'est couché
comme un lion ; ce fauve, qui le fera lever ? La royauté
n'échappera point à Juda, ni le commandement, à sa
descendance, jusqu'à ce que vienne celui à qui le pouvoir appartient, à qui les peuples obéiront. »

─────── • Psaume 71 • ───────

Voici venir des jours de justice et de paix.

Dieu, donne au roi tes pouvoirs,
à ce fils de roi ta justice.
Qu'il gouverne ton peuple avec justice,
qu'il fasse droit aux malheureux !

Montagnes, portez au peuple la paix,
collines, portez-lui la justice !
Qu'il fasse droit aux malheureux de son peuple,
qu'il sauve les pauvres gens, qu'il écrase l'oppresseur !

En ces jours-là, fleurira la justice,
grande paix jusqu'à la fin des lunes !
Qu'il domine de la mer à la mer,
et du Fleuve jusqu'au bout de la terre !

Que son nom dure toujours ;
sous le soleil, que subsiste son nom !
En lui, que soient bénies toutes les familles de la terre ;
que tous les pays le disent bienheureux !

Alléluia. Alléluia. Viens, Sagesse du Très-Haut ! Toi qui
régis l'univers avec force et douceur, enseigne-nous le chemin de vérité. Alléluia.

Évangile de Jésus Christ selon saint Matthieu   1, 1-17

VOICI LA TABLE des origines
de Jésus Christ, fils de
David, fils d'Abraham : Abraham engendra Isaac, Isaac
engendra Jacob, Jacob engendra Juda et ses frères,
Juda, de son union avec Thamar, engendra Pharès et
Zara, Pharès engendra Esrom, Esrom engendra Aram,
Aram engendra Aminadab, Aminadab engendra Naassone, Naassone engendra Salmone, Salmone, de son
union avec Rahab, engendra Booz, Booz, de son union
avec Ruth, engendra Jobed, Jobed engendra Jessé, Jessé
engendra le roi David. David, de son union avec la
femme d'Ourias, engendra Salomon, Salomon engendra Roboam, Roboam engendra Abia, Abia engendra
Asa, Asa engendra Josaphat, Josaphat engendra Joram,
Joram engendra Ozias, Ozias engendra Joatham, Joatham engendra Acaz, Acaz engendra Ézékias, Ézékias

engendra Manassé, Manassé engendra Amone, Amone engendra Josias, Josias engendra Jékonias et ses frères à l'époque de l'exil à Babylone. Après l'exil à Babylone, Jékonias engendra Salathiel, Salathiel engendra Zorobabel, Zorobabel engendra Abioud, Abioud engendra Éliakim, Éliakim engendra Azor, Azor engendra Sadok, Sadok engendra Akim, Akim engendra Élioud, Élioud engendra Éléazar, Éléazar engendra Mattane, Mattane engendra Jacob, Jacob engendra Joseph, l'époux de Marie, de laquelle fut engendré Jésus, que l'on appelle Christ (ou Messie). Le nombre total des générations est donc : quatorze d'Abraham jusqu'à David, quatorze de David jusqu'à l'exil à Babylone, quatorze de l'exil à Babylone jusqu'au Christ.

PRIÈRE SUR LES OFFRANDES. Sanctifie, Seigneur, les présents de ton Église, et donne-nous dans cette eucharistie le pain du ciel qui refera nos forces. Par Jésus, le Christ, notre Seigneur.

PRÉFACE DE L'AVENT II ———————————— **page 211**

Il vient, celui que tous les peuples attendent ; la maison du Seigneur va se remplir de gloire.

PRIÈRE APRÈS LA COMMUNION. Dans cette communion, Dieu tout-puissant, tu as apaisé notre faim, mais nous te supplions encore : entretiens en nous le désir de brûler au feu de ton Esprit pour briller comme de vives lumières lorsque ton Fils viendra. Lui qui règne avec toi.

MÉDITATION DU JOUR

Viens, Sagesse du Très-Haut

C'est Dieu, l'unique, qui a fait et harmonisé toutes choses par le Verbe et la Sagesse. Et c'est son Verbe, notre Seigneur Jésus Christ, qui, dans les temps derniers, s'est fait homme parmi les hommes, pour rattacher la fin au principe, l'homme à Dieu.

Voilà pourquoi les prophètes, recevant de ce même Verbe le charisme de la prophétie, ont prêché sa venue selon la chair.

Les prophètes annonçaient donc que Dieu serait vu des hommes, conformément au dire du Seigneur : *Bienheureux les cœurs purs, ils verront Dieu.*

Certes, selon sa grandeur et sa gloire inénarrable, nul ne peut voir Dieu et vivre, car le Père est insaisissable ; mais selon son amour, sa bonté et sa toute-puissance, il accorde à ceux qui l'aiment de voir Dieu, et c'est ce que prophétisaient les prophètes, car ce qui est impossible aux hommes est possible à Dieu. *S. IRÉNÉE DE LYON*

Prière du soir

Le Seigneur paraîtra dans sa gloire :
le peuple nouveau chantera son Dieu.

Gloire au Père, et au Fils, et au Saint-Esprit !

HYMNE

Un jour des âges,
Il y eut un éclair
Né de la fin des temps,
Le grand message
Du ciel à tous les anges :
Dieu allait prendre chair.

Nul ne surprit
Sur de plus hauts sommets
L'émissaire de gloire :
Il descendit

Dans le cours de l'histoire :
Rien n'y parut changé.

Il approcha
Du secret de la vie
Que Dieu se réservait ;
L'ange toucha
Celle qui le gardait,
Et l'ombre tressaillit.

En ce jour-là,
S'il n'y eut qu'une chair
Pour recevoir l'aurore,
Partout monta
L'espoir de faire corps
Enfin à la lumière.

PSAUME 87   Plainte dans un péril grave

Seigneur, mon Dieu et mon salut,
dans cette nuit où je crie en ta présence,
que ma prière parvienne jusqu'à toi,
ouvre l'oreille à ma plainte.

Car mon âme est rassasiée de malheur,
ma vie est au bord de l'abîme ;
on me voit déjà descendre à la fosse,
je suis comme un homme fini.

Ma place est parmi les morts,
avec ceux que l'on a tués, enterrés,
ceux dont tu n'as plus souvenir,
qui sont exclus, et loin de ta main.

Tu m'as mis au plus profond de la fosse,
en des lieux engloutis, ténébreux ;
le poids de ta colère m'écrase,
tu déverses tes flots contre moi.

Tu éloignes de moi mes amis,
tu m'as rendu abominable pour eux ;
enfermé, je n'ai pas d'issue :
à force de souffrir, mes yeux s'éteignent.

Je t'appelle, Seigneur, tout le jour,
je tends les mains vers toi :
fais-tu des miracles pour les morts ?
leur ombre se dresse-t-elle pour t'acclamer ?

Qui parlera de ton amour dans la tombe,
de ta fidélité au royaume de la mort ?
Connaît-on dans les ténèbres tes miracles,
et ta justice, au pays de l'oubli ?

Moi, je crie vers toi, Seigneur ;
dès le matin, ma prière te cherche :
pourquoi me rejeter, Seigneur,
pourquoi me cacher ta face ?

Malheureux, frappé à mort depuis l'enfance,
je n'en peux plus d'endurer tes fléaux ;
sur moi, ont déferlé tes orages :
tes effrois m'ont réduit au silence.

Ils me cernent comme l'eau tout le jour,
ensemble ils se referment sur moi.
Tu éloignes de moi amis et familiers ;
ma compagne, c'est la ténèbre.

Gloire au Père, et au Fils, et au Saint-Esprit,
pour les siècles des siècles. Amen.

Parole de Dieu   1 Thessaloniciens 5, 23-24

Q UE LE DIEU de la paix lui-même vous sanctifie tout
entiers, et qu'il garde parfaits et sans reproche votre esprit,
votre âme et votre corps, pour la venue de notre Seigneur

Jésus Christ. Il est fidèle, le Dieu qui vous appelle : tout cela, il l'accomplira.

> *Ô Sagesse de la bouche du Très-Haut,*
> *toi qui régis l'univers avec force et douceur,*
> *enseigne-nous le chemin de vérité,*
> *viens, Seigneur, viens nous sauver !*

INTERCESSION

Appelons le Christ, le Sauveur promis, avec tous ceux qui l'attendent :

℟ Viens, Seigneur, ne tarde pas !

Dans la joie, nous attendons ta venue,
viens combler l'espérance des hommes.

Toi qui es avant les siècles,
viens sauver le monde aujourd'hui.

Toi qui as créé l'univers,
viens achever l'œuvre de tes mains.

Toi qui as voulu prendre notre condition mortelle,
viens nous arracher au pouvoir de la mort.

Toi qui es venu pour donner ta vie,
viens redonner vie à nos frères défunts.

Intentions libres

Notre Père...

> Car c'est à toi qu'appartiennent
> le règne, la puissance et la gloire,
> pour les siècles des siècles !

SAINTS
D'HIER ET D'AUJOURD'HUI

Viens, Seigneur Jésus, viens, tendresse du Père !

SAINTE BEGGE
Mère de famille puis religieuse († v. 694)

Fille de Pépin de Landen et de sainte Itte, elle était
aussi la sœur de sainte Gertrude qui gouverna
l'abbaye de Nivelles. Elle vécut à une époque
particulièrement violente, et son mari, Andégise,
fils de saint Arnould de Metz, mourut lui-même
assassiné en 692. Avec l'aide des moniales de Nivelles,
elle fonda alors le monastère d'Andenne, près de son
domaine de Seilles. À sa mort, son corps fut déposé en
l'église Saint-Pierre, où elle est encore vénérée.

SAINTE WIVINE
Vierge († 1170)

Probablement originaire de la région de Gand
– elle aurait quitté sa famille en secret à 23 ans pour
se faire ermite –, sainte Wivine est surtout connue
comme abbesse du monastère bénédictin de
Grand-Bigard, dans la banlieue ouest de Bruxelles,
où elle est encore invoquée. On l'honore aussi à
l'église Notre-Dame-du-Sablon, au centre-ville,
où ses reliques furent déposées.

*Selon son amour, sa bonté et sa toute-puissance,
il accorde à ceux qui l'aiment de voir Dieu.*
Saint Irénée de Lyon

VENDREDI 18 DÉCEMBRE

Prière du matin

L'attente est longue, dans la nuit, Seigneur,
et le vent aigre de l'ennui
menace en nos cœurs la flamme ;
brillera-t-elle encore,
pour éclairer ton visage,
quand tu frapperas à notre porte ?

℟ Quand le Fils de l'homme viendra,
trouvera-t-il la foi sur la terre ?

Veillez dans la prière,
je viendrai vous surprendre,
de nuit comme un voleur.

Veillez dans la prière
pour ne pas entrer en tentation ;
qui tiendra jusqu'à la fin sera sauvé.

Veillez dans la prière,
celui qui sera prêt,
je le servirai moi-même dans mon Royaume.

PSAUME 21 (I-II)

Prière du serviteur souffrant

Mon Dieu, mon Dieu,
pourquoi m'as-tu abandonné ? *
Le salut est loin de moi,
loin des mots que je rugis.

Mon Dieu, j'appelle tout le jour,
    et tu ne réponds pas ; *
même la nuit,
    je n'ai pas de repos.

Toi, pourtant, tu es saint,
toi qui habites les hymnes d'Israël !
C'est en toi que nos pères espéraient,
ils espéraient et tu les délivrais.
Quand ils criaient vers toi, ils échappaient ;
en toi ils espéraient et n'étaient pas déçus.

Et moi, je suis un ver, pas un homme,
raillé par les gens, rejeté par le peuple.
Tous ceux qui me voient me bafouent,
ils ricanent et hochent la tête :
« Il comptait sur le Seigneur : qu'il le délivre !
Qu'il le sauve, puisqu'il est son ami ! »

C'est toi qui m'as tiré du ventre de ma mère,
qui m'as mis en sûreté entre ses bras.
À toi je fus confié dès ma naissance ;
dès le ventre de ma mère, tu es mon Dieu.

Ne sois pas loin : l'angoisse est proche,
je n'ai personne pour m'aider.
Des fauves nombreux me cernent,
des taureaux de Basan m'encerclent.
Des lions qui déchirent et rugissent
ouvrent leur gueule contre moi.

Je suis comme l'eau qui se répand,
tous mes membres se disloquent.
Mon cœur est comme la cire,
il fond au milieu de mes entrailles.
Ma vigueur a séché comme l'argile,
ma langue colle à mon palais.

Tu me mènes à la poussière de la mort. +

Oui, des chiens me cernent,
une bande de vauriens m'entoure.
Ils me percent les mains et les pieds ;
je peux compter tous mes os.

Ces gens me voient, ils me regardent. +
Ils partagent entre eux mes habits
et tirent au sort mon vêtement.

Mais toi, Seigneur, ne sois pas loin :
ô ma force, viens vite à mon aide !
Préserve ma vie de l'épée,
arrache-moi aux griffes du chien ;
sauve-moi de la gueule du lion
et de la corne des buffles.

Gloire au Père, et au Fils, et au Saint-Esprit,
pour les siècles des siècles. Amen.

Parole de Dieu   Romains 13, 11-12

C'EST LE MOMENT, l'heure est venue de sortir de votre sommeil. Car le salut est plus près de nous maintenant qu'à l'époque où nous sommes devenus croyants. La nuit est bientôt finie, le jour est tout proche. Rejetons les activités des ténèbres, revêtons-nous pour le combat de la lumière.

> *Ô chef de ton peuple Israël,*
> *tu te révèles à Moïse dans le buisson ardent*
> *et tu lui donnes la Loi sur la montagne,*
> *délivre-nous par la vigueur de ton bras,*
> *viens, Seigneur, viens nous sauver !*

LOUANGE ET INTERCESSION

Avec confiance, prions le Christ, que le Père
a établi juge des vivants et des morts :

℟ Viens, Jésus, Sauveur !

Seigneur Jésus, venu sauver les pécheurs,
garde-nous de succomber aux assauts du mal.

Toi qui as annoncé ta venue comme juge,
manifeste en nous la puissance de ton salut.

Donne-nous la force de l'Esprit, que nous
trouvions notre joie à suivre ton chemin de justice.

Toi, le Béni, qui règnes sur toutes choses,
accorde-nous de vivre en ce monde dans la fidélité
et la sobriété,
en espérant la manifestation de ta gloire.

Intentions libres

Tu le vois, Dieu tout-puissant, nous ployons sous le
péché qui a soumis l'homme à sa loi : apporte-nous la
délivrance grâce au renouveau que nous attendons de la
naissance incomparable de ton Fils bien-aimé. Lui qui.

LA MESSE
Messe du 18 décembre

● « *HOSANNA AU FILS DE DAVID.* » *Cette acclamation pourrait monter aujourd'hui à la fin de
chacune des lectures. Mais « la naissance incomparable » (p. d'ouverture) de Jésus, le fils de la
Vierge (antienne de la communion), et le témoignage que Jean Baptiste rend à « l'Agneau qui
devait venir » (a. d'ouverture) nous font deviner
en lui une grandeur dépassant de beaucoup son*

*ascendance davidique. « Le Christ, notre Roi »
(a. d'ouverture) est « le Fils bien-aimé »
(p. d'ouverture), qui « nous a guéris de la mort,
en prenant notre nature mortelle » (p. sur les
offrandes), il est le Sauveur. Telle est la foi dans
laquelle nous nous préparons à Noël (p. après la
communion).●*

Il vient, le Christ, notre Roi ; Jean lui rend témoignage :
« Voici l'Agneau qui devait venir. »

PRIÈRE ──────────────── page précédente

Lecture du livre de Jérémie
23, 5-8

V OICI venir des jours, déclare le Seigneur, où je
donnerai à David un Germe juste : il régnera en vrai roi,
il agira avec intelligence, il exercera dans le pays le droit
et la justice. Sous son règne, le royaume de Juda sera
sauvé, et Israël habitera sur sa terre en sécurité. Voici le
nom qu'on lui donnera : « Le-Seigneur-est-notre-
justice. » Oui, voici venir des jours – déclare le Seigneur
– où, pour prêter serment, on ne dira plus : « Par le Seigneur vivant, qui a fait monter du pays d'Égypte les fils
d'Israël. » Mais on dira : « Par le Seigneur vivant, qui a
fait monter du pays du Nord les hommes de la maison
d'Israël, qui les a ramenés de tous les pays où il les avait
dispersés, et qui les fait demeurer sur leur propre sol. »

───── • PSAUME 71 • ─────

Voici venir des jours de justice et de paix.

Dieu, donne au roi tes pouvoirs,
à ce fils de roi ta justice.
Qu'il gouverne ton peuple avec justice,
qu'il fasse droit aux malheureux !

Il délivrera le pauvre qui appelle
et le malheureux sans recours.
Il aura souci du faible et du pauvre,
du pauvre dont il sauve la vie.

Béni soit le Seigneur, le Dieu d'Israël,
lui seul fait des merveilles !
Béni soit à jamais son nom glorieux,
toute la terre soit remplie de sa gloire !

Alléluia. Alléluia. Viens, Chef de ton peuple Israël ! Toi
qui as donné la Loi sur la montagne, délivre-nous par la
vigueur de ton bras. Alléluia.

Évangile de Jésus Christ
selon saint Matthieu
1, 18-24

VOICI quelle fut l'origine de
Jésus Christ. Marie, la
mère de Jésus, avait été accordée en mariage à Joseph ;
or, avant qu'ils aient habité ensemble, elle fut enceinte
par l'action de l'Esprit Saint. Joseph, son époux, qui était
un homme juste, ne voulait pas la dénoncer publique-
ment ; il décida de la répudier en secret. Il avait formé
ce projet, lorsque l'ange du Seigneur lui apparut en songe
et lui dit : « Joseph, fils de David, ne crains pas de prendre
chez toi Marie, ton épouse : l'enfant qui est engendré en
elle vient de l'Esprit Saint ; elle mettra au monde un fils,
auquel tu donneras le nom de Jésus (c'est-à-dire : Le-
Seigneur-sauve), car c'est lui qui sauvera son peuple de
ses péchés. » Tout cela arriva pour que s'accomplît la
parole du Seigneur prononcée par le prophète : Voici que
la Vierge concevra et elle mettra au monde un fils, auquel
on donnera le nom d'Emmanuel, qui se traduit : « Dieu-
avec-nous ». Quand Joseph se réveilla, il fit ce que l'ange
du Seigneur lui avait prescrit, et prit chez lui son épouse.

Prière sur les offrandes. Que cette eucharistie, Seigneur, nous rende moins indignes de toi ; nous pourrons alors partager l'éternité de celui qui nous a guéris de la mort en prenant notre nature mortelle. Lui qui règne avec toi.

Préface de l'Avent II ———————————— page 211

Voici que la Vierge va mettre au monde un fils, auquel on donnera le nom d'Emmanuel ce qui veut dire : « Dieu-avec-nous ».

Prière après la communion. Puissions-nous accueillir avec ton Église, Dieu notre Père, le don de ton amour, et préparer dans la foi le jour prochain où nous fêterons notre relèvement. Par Jésus, le Christ, notre Seigneur.

MÉDITATION DU JOUR

Viens, Emmanuel !

L'homme par lui-même ne verra pas Dieu, mais lui, Dieu, sera vu des hommes s'il le veut, de qui il veut, quand il veut, comme il veut : car Dieu peut tout : il a été vu autrefois grâce à l'Esprit selon la prophétie, puis il a été vu grâce au Fils selon l'adoption, et il sera vu dans le royaume des cieux selon la paternité, car l'Esprit prépare d'avance l'homme pour le Fils de Dieu, le Fils le conduit au Père, et le Père lui donne l'incorruptibilité et la vie éternelle qui résultent pour chacun de la vue de Dieu. Car ceux qui voient la lumière sont dans la lumière, et participent à sa splendeur, ainsi ceux qui voient Dieu sont en Dieu et participent à sa splendeur. Car la splendeur de Dieu vivifie : ils participent donc à sa vie, ceux qui voient Dieu.

S. Irénée de Lyon

Prière du soir

*Préparez votre cœur,
le Seigneur est proche.*

*Gloire au Père, et au Fils, et au Saint-Esprit,
au Dieu qui est, qui était, et qui vient,
pour les siècles des siècles. Amen. Alléluia.*

TROPAIRE

Le Seigneur vient, levons les yeux :   Stance
Voici le jour du Fils de l'homme ;
Sa clarté chasse la nuit de nos péchés
Et toute chair verra le salut de notre Dieu !

℟ Vers toi, Seigneur, j'élève mon âme,
Ceux qui t'espèrent ne seront pas déçus.

Dirige-moi dans ta vérité, enseigne-moi,
C'est toi le Dieu de mon salut.

En toi, tout le jour, j'espère,
En raison de ta bonté, Seigneur.

Souviens-toi de ta tendresse, Seigneur,
De ton amour, car ils sont de toujours.

PSAUME 21 (III)   **Prière du serviteur souffrant**

Tu m'as répondu ! +
Et je proclame ton nom devant mes frères,
je te loue en pleine assemblée.

Vous qui le craignez, louez le Seigneur, +
glorifiez-le, vous tous, descendants de Jacob,
vous tous, redoutez-le, descendants d'Israël.

Car il n'a pas rejeté,
il n'a pas réprouvé le malheureux dans sa misère ;

il ne s'est pas voilé la face devant lui,
mais il entend sa plainte.

Tu seras ma louange dans la grande assemblée ;
devant ceux qui te craignent, je tiendrai
    mes promesses.
Les pauvres mangeront : ils seront rassasiés ;
ils loueront le Seigneur, ceux qui le cherchent :
    « À vous, toujours, la vie et la joie ! »

La terre entière se souviendra
    et reviendra vers le Seigneur,
chaque famille de nations se prosternera devant lui :
« Oui, au Seigneur la royauté,
le pouvoir sur les nations ! »

Tous ceux qui festoyaient s'inclinent ;
promis à la mort, ils plient en sa présence.

Et moi, je vis pour lui : ma descendance le servira ;
on annoncera le Seigneur aux générations à venir.
On proclamera sa justice au peuple qui va naître :
Voilà son œuvre !

Gloire au Père, et au Fils, et au Saint-Esprit…

Parole de Dieu   Philippiens 4, 4-5

Soyez toujours dans la joie du Seigneur ; laissez-moi vous le redire : soyez dans la joie. Que votre sérénité soit connue de tous les hommes. Le Seigneur est proche.

Ô chef de ton peuple Israël,
tu te révèles à Moïse dans le buisson ardent
et tu lui donnes la Loi sur la montagne,
délivre-nous par la vigueur de ton bras,
viens, Seigneur, viens nous sauver !

INTERCESSION

Frères bien-aimés, adressons notre prière confiante au
Christ, venu pour sauver tous les hommes :

℟   Viens, fruit de la terre et don du ciel !

Christ Seigneur, par le mystère de ton incarnation,
tu as fait connaître au monde la gloire de ta divinité,
– que ta venue soit notre vie et notre lumière.

Tu as pris sur toi notre faiblesse,
– revêts-nous de ta force.

Venu d'abord dans l'humilité,
tu as racheté le monde de sa faute,
– lors de ta venue glorieuse, libère-nous
de tout ce qui témoigne contre nous.

Toi, le Béni, qui règnes sur toutes choses,
– dans ta bonté, donne-nous part à l'héritage éternel.

Toi qui sièges à la droite du Père,
– réjouis nos frères défunts
par la lumière de ton visage.

Intentions libres

Notre Père...

Car c'est à toi qu'appartiennent
le règne, la puissance et la gloire,
pour les siècles des siècles !

Saints
D'HIER ET D'AUJOURD'HUI

Joie au ciel, exulte la terre,
car le Seigneur Dieu vient bientôt !

Saints Ruf et Zosime
Martyrs (?) [IIe s.]

« Ils furent du nombre de ces disciples
qui fondèrent l'Église primitive au milieu des Juifs
et des Grecs », rapporte saint Adon, compilateur du
martyrologe (VIIe s.), mais il ne fait que reprendre
saint Ignace d'Antioche. Celui-ci les cite seulement,
dans sa lettre aux Romains, aux côtés du martyr
saint Polycarpe (IIe s.).

Saints Paul My, Pierre Duong, et Pierre Truat
Martyrs (†1838)

« Sa charité patiente et sa bonté inépuisable lui
gagnaient le cœur de tous les chrétiens », disait un
missionnaire du Tonkin (Viêt-nam), à propos de
Paul My. Il aurait dû être ordonné prêtre quand il fut
arrêté, le 20 juin 1837, ainsi que ses deux jeunes
compagnons et saint Jean-Charles Cornay, qu'ils
secondaient dans la mission. Les catéchistes restèrent
inébranlables dans la confession de leur foi et furent
étranglés.

Si tu ne veux pas cesser de prier,
ne cesse pas de désirer.
Ton désir est continuel ? Alors ton cri est continuel.
Tu ne te tairas que si tu cesses d'aimer.
Saint Augustin d'Hippone

SAMEDI 19 DÉCEMBRE

Prière du matin

Allons au-devant de celui qui vient !

Gloire au Père, et au Fils, et au Saint-Esprit !

TROPAIRE

Bienheureuse es-tu, Marie,   Stance
d'avoir été pauvre devant Dieu ;
l'amour s'est emparé de toi
et tu as chanté :
Mon âme exalte le Seigneur.

R/ Mon âme exalte le Seigneur :
éternel est son amour.

Chante et réjouis-toi, fille de Sion :
voici que Dieu vient demeurer au milieu de toi.

Dieu pour toi exulte de joie,
il te renouvelle par son amour.

CANTIQUE DE LA SAGESSE   (9)

Dieu de mes pères et Seigneur de tendresse,
par ta parole tu fis l'univers,
tu formas l'homme par ta Sagesse
pour qu'il domine sur tes créatures,
qu'il gouverne le monde avec justice et sainteté,
qu'il rende, avec droiture, ses jugements.

R/ Donne-moi la Sagesse,
assise près de toi.

Ne me retranche pas du nombre de tes fils :
je suis ton serviteur, le fils de ta servante,
un homme frêle et qui dure peu,
trop faible pour comprendre les préceptes et les lois.
Le plus accompli des enfants des hommes, *
s'il lui manque la Sagesse que tu donnes,
    sera compté pour rien.

Or la Sagesse est avec toi,
elle qui sait tes œuvres ;
elle était là quand tu fis l'univers, *
elle connaît ce qui plaît à tes yeux,
    ce qui est conforme à tes décrets.
Des cieux très saints, daigne l'envoyer,
fais-la descendre du trône de ta gloire.

Qu'elle travaille à mes côtés
et m'apprenne ce qui te plaît.
Car elle sait tout, comprend tout, *
guidera mes actes avec prudence,
    me gardera par sa gloire.

Gloire au Père, et au Fils, et au Saint-Esprit,
pour les siècles des siècles. Amen.

Parole de Dieu
Isaïe 2, 3

Des peuples nombreux se mettront en marche, et ils diront : « Venez, montons à la montagne du Seigneur, au temple du Dieu de Jacob. Il nous enseignera ses chemins et nous suivrons ses sentiers. Car c'est de Sion que vient la Loi, de Jérusalem la parole du Seigneur. »

Ô Rameau de Jessé,
étendard dressé à la face des nations,
les rois sont muets devant toi
tandis que les peuples t'appellent :

Délivre-nous, ne tarde plus,
viens, Seigneur, viens nous sauver !

LOUANGE ET INTERCESSION

Frères bien-aimés, prions le Christ qui vient sauver de
la mort ceux qui se tournent vers lui.

℟   Viens, Seigneur Jésus ! Viens, source de vie !

Alors que nous proclamons ta venue,
purifie notre cœur de tout esprit de vanité.

Que ton Église, fondée par toi sur le roc de ta parole,
te sanctifie parmi toutes les nations.

Que ta loi, lumière de nos yeux,
protège et soutienne ceux qui comptent sur toi.

Tu as donné mission à ton Église d'annoncer la joie
de ta venue, accorde-nous de t'accueillir avec ferveur.

Intentions libres

Par le signe merveilleux de la Vierge qui enfante, tu as
fait connaître au monde, Seigneur, la splendeur de ta
gloire ; aide-nous à célébrer le mystère de l'incarnation
avec une foi sans défaut et dans l'obéissance du cœur.
Par Jésus Christ, ton Fils, notre Seigneur.

LA MESSE
Messe du 19 décembre

● *LA COLLECTE DE CE JOUR est d'une rare pléni-*
tude doctrinale. Elle nous présente la naissance de
Jésus, le fils de la Vierge Marie, comme une révé-
lation de la gloire de Dieu. Ce qui veut dire que
la gloire de Dieu va se manifester en priorité dans
le dénuement de la crèche : quand Dieu se fait

homme, il va à l'essentiel de la condition humaine, dédaignant tous les hochets des hommes. Tel est le mystère que l'Église nous invite à célébrer « avec une foi sans défaut et dans l'obéissance du cœur » (prière d'ouverture). ●

Celui qui doit venir viendra sans tarder ; alors, plus de crainte pour nous, car il est notre Sauveur.

Prière ——————————————— page précédente

Lecture du livre des Juges 13, 2... 25a

Il y avait un homme de Soréa, du clan de Dane, nommé Manoa. Sa femme était stérile et n'avait pas eu d'enfant. L'ange du Seigneur apparut à cette femme et lui dit : « Tu es stérile et tu n'as pas eu d'enfant. Mais tu vas concevoir et enfanter un fils. Désormais, fais bien attention : ne bois ni vin ni boisson fermentée, et ne mange aucun aliment impur, car tu vas concevoir et enfanter un fils. On ne lui coupera pas les cheveux, car il sera voué à Dieu dès sa conception. C'est lui qui entreprendra de sauver Israël de la main des Philistins. » La femme s'en alla dire à son mari : « Un homme de Dieu est venu me trouver ; il avait l'apparence d'un ange de Dieu tant il était imposant. Je ne lui ai pas demandé d'où il venait, et il ne m'a pas fait connaître son nom. Mais il m'a dit : "Tu vas concevoir et enfanter un fils. Désormais ne bois ni vin ni boisson fermentée, et ne mange aucun aliment impur, car l'enfant sera voué à Dieu dès sa conception et jusqu'au jour de sa mort !" » La femme mit au monde un fils, et elle le nomma Samson. L'enfant grandit, le Seigneur le bénit, et l'esprit du Seigneur commença à le conduire.

• Psaume 70 •

Je veux chanter ta louange et proclamer ta gloire.

En toi, Seigneur, j'ai mon refuge :
garde-moi d'être humilié pour toujours.
Dans ta justice, défends-moi, libère-moi,
tends l'oreille vers moi, et sauve-moi.

Sois le rocher qui m'accueille,
toujours accessible ;
tu as résolu de me sauver :
ma forteresse et mon roc, c'est toi !

Seigneur mon Dieu, tu es mon espérance,
toi, mon soutien dès avant ma naissance,
tu m'as choisi dès le ventre de ma mère ;
tu seras ma louange toujours !

Je revivrai les exploits du Seigneur
en rappelant que ta justice est la seule.
Mon Dieu, tu m'as instruit dès ma jeunesse,
jusqu'à présent, j'ai proclamé tes merveilles.

Alléluia. Alléluia. Viens, Rameau de Jessé, étendard dressé
à la face des nations ! Délivre-nous, ne tarde plus.
Alléluia.

Évangile de Jésus Christ selon saint Luc   1, 5-25

Il y avait, au temps d'Hérode le Grand, roi de Judée,
un prêtre nommé Zacharie, du groupe d'Abia. Sa
femme aussi était descendante d'Aaron ; elle s'appelait
Élisabeth. Tous les deux vivaient comme des justes
devant Dieu : ils suivaient tous les commandements et
les préceptes du Seigneur d'une manière irréprochable.
Ils n'avaient pas d'enfants, car Élisabeth était stérile, et
tous deux étaient âgés. Or, tandis que Zacharie, au jour

fixé pour les prêtres de son groupe, assurait le service du culte devant Dieu, il fut désigné par le sort, suivant l'usage liturgique, pour aller offrir l'encens dans le sanctuaire du Seigneur. Toute l'assemblée du peuple se tenait dehors en prière à l'heure de l'offrande de l'encens. L'ange du Seigneur lui apparut debout à droite de l'autel de l'encens. En le voyant, Zacharie fut bouleversé et saisi de crainte. L'ange lui dit : « Sois sans crainte, Zacharie, car ta supplication a été entendue : ta femme Élisabeth te donnera un fils, et tu le nommeras Jean. Tu seras dans la joie et l'allégresse, beaucoup d'hommes se réjouiront de sa naissance, car il sera grand devant le Seigneur. Il ne boira pas de vin ni de boissons fermentées, et il sera rempli de l'Esprit Saint dès avant sa naissance ; il fera revenir de nombreux fils d'Israël au Seigneur leur Dieu, il marchera devant le Seigneur avec l'esprit et la puissance du prophète Élie, pour faire revenir le cœur des pères vers leurs enfants, convertir les rebelles à la sagesse des hommes droits, et préparer au Seigneur un peuple capable de l'accueillir. » Mais Zacharie dit à l'ange : « Comment vais-je savoir que cela arrivera ? Moi, je suis un vieil homme, et ma femme aussi est âgée. » L'ange lui répondit : « Je suis Gabriel ; je me tiens en présence de Dieu, et j'ai été envoyé pour te parler et pour t'annoncer cette bonne nouvelle. Mais voici que tu devras garder le silence, et tu ne pourras plus parler jusqu'au jour où cela se réalisera, parce que tu n'as pas cru à mes paroles : elles s'accompliront lorsque leur temps viendra. » Le peuple attendait Zacharie et s'étonnait de voir qu'il restait si longtemps dans le sanctuaire. Quand il sortit, il ne pouvait pas leur parler, et ils comprirent qu'il avait eu une vision dans le sanctuaire. Il leur faisait des signes, car il demeurait muet. Lorsqu'il eut achevé son temps de service au Temple, il repartit chez lui. Quelque temps plus tard, sa femme Élisabeth devint enceinte. Pendant cinq mois, elle garda le secret. Elle se disait : « Voilà ce que le Seigneur a fait pour moi, lorsqu'il a daigné mettre fin à ce qui faisait ma honte aux yeux des hommes. »

PRIÈRE SUR LES OFFRANDES. Regarde avec bonté, Seigneur, l'offrande que nous apportons à cet autel : que ta puissance vienne consacrer les dons de notre indigence. Par Jésus.

PRÉFACE DE L'AVENT II ———————————— page 211

Soleil levant, lumière d'en haut, le Seigneur vient nous visiter, pour diriger nos pas au chemin de la paix.

PRIÈRE APRÈS LA COMMUNION. Nous te remercions, Dieu tout-puissant, pour les bienfaits déjà reçus de toi ; éveille en nous le désir de ceux que tu vas bientôt nous donner ; nous accueillerons alors d'un cœur libéré la naissance de notre Sauveur. Lui qui règne avec toi pour les siècles des siècles.

MÉDITATION DU JOUR

Viens, ne tarde plus !

Le vrai problème n'est pas de « chercher Dieu », car il y a des manières de le chercher qui sont des provocations, et toute recherche où l'homme se donne le premier rôle n'est-elle pas une provocation ? Le vrai problème est de se mettre dans des dispositions telles qu'on puisse espérer le trouver sans avoir même, pour ainsi dire, à le chercher. C'est d'arriver à comprendre que ces dispositions mêmes ne peuvent venir que de lui. Car c'est lui qui nous cherche et qui, à son heure, se manifestera à nous. « Qui se tourne vers le Levant et attend son Dieu, en lui monte bientôt l'aurore de la Grâce. » Nous croyons quelquefois chercher Dieu. Mais c'est toujours Dieu qui nous cherche, et souvent il se fait trouver par qui ne le cherchait pas. « C'est avoir Dieu que de l'attendre. »

YVES CONGAR, O.P.

Prière du soir
4ᵉ semaine de l'Avent

Allons au-devant de celui qui vient !

Gloire au Père, et au Fils, et au Saint-Esprit !

TROPAIRE

Emerveillée de la promesse,   Stance
Élisabeth laisse chanter l'Esprit :
son enfant a bondi d'allégresse.
Voici Marie : le Seigneur vient !

R/   Mère du Sauveur,
     partage-nous ta joie, alléluia !

Bénie sois-tu, fille d'Israël,
car tu accueilles la Parole éternelle.

Bénie sois-tu, humble servante,
car le Seigneur a comblé ta pauvreté.

Bénie sois-tu, Mère de l'Emmanuel,
car tu viens visiter notre demeure.

CANTIQUE AUX PHILIPPIENS   (2)
        Il s'est abaissé, Dieu l'a exalté

Le Christ Jésus, ⁺
ayant la condition de Dieu, *

ne retint pas jalousement
le rang qui l'égalait à Dieu.
Mais il s'est anéanti, *
prenant la condition de serviteur.

Devenu semblable aux hommes, +
reconnu homme à son aspect, *
il s'est abaissé,
devenant obéissant jusqu'à la mort, *
et la mort de la croix.

C'est pourquoi Dieu l'a exalté *
il l'a doté du Nom
qui est au-dessus de tout nom,

afin qu'au nom de Jésus
tout genou fléchisse *
au ciel, sur terre et aux enfers,

et que toute langue proclame :
« Jésus Christ est Seigneur » *
à la gloire de Dieu le Père.

Parole de Dieu   Philippiens 3, 20b-21

Nous attendons comme Sauveur le Seigneur Jésus Christ, lui qui transformera nos pauvres corps à l'image de son corps glorieux, avec la puissance qui le rend capable aussi de tout dominer.

Ô Rameau de Jessé,
étendard dressé à la face des nations,
les rois sont muets devant toi
tandis que les peuples t'appellent :
Délivre-nous, ne tarde plus,
viens, Seigneur, viens nous sauver !

Cantique de Marie   (Texte, couverture A)

INTERCESSION

Frères bien-aimés, présentons nos demandes
au Christ, le juge des vivants et des morts :

℟ Viens, Seigneur Jésus ! Viens, source de vie !

Que le monde te reçoive, germe de justice,
et que ta gloire habite notre terre.

Dans ta bonté pour nous,
tu as partagé notre faiblesse humaine ;
accorde aux hommes
le secours de ta puissance divine.

Fais resplendir ta connaissance sur ceux
que tu vois prisonniers des ténèbres de l'ignorance.

Par ton humiliation, tu as pris sur toi
notre injustice : entré maintenant dans la gloire,
donne-nous part à ta bénédiction.

Tu te manifesteras en venant pour le jugement ;
conduis nos frères défunts
jusqu'à ton royaume céleste.

Intentions libres

Notre Père... Car c'est à toi qu'appartiennent...

Sainte Mère du rédempteur
    Porte du ciel, toujours ouverte,
    Étoile de la mer,
Viens au secours du peuple qui tombe
    et qui cherche à se relever.
Tu as enfanté, ô merveille !
    celui qui t'a créée,
    et tu demeures toujours vierge.
Accueille le salut de l'ange Gabriel
    et prends pitié de nous, pécheurs.

SAINTS
D'HIER ET D'AUJOURD'HUI

Réjouis-toi, Marie, pleine grâce !

SAINT ANASTASE IER
Pape († 401)

Saint Jérôme affirme que Rome « ne méritait pas de garder longtemps un tel pape ». Il reçut des éloges semblables de saint Augustin et de saint Paulin de Nole. À sa mort, dans la troisième année de son pontificat, il laissa le souvenir de son « extrême pauvreté » et d'une « grande sollicitude apostolique ». Il était né à Rome, dans la famille des Massini. Ses restes reposent en l'église Saint-Martin-des-Monts, non loin de Sainte-Marie-Majeure.

SAINTS DOMINIQUE UY,
FRANÇOIS-XAVIER MAU, AUGUSTIN MOÏ,
ÉTIENNE VINH ET THOMAS DÉ
Martyrs († 1838)

Parmi ces laboureurs et artisans de la campagne vietnamienne, les deux premiers assuraient le catéchisme à la mission. Ils étaient entrés tous les cinq dans le tiers ordre dominicain. Ils refusèrent de marcher sur la croix, ce qui était un aveu de leur foi, et ils périrent victimes de l'empereur Minh-Mang (1820-1841).

> *Il s'est fait fils de l'homme*
> *pour habituer l'homme à recevoir Dieu*
> *et pour habituer Dieu à habiter en l'homme.*
> Saint Irénée de Lyon

Paroles de Dieu

pour un dimanche

Emmanuel, Dieu-avec-nous

Bien difficile de ne pas faire dire à Isaïe ce qu'il ne disait pas ! Il n'entrevoyait pas encore la naissance de Jésus à Bethléem, et d'ailleurs ce genre de promesses n'aurait guère intéressé le roi de Jérusalem, Acaz, en 735 avant J.C. Ses préoccupations étaient autrement urgentes ! Le petit Emmanuel annoncé a vu le jour, effectivement, quelques mois plus tard, sous le nom d'Ézékias : un roi pas trop mauvais, mais pas trop bon non plus ; et, parce qu'il ne remplissait pas exactement la promesse d'Isaïe, l'attente a continué ; Dieu est toujours tenu par ses promesses, on le sait bien ; alors, si ce n'est pas pour tout de suite, ce sera pour plus tard.

Et, de siècle en siècle, on a continué à réciter cette promesse pour y trouver le courage d'attendre. Un jour viendrait, on en était sûr, où une jeune femme (les Grecs ont traduit « une vierge ») enfanterait le roi idéal, l'« Emmanuel » (« Dieu-avec-nous »), qui inaugurerait la présence de Dieu parmi les hommes. Une nuit, l'ange s'est présenté chez un certain Joseph, descendant de David, pour lui annoncer la naissance de ce roi tant attendu. Curieusement, il ne lui a pas donné le nom d'Emmanuel, comme Isaïe. *Tu lui donneras le nom de Jésus (c'est-à-*

dire : Le-Seigneur-sauve), car c'est lui qui sauvera son peuple de ses péchés. Mais Matthieu a tout compris. *Tout cela arriva pour que s'accomplît la parole du Seigneur* [...]. *On lui donnera le nom d'Emmanuel.* Le rapprochement de ces deux prénoms est très éclairant : j'en déduis que les deux expressions « Dieu-avec-nous » et « Le-Seigneur-sauve » sont équivalentes ; cela signifie une chose : reconnaître à chaque instant Dieu présent parmi nous, c'est cela le salut.

M.-N. T

Des idées

pour célébrer

Le temps est accompli... En ce quatrième dimanche de l'Avent, la dernière des quatre bougies, qui est allumée, nous le signifie, et, dans l'imminence d'un événement si proche, la liturgie nous tourne déjà vers Noël, en braquant les projecteurs de la parole de Dieu sur un personnage aussi inattendu qu'irremplaçable dans le mystère de la Rédemption : Marie !

« Que t'offrirons-nous, ô Christ, tandis que tu parais sur terre, homme à cause de nous ? demande une prière millénaire de l'Église orientale ; chacune de tes œuvres te présente son action de grâce : les anges leur hymne, les cieux l'étoile, la terre t'offre la grotte, les champs le foin de la crèche. Et nous, que t'offrirons-nous ? Ce sera une Vierge mère ! »

■ L'ouverture de la célébration ■

Les temps se renouvellent E 177 (« La Vierge attend son heure ») est un chant qui sera tout à fait dans l'atmosphère de ce dimanche, ainsi que d'autres chants qui nous font sentir l'ardent désir de recevoir le Sauveur, comme *Seigneur, venez* E 20, *Viens pour notre attente* E 34, *Ô viens, Jésus* E 147 ou *Encore un peu de temps* PLH 168… Mais on peut conserver pour l'entrée le chant signal qui aura guidé l'assemblée durant tout l'Avent.

■ La liturgie de la Parole ■

Au cœur de la parole de Dieu, le psaume 23 vient apporter le ton presque solennel de l'approche de la fête : « Qu'il vienne, le Seigneur : c'est lui le roi de gloire ! » chante l'antienne du missel, dont on trouvera la mélodie dans le *Psautier des dimanches, Église qui chante*, n° 17 (année A). Pour l'acclamation à l'Évangile, privilégier *Alléluia carillon* U 30 (« Viens, Seigneur, ne tarde plus »). On retrouvera des formules analogues pour la prière universelle dans le *MNA,* 31.31 et suivants.

■ La liturgie eucharistique ■

Aujourd'hui, privilégier, pour le chant de la fraction, *Agneau de Dieu, vainqueur du mal MNA* 28.27 (« Sois pour nous la grâce et la paix »).
Après la communion, le dernier chant avant Noël s'adressera tout naturellement à Marie, dont la statue pourra être particulièrement mise en valeur : *Gloire à toi, Marie, fille d'Israël* V 21, qui possède la fraîcheur poétique d'un chant de Noël, *Béni sois-tu, Seigneur* V 24, *Pleine de grâce, réjouis-toi* V 134, ou encore le très beau *Toi qui*

ravis le cœur de Dieu VLH 136, ou tout simplement *Je vous salue, Marie* V 15.

X. L.

■ La prière universelle ■

Ces intentions sont à compléter par la communauté qui célèbre sans oublier l'actualité de cette fin d'année.

Nous accueillons celui qui vient faire la volonté du Père, et, par lui, nous prions Dieu avec confiance.

Pour l'Église, qu'elle soit pour tout homme un lieu de paix d'où rayonnent la réconciliation et la communion, prions le Christ, notre paix.

Pour les mères qui attendent une naissance, afin que Dieu les bénisse, elles, et l'enfant qu'elles portent, prions le Christ, notre paix.

Pour notre communauté, afin qu'en accomplissant les paroles de l'Écriture elle soit au service de tous ceux qui vivent auprès de nous, prions le Christ, notre paix.

Dieu de paix, ton fils est venu parmi nous pour faire ta volonté. Exauce les prières que nous t'adressons en son nom, lui qui règne.

DIMANCHE 20 DÉCEMBRE
4ᵉ de l'Avent

Prière du matin

Réjouissez-vous dans le Seigneur,
réjouissez-vous, car il est proche !

Louez le Seigneur, tous les peuples ;   Ps 116
fêtez-le, tous les pays !

Son amour envers nous s'est montré le plus fort ;
éternelle est la fidélité du Seigneur !

Gloire au Père, et au Fils, et au Saint-Esprit,
pour les siècles des siècles. Amen.

Tropaire

Dès l'aube des siècles,   Stance
aux confins du monde,
il vient,
l'ami de la paix.
Jean le reconnaît
et tressaille de joie.

℟   La Parole aujourd'hui s'accomplit !

Vous ne voyez pas venir le bonheur :
Heureux qui attend le Seigneur !

Vous perdez souffle à chercher les honneurs :
Heureux qui chante le Seigneur !

Vous restez sourds au pas du voyageur :
Heureux qui croit sans voir le Seigneur !

PSAUME 150

Louange

Remplis de l'Esprit Saint, proclamons les merveilles de Dieu.

Louez Dieu dans son temple saint,
louez-le au ciel de sa puissance ;
louez-le pour ses actions éclatantes,
louez-le selon sa grandeur !

Louez-le en sonnant du cor,
louez-le sur la harpe et la cithare ;
louez-le par les cordes et les flûtes,
louez-le par la danse et le tambour !

Louez-le par les cymbales sonores,
louez-le par les cymbales triomphantes !
Et que tout être vivant
chante louange au Seigneur !

Rendons gloire au Père tout-puissant,
à son Fils, Jésus Christ, le Seigneur,
à l'Esprit qui habite en nos cœurs,
pour les siècles des siècles. Amen.

Parole de Dieu   Genèse 49, 10

La ROYAUTÉ n'échappera point à Juda, ni le commandement, à sa descendance, jusqu'à ce que vienne celui à qui le pouvoir appartient, à qui les peuples obéiront.

> *Ô clé de David, ô sceptre d'Israël,*
> *tu ouvres, et nul ne fermera,*
> *tu fermes, et nul n'ouvrira :*
> *arrache les captifs aux ténèbres,*
> *viens, Seigneur, viens nous sauver !*

CANTIQUE DE ZACHARIE (Texte, couverture B)

LOUANGE ET INTERCESSION

Frères bien-aimés, adressons notre prière et notre joyeuse acclamation au Christ, la Parole qui illumine tout homme en ce monde :

℟   Viens, Seigneur Jésus ! Viens, lumière d'en haut !

Que la lumière de ta présence dissipe nos ténèbres et nous ouvre à tes dons.

Sauve-nous, toi notre Dieu fait homme, pour qu'en ce jour nous confessions ton nom.

Enflamme nos cœurs pour leur donner une soif ardente de toi et un grand désir de ta communion.

Toi qui as pris sur toi notre faiblesse, secours les malades et ceux qui affronteront aujourd'hui la mort.

Intentions libres

Ton alliance, Seigneur notre Dieu, prend corps dans la Vierge Marie : en elle ton Esprit réalise la promesse. Donne aujourd'hui à ton Église de dire au milieu des hommes le nom de l'enfant qui vient, et que tout s'accomplisse pour nous comme tu veux. Béni sois-tu, Dieu vivant, pour les siècles des siècles.

———• REFLETS D'ÉVANGILE •———

Le Fils de Dieu Matthieu 1, 18-24

Toute naissance est précédée d'un mystère que le recours aux moyens modernes d'investigation n'évacue pas entièrement. Les traits physiques et les qualités morales qui affirment la personnalité et for-

gent le destin ne sont perceptibles qu'après. En dépit des progrès de la génétique et d'autres disciplines, on ne saura jamais où se limite vraiment l'ascendance. L'osmose infinie entre humains est un fait aussi sûr que celui de l'individualité de chacun. Cela veut dire que toute venue d'un homme à la vie révèle un être neuf et différent de tout autre. De chaque être humain, on pourrait affirmer qu'on ne sait exactement d'où il vient. Et, justement, il y eut un homme dans l'histoire, un seul, dont l'origine déjoua toutes lois. Fruit d'une volonté où ni le désir ni la chair n'ont de part, son existence échappe à toute généalogie et à toute programmation. La création d'Adam n'était pas réitérée pour autant, l'homme n'ayant cessé d'évoluer dans l'histoire. Il s'agissait bien en effet d'une procréation, avec une fécondation véritable. Mais la cause en était l'absence paradoxale et absolue de toutes les causes possibles. L'homme se trouvait exprimer alors sa vérité totale : créé à l'image de Dieu, il était acquis qu'il était également fils de Dieu. Le même principe et la même puissance président à cette filiation, non plus comme une cause mais bien comme un don : c'est l'Esprit divin. On sait dès lors ce qu'est la vie de l'homme, car on connaît sa vraie source. Son insertion dans la société par le biais des institutions peut ainsi adéquatement et nécessairement s'opérer. L'homme est en effet fils de Dieu avant d'être fils de l'homme, de l'homme avec la femme. Et, s'il est celui-ci, c'est qu'il est vraiment celui-là !

T. C.

●

LA MESSE
4ᵉ dimanche de l'Avent

Cieux, faites venir le Juste comme une rosée ; qu'il descende des nuées comme une pluie bienfaisante : que la terre s'entrouvre et donne naissance au Sauveur.

Prière. Que ta grâce, Seigneur notre Père, se répande en nos cœurs : par le message de l'ange, tu nous as fait connaître l'incarnation de ton Fils bien-aimé, conduis-nous par sa Passion et par sa croix jusqu'à la gloire de la résurrection. Par Jésus Christ, ton Fils, notre Seigneur.

Lecture du livre d'Isaïe
7, 10-16

LE SEIGNEUR envoya le prophète Isaïe dire au roi Acaz : « Demande pour toi un signe venant du Seigneur ton Dieu, demande-le au fond des vallées ou bien en haut sur les sommets. » Acaz répondit : « Non, je n'en demanderais pas, je ne mettrai pas le Seigneur à l'épreuve. » Isaïe dit alors : « Écoutez, maison de David ! Il ne vous suffit donc pas de fatiguer les hommes : il faut encore que vous fatiguiez mon Dieu ! Eh bien ! Le Seigneur lui-même vous donnera un signe : voici que la jeune femme est enceinte, elle enfantera un fils, et on l'appellera Emmanuel (c'est-à-dire : Dieu-avec-nous). De crème et de miel il se nourrira, et il saura rejeter le mal et choisir le bien. Avant même que cet enfant sache rejeter le mal et choisir le bien, elle sera abandonnée, la terre dont les deux rois te font trembler. »

• PSAUME 23 •

**Qu'il vienne, le Seigneur :
c'est lui, le roi de gloire !**

Au Seigneur, le monde et sa richesse,
la terre et tous ses habitants !
C'est lui qui l'a fondée sur les mers
et la garde inébranlable sur les flots.

**Qui peut gravir la montagne du Seigneur
et se tenir dans le lieu saint ?**

L'homme au cœur pur, aux mains innocentes,
qui ne livre pas son âme aux idoles.

Il obtient, du Seigneur, la bénédiction,
et de Dieu son Sauveur, la justice.
Voici le peuple de ceux qui le cherchent,
qui recherchent la face de Dieu !

Commencement de la lettre de saint Paul Apôtre aux Romains 1, 1-7

Moi Paul, serviteur de Jésus Christ, appelé par Dieu pour être Apôtre, mis à part pour annoncer la Bonne Nouvelle que Dieu avait déjà promise par ses prophètes dans les saintes Écritures, je m'adresse à vous, bien-aimés de Dieu qui êtes à Rome. Cette Bonne Nouvelle concerne son Fils : selon la chair, il est né de la race de David ; selon l'Esprit qui sanctifie, il a été établi dans sa puissance de Fils de Dieu par sa résurrection d'entre les morts, lui, Jésus Christ, notre Seigneur. Pour que son nom soit honoré, nous avons reçu par lui grâce et mission d'Apôtre afin d'amener à l'obéissance de la foi toutes les nations païennes dont vous faites partie, vous aussi que Jésus Christ a appelés. Vous les fidèles qui êtes, par appel de Dieu, le peuple saint, que la grâce et la paix soient avec vous tous, de la part de Dieu notre Père et de Jésus Christ le Seigneur.

Alléluia. Alléluia. Voici que la Vierge concevra : elle enfantera un fils, on l'appellera Emmanuel, « Dieu-avec-nous ». Alléluia.

Évangile de Jésus Christ selon saint Matthieu 1, 18-24

Voici quelle fut l'origine de Jésus Christ. Marie, la

mère de Jésus, avait été accordée en mariage à Joseph ;
or, avant qu'ils aient habité ensemble, elle fut enceinte
par l'action de l'Esprit Saint. Joseph, son époux, qui était
un homme juste, ne voulait pas la dénoncer publique-
ment ; il décida de la répudier en secret. Il avait formé
ce projet, lorsque l'ange du Seigneur lui apparut en
songe et lui dit : « Joseph, fils de David, ne crains pas de
prendre chez toi Marie, ton épouse : l'enfant qui est
engendré en elle vient de l'Esprit Saint ; elle mettra au
monde un fils, auquel tu donneras le nom de Jésus (c'est-
à-dire : Le-Seigneur-sauve), car c'est lui qui sauvera son
peuple des péchés. » Tout cela arriva pour que s'accomplît la parole du Seigneur prononcée par le prophète :
Voici que la Vierge concevra et elle mettra au monde un
fils, auquel on donnera le nom d'Emmanuel, qui se traduit : « Dieu-avec-nous ». Quand Joseph se réveilla, il fit
ce que l'ange du Seigneur lui avait prescrit : il prit chez
lui son épouse.

CREDO ———————————————————— page 207

PRIÈRE SUR LES OFFRANDES. Que ton Esprit, Seigneur notre Dieu,
dont la puissance a fécondé le sein de la Vierge Marie, consacre
les offrandes posées sur cet autel. Par Jésus, le Christ, notre
Seigneur.

PRÉFACE DE L'AVENT II ———————————————— page 211

Voici que la Vierge concevra et elle enfantera un fils ; on lui donnera pour nom Emmanuel : « Dieu-avec-nous ».

PRIÈRE APRÈS LA COMMUNION. Nous avons reçu dans ton sacrement, Seigneur, le gage de la rédemption éternelle ; accorde-
nous une ferveur qui grandisse à l'approche de Noël, pour bien
fêter la naissance de ton Fils. Lui qui règne avec toi pour les
siècles des siècles.

BÉNÉDICTION SOLENNELLE ——————————————— page 227

AU FIL DES JOURS

Finir l'Avent avec Marie

Ayez mémoire et souvenance, très douce Vierge, que vous êtes ma Mère et que je suis votre fils ; que vous êtes puissante et que je suis un pauvre homme vil et faible. Je vous supplie, très douce Mère, que vous me gouverniez dans toutes mes voies et actions. Ne dites pas, gracieuse Vierge, que vous ne pouvez ! car votre bien-aimé Fils vous a donné tout pouvoir, tant au ciel comme en terre. Ne dites pas que vous ne devez ; car vous êtes la commune Mère de tous les pauvres humains et particulièrement la mienne. Si vous ne pouviez, je vous excuserais, disant : il est vrai qu'elle est ma Mère et qu'elle me chérit comme son fils, mais la pauvrette manque d'avoir et de pouvoir. Si vous n'étiez ma Mère, avec raison je patienterais, disant : elle est bien assez riche pour m'assister ; mais, hélas ! n'étant pas ma mère, elle ne m'aime pas. Puis donc, très douce Vierge, que vous êtes ma Mère, et que vous êtes puissante, comment vous excuserai-je si vous ne me soulagez et ne me prêtez votre secours et assistance ? Vous voyez, ma Mère, que vous êtes contrainte d'acquiescer à toutes mes demandes. Pour l'honneur et la gloire de votre Fils, acceptez-moi comme votre enfant, sans avoir égard à mes misères et à mes péchés. Délivrez mon âme et mon corps de tout mal et me donnez toutes vos vertus, surtout l'humilité. Enfin, faites-moi présent de tous les dons, biens et grâces qui plaisent à la Sainte Trinité, Père, Fils et Saint-Esprit. Ainsi soit-il.

S. FRANÇOIS DE SALES

Prière du soir

Viens, Seigneur, et sauve-nous !

Gloire au Père, et au Fils, et au Saint-Esprit !

Vierge Marie,   Stance
messagère d'une joyeuse nouvelle,
tu parcours les monts de Judée,
et sur tes pas la création s'éveille :
Celui que l'univers ne peut contenir
demeure en toi,
l'ancien monde se prépare au printemps !

℟ La racine de Jessé fleurira,
l'arbre de vie donnera son fruit.

Chante et réjouis-toi, Vierge Marie,
le Seigneur a visité son peuple.

Élisabeth court à la rencontre de la joie,
elle te salue, comblée de grâce.

La vérité germe de la terre,
et Jean tressaille d'allégresse.

Fille d'Abraham, Mère du Messie,
nous te proclamons bienheureuse.

Psaume 110   Louange au Dieu puissant, fidèle et bon

De tout cœur je rendrai grâce au Seigneur
dans l'assemblée, parmi les justes.
Grandes sont les œuvres du Seigneur ;
tous ceux qui les aiment s'en instruisent.
Noblesse et beauté dans ses actions :
à jamais se maintiendra sa justice.

De ses merveilles il a laissé un mémorial ;
le Seigneur est tendresse et pitié.
Il a donné des vivres à ses fidèles,
gardant toujours mémoire de son alliance.
Il a montré sa force à son peuple,
lui donnant le domaine des nations.

Justesse et sûreté, les œuvres de ses mains,
sécurité, toutes ses lois,
établies pour toujours et à jamais,
accomplies avec droiture et sûreté !

Il apporte la délivrance à son peuple ; +
son alliance est promulguée pour toujours :
saint et redoutable est son nom.

La sagesse commence avec la crainte du Seigneur. +
Qui accomplit sa volonté en est éclairé.
À jamais se maintiendra sa louange.

Gloire au Père, et au Fils, et au Saint-Esprit,
pour les siècles des siècles. Amen.

De tout cœur nous te rendons grâce, ô notre Père, pour l'œuvre que tu accomplis dans le Christ : il est ta Parole qui a créé le monde, le Fils bien-aimé qui nous délivre, le pain rompu pour l'Alliance éternelle. Donne-nous assez d'amour et de sagesse pour comprendre tes signes en ce temps et faire mémoire de tes merveilles, en disant avec ceux qui maintiennent ta louange : Dieu de tendresse et de pitié, Dieu de droiture et de sûreté, Saint ! Redoutable est ton nom !

Parole de Dieu
1 Corinthiens 1, 7b-9

NOUS ATTENDONS de voir se révéler notre Seigneur Jésus Christ. C'est lui qui nous fera tenir solidement jusqu'au bout, et nous serons sans reproche au jour de notre

Seigneur Jésus Christ. Car Dieu est fidèle, lui qui nous a appelés à vivre en communion avec son Fils.

> *Ô clé de David, ô sceptre d'Israël,*
> *tu ouvres, et nul ne fermera,*
> *tu fermes, et nul n'ouvrira :*
> *arrache les captifs aux ténèbres,*
> *viens, Seigneur, viens nous sauver !*

HYMNE DE LOUANGE (Texte, couverture C)

INTERCESSION

Avec joie, implorons le Christ, notre Rédempteur et Seigneur, qui se manifestera au dernier jour :

℟ Viens, Seigneur Jésus ! Viens, présence de Dieu !

Sauveur, né dans la chair pour prendre le joug de la Loi, obtiens-nous la liberté des fils.

Toi dont la divinité a assumé notre nature, apporte ta vie à notre humanité.

Par ta présence, purifie nos désirs, oriente-les vers ton amour.

Que nous puissions te servir d'une conscience pure, et nous réjouir avec toi dans la gloire.

Que la rosée de ta miséricorde entoure les défunts de tendresse et de joie.

Intentions libres

Notre Père...

> Car c'est à toi qu'appartiennent
> le règne, la puissance et la gloire,
> pour les siècles des siècles !

LUNDI 21 DÉCEMBRE
Saint Pierre Canisius

Prière du matin

Montre-nous ta miséricorde,
que nos lèvres chantent ta louange.

Gloire au Père, et au Fils, et au Saint-Esprit !

TROPAIRE

La terre desséchée   Stance
tressaille de joie :
une source jaillit,
transparence nouvelle
où notre humanité
retrouve son visage.

℟ Source pure, Vierge Marie,
avec toi l'espérance renaît.

Ton chant d'humilité
annonce le Serviteur.

Ta fraîcheur nous laisse pressentir
les fleuves d'eau vive.

Ta course nous entraîne
vers l'océan de la vie.

PSAUME 94   Aujourd'hui, écoutez !

Venez, crions de joie pour le Seigneur,
acclamons notre Rocher, notre salut !
Allons jusqu'à lui en rendant grâce,
par nos hymnes de fête acclamons-le !

Oui, le grand Dieu, c'est le Seigneur,
le grand roi au-dessus de tous les dieux :
il tient en main les profondeurs de la terre,
et les sommets des montagnes sont à lui ;
à lui la mer, c'est lui qui l'a faite,
et les terres, car ses mains les ont pétries.

Entrez, inclinez-vous, prosternez-vous,
adorons le Seigneur qui nous a faits.
Oui, il est notre Dieu ; +
nous sommes le peuple qu'il conduit,
le troupeau guidé par sa main.

Aujourd'hui écouterez-vous sa parole ? +
« Ne fermez pas votre cœur comme au désert,
comme au jour de tentation et de défi,
où vos pères m'ont tenté et provoqué,
et pourtant ils avaient vu mon exploit.

« Quarante ans leur génération m'a déçu, +
et j'ai dit : Ce peuple a le cœur égaré,
il n'a pas connu mes chemins.
Dans ma colère, j'en ai fait le serment :
Jamais ils n'entreront dans mon repos. »

Gloire au Père, et au Fils, et au Saint-Esprit,
pour les siècles des siècles. Amen.

Parole de Dieu   Isaïe 7, 14b-15

Voici que la jeune femme est enceinte, elle enfantera un fils, et on l'appellera Emmanuel (c'est-à-dire : Dieu-avec-nous). De crème et de miel il se nourrira, et il saura rejeter le mal et choisir le bien.

Ô Soleil levant,
splendeur de justice et lumière éternelle,

illumine ceux qui habitent les ténèbres
et l'ombre de la mort,
viens, Seigneur, viens nous sauver !

LOUANGE ET INTERCESSION

Prions notre Seigneur Jésus Christ qui nous visite dans
sa grande miséricorde :

℟   Viens, Seigneur Jésus !
       Viens, tendresse de Dieu !

Tu es sorti du sein du Père
pour revêtir notre humanité ;
libère notre vie du péché et de la seconde mort.

Tu viendras manifester ta gloire parmi tes élus ;
fais entendre aujourd'hui ton appel
à ceux qui sont loin de toi.

Nous nous glorifions dans ta louange ;
dès maintenant, visite-nous par ton salut.

Maître de justice, qui ne juges pas sur l'apparence ;
donne-nous de vivre dans l'humilité
et d'accomplir la vérité.

Quand tu viendras avec puissance et grande gloire ;
accorde-nous de paraître devant toi dans l'assurance
de ta miséricorde.

Intentions libres

Écoute avec bonté, Seigneur, la prière de ton peuple qui
se réjouit de la venue de ton Fils en notre chair ;
puissions-nous, quand il viendra dans sa gloire, obtenir le bonheur de la vie éternelle. Par Jésus Christ, ton
Fils, notre Seigneur.

La messe
Messe du 21 décembre

Saint Pierre Canisius (1521-1597)   *Mémoire facultative*

● *Pierre Canisius naquit à Nimègue (Hollande), mais c'est en Allemagne qu'il se fit jésuite et qu'il passa la majeure partie de sa vie. Professeur, prédicateur, catéchiste, écrivain, missionnaire, il lutta sur tous les terrains pour empêcher l'Allemagne de passer au luthéranisme. Il vécut à Fribourg ses dernières années.* ●

(Du 17 décembre à la fin de l'octave de Noël, les messes du jour sont obligatoires.)

Prière. Seigneur, pour la défense de la foi catholique, tu armas de courage et de savoir saint Pierre Canisius ; par son intercession, accorde à ceux qui cherchent la vérité de te trouver dans la joie ; accorde au peuple des croyants de savoir toujours témoigner de toi. Par Jésus Christ, ton Fils, notre Seigneur.

● Nous proclamons aujourd'hui dans l'antienne de la communion la béatitude de Marie, celle de la foi : « Bienheureuse, toi qui as cru » (a. de la communion). Mais, si l'évocation du premier avènement du Christ tient une place prédominante dans la liturgie de ces jours, le thème initial de l'Avent se retrouve dans la collecte : « Puissions-nous, quand il viendra dans sa gloire, obtenir le bonheur de la vie éternelle » (p. d'ouverture). ●

Voici venir le Seigneur Souverain ; il aura pour nom Emmanuel car il sera « Dieu-avec-nous ».

Prière ———————————————— page précédente

Lecture du Cantique des cantiques   2, 8-14

Voici mon bien-aimé qui vient ! il escalade les montagnes, il franchit les collines, il accourt comme la gazelle, comme le petit d'une biche. Le voici qui se tient derrière notre mur ; il regarde par la fenêtre, il guette à travers le treillage. Mon bien-aimé a parlé ; il m'a dit : « Lève-toi, mon amie, viens, ma toute belle. Car voici que l'hiver est passé, la saison des pluies est finie, elle s'en est allée. Dans la campagne, les fleurs apparaissent. Le temps des chansons arrive. Le roucoulement de la tourterelle se fait entendre dans nos campagnes. Le figuier forme ses premiers fruits, la vigne en fleur exhale son parfum. Lève-toi, mon amie, viens, ma toute belle ! Ma colombe, blottie dans le rocher, cachée dans la falaise, montre-moi ton visage, fais-moi entendre ta voix ; car ta voix est douce, et ton visage est beau. »

Ou bien :

Lecture du livre de Sophonie   3, 14-18a

Pousse des cris de joie, fille de Sion ! éclate en ovations, Israël ! Réjouis-toi, tressaille d'allégresse, fille de Jérusalem ! Le Seigneur a écarté tes accusateurs, il a fait rebrousser chemin à ton ennemi. Le roi d'Israël, le Seigneur, est en toi. Tu n'as plus à craindre le malheur. Ce jour-là, on dira à Jérusalem : « Ne crains pas, Sion ! Ne laisse pas tes mains défaillir ! Le Seigneur ton Dieu est en toi, c'est lui, le héros qui apporte le salut. Il aura en toi sa joie et son allégresse, il te renouvellera par son amour ; il dansera pour toi avec des cris de joie, comme aux jours de fête. »

• Psaume 32 •

Criez au Seigneur votre joie,
chantez lui le cantique nouveau.

Rendez grâce au Seigneur sur la cithare,
jouez pour lui de la harpe à dix cordes.
Chantez-lui le cantique nouveau,
de tout votre art, soutenez l'ovation.

Le plan du Seigneur demeure pour toujours,
les projets de son cœur subsistent d'âge en âge.
Heureux le peuple dont le Seigneur est le Dieu,
heureuse la nation qu'il s'est choisie pour domaine !

Nous attendons notre vie du Seigneur :
il est pour nous un appui, un bouclier.
La joie de notre cœur vient de lui,
notre confiance est dans son nom très saint.

Alléluia. Alléluia. Viens, Emmanuel, notre Législateur et
notre Roi ! Sauve-nous, Seigneur notre Dieu. Alléluia.

Évangile de Jésus Christ selon saint Luc   1, 39-45

EN CES JOURS-LÀ, Marie se
mit en route rapidement
vers une ville de la montagne de Judée. Elle entra dans
la maison de Zacharie et salua Élisabeth. Or, quand Élisabeth entendit la salutation de Marie, l'enfant tressaillit
en elle. Alors, Élisabeth fut remplie de l'Esprit Saint, et
s'écria d'une voix forte : « Tu es bénie entre toutes les
femmes, et le fruit de tes entrailles est béni. Comment
ai-je ce bonheur que la mère de mon Seigneur vienne
jusqu'à moi ? Car, lorsque j'ai entendu tes paroles de
salutation, l'enfant a tressailli d'allégresse au-dedans de
moi. Heureuse celle qui a cru à l'accomplissement des
paroles qui lui furent dites de la part du Seigneur. »

PRIÈRE SUR LES OFFRANDES. Seigneur, tu as donné ces présents à ton Église pour qu'elle puisse te les offrir ; daigne les accueillir favorablement : qu'ils deviennent, par ta puissance, le sacrement de notre salut. Par Jésus, le Christ.

PRÉFACE DE L'AVENT II ———————————— page 211

Bienheureuse, toi qui as cru à l'accomplissement des paroles qui te furent dites de la part du Seigneur.

PRIÈRE APRÈS LA COMMUNION. Que cette communion, Seigneur, garde à jamais ton peuple : qu'elle nous attache à ton service, et nous obtienne le salut de l'âme et du corps. Par Jésus, le Christ, notre Seigneur.

MÉDITATION DU JOUR

Réjouis-toi ! Tressaille d'allégresse !

Jean a tressailli, la mère a été comblée. La mère n'a pas été comblée avant son fils, mais, comme le fils était comblé de l'Esprit Saint, il en a aussi comblé sa mère. Jean a exulté, et l'esprit de Marie a exulté, lui aussi. L'exultation de Jean comble Élisabeth ; cependant, pour Marie, on ne nous dit pas que son esprit exulte parce qu'il est comblé, car celui qu'on ne peut comprendre agissait en sa mère d'une manière qu'on ne peut comprendre. Élisabeth est comblée après avoir conçu, Marie, avant d'avoir conçu. Heureuse, lui dit Élisabeth, toi qui as cru.

Heureux, vous aussi qui avez entendu et qui avez cru ; car toute âme qui croit conçoit et engendre le Verbe et le reconnaît à ses œuvres. Que l'âme de Marie soit en vous, pour qu'elle exalte le Seigneur ; que l'esprit de Marie soit en chacun de vous, pour qu'il exulte en Dieu. S'il n'y a, selon la chair, qu'une seule mère du Christ, tous engendrent le Christ selon la foi. Car toute âme reçoit le Verbe de Dieu, pourvu qu'elle soit irréprochable et préservée des vices en gardant la chasteté dans une pureté intégrale.

Toute âme qui peut vivre ainsi exalte le Seigneur, comme l'âme de Marie a exalté le Seigneur, et comme son esprit a exulté en Dieu son Sauveur.

S. Ambroise de Milan

Complies
avant le repos de la nuit

(On peut commencer par une révision de la journée, ou par un acte pénitentiel dans la célébration commune.)

> *Dieu, viens à mon aide,*
> *Seigneur, à notre secours.*

> *Gloire au Père, et au Fils, et au Saint-Esprit,*
> *au Dieu qui est, qui était, et qui vient,*
> *pour les siècles des siècles. Amen. Alléluia.*

Hymne

En toi, Seigneur, nos vies reposent
Et prennent force dans la nuit ;
Tu nous prépares à ton aurore
Et tu nous gardes dans l'Esprit.

Déjà levé sur d'autres terres,
Le jour éveille les cités ;
Ami des hommes, vois leur peine
Et donne-leur la joie d'aimer.

Vainqueur du mal et des ténèbres,
Ô Fils de Dieu ressuscité,

Délivre-nous de l'adversaire
Et conduis-nous vers ta clarté !

PSAUME 85

Plainte dans la souffrance

Ecoute, Seigneur, réponds-moi,
car je suis pauvre et malheureux.
Veille sur moi qui suis fidèle, ô mon Dieu,
sauve ton serviteur qui s'appuie sur toi.

Prends pitié de moi, Seigneur,
toi que j'appelle chaque jour.
Seigneur, réjouis ton serviteur :
vers toi, j'élève mon âme !

Toi qui es bon et qui pardonnes,
plein d'amour pour tous ceux qui t'appellent,
écoute ma prière, Seigneur,
entends ma voix qui te supplie.

Je t'appelle au jour de ma détresse,
et toi, Seigneur, tu me réponds.
Aucun parmi les dieux n'est comme toi,
et rien n'égale tes œuvres.

Toutes les nations, que tu as faites,
    viendront se prosterner devant toi *
et rendre gloire à ton nom, Seigneur,
car tu es grand et tu fais des merveilles,
toi, Dieu, le seul.

Montre-moi ton chemin, Seigneur, +
que je marche suivant ta vérité ;
unifie mon cœur pour qu'il craigne ton nom.

Je te rends grâce de tout mon cœur,
    Seigneur mon Dieu,
toujours je rendrai gloire à ton nom ;

il est grand, ton amour pour moi :
tu m'as tiré de l'abîme des morts.

Mon Dieu, des orgueilleux se lèvent contre moi, +
des puissants se sont ligués pour me perdre :
ils n'ont pas souci de toi.

Toi, Seigneur,
    Dieu de tendresse et de pitié, *
lent à la colère,
    plein d'amour et de vérité !

Regarde vers moi,
prends pitié de moi.
Donne à ton serviteur ta force,
et sauve le fils de ta servante.

Accomplis un signe en ma faveur ; *
alors mes ennemis, humiliés, *
verront que toi, Seigneur,
    tu m'aides et me consoles.

Gloire au Père, et au Fils, et au Saint-Esprit,
pour les siècles des siècles. Amen.

Dieu qui est bon et qui pardonnes, tu as répondu aux appels de Jésus, ton serviteur souffrant, et tu l'as tiré de l'abîme des morts. Veille sur ton Église, servante et pauvre : elle s'appuie sur toi aux jours de sa détresse. Accomplis un signe en sa faveur : que le monde voie la grandeur de ton amour et rende gloire à ton nom pour tes merveilles.

Parole de Dieu   1 Thessaloniciens 5, 9b-10

Dieu nous a destinés à entrer en possession du salut par notre Seigneur Jésus Christ, mort pour nous

afin de nous faire vivre avec lui, que nous soyons encore
éveillés ou déjà endormis dans la mort.

> *En tes mains, Seigneur, je remets mon esprit.*
> *C'est toi qui nous rachètes, Seigneur, Dieu de vérité.*
> *Gloire au Père, et au Fils, et au Saint-Esprit.*
> *En tes mains, Seigneur, je remets mon esprit.*

CANTIQUE DE SYMÉON   (Texte, couverture C)

Sauve-nous, Seigneur, quand nous veillons ; garde-nous quand nous
dormons : nous veillerons avec le Christ, et nous reposerons en paix.

PRIÈRE

Seigneur, tandis que nous dormirons en paix, fais germer et grandir jusqu'à la moisson la semence du
Royaume des cieux, que nous avons jetée en terre par
le travail de cette journée. Par Jésus, le Christ, notre
Seigneur.

BÉNÉDICTION

Que le Seigneur fasse resplendir sur nous son visage et
nous accorde sa grâce. Amen.

ANTIENNE MARIALE

Heureuse es-tu, Vierge Marie !
Par toi, le salut est entré dans le monde.
Comblée de gloire, tu te réjouis devant le Seigneur,
tu cries de joie à l'ombre de ses ailes.
Sainte Mère de Dieu,
prie pour nous, pauvres pécheurs.

Saints
D'HIER ET D'AUJOURD'HUI

Proche est le jour, proche est le Seigneur !

Bienheureux Pierre Friedhofen
Religieux (1819-1860)

« Notre travail doit être le fruit de l'intelligence, dit-il, mais encore plus de la piété et de la patience. Si nous savons souffrir et nous taire, nous ferons l'expérience de l'aide de Dieu. » Originaire de Rhénanie, et devenu orphelin de bonne heure, il travaille comme ramoneur à 15 ans. À la mort de son frère Jacques, il subvient aux besoins de sa veuve et de leurs onze enfants. Profondément touché par la misère des malades et des vieillards qu'il visite au cours de ses ramonages, il décide finalement de fonder pour les secourir les frères de la Miséricorde de Marie-Auxiliatrice. En 1851, il s'installe à Coblence où la confiance de la population et des médecins contribue à l'expansion de ces « frères des malades », comme on les appelle encore aujourd'hui en Suisse. Le fondateur meurt victime de la tuberculose. Les frères sont actuellement présents en Europe, en Amérique latine et en Asie, dirigeant des hôpitaux, des maisons pour personnes âgées, des centres de rééducation.

Heureux, vous aussi qui avez entendu et qui avez cru ;
Car toute âme qui croit conçoit et engendre le Verbe
Saint Ambroise de Milan

MARDI 22 DÉCEMBRE

Prière du matin

HYMNE

Depuis l'aube des âges
Il cherche notre visage ;
Il a tant désiré la coupe,
La coupe du partage,
Le pain de pauvreté,
Qu'il vient à notre image.

Les mains nues, sans défense,
Il vient pour tenir l'alliance ;
Il saura désormais
Le prix de l'espérance,
L'angoisse quand l'ivraie
Étouffe la semence.

Il vient rompre nos chaînes,
Nous prendre aux terres lointaines ;
N'est-il pas tout-puissant,
Celui que l'amour mène ?
Il sauve en se donnant,
Sa Pâque nous entraîne.

PSAUME 143 (I)   Le combat de la foi

Béni soit le Seigneur, mon rocher ! +
Il exerce mes mains pour le combat, *
il m'entraîne à la bataille.

Il est mon allié, ma forteresse.
ma citadelle, celui qui me libère ;

il est le bouclier qui m'abrite,
il me donne pouvoir sur mon peuple.

Qu'est-ce que l'homme,
     pour que tu le connaisses, Seigneur, *
le fils d'un homme,
     pour que tu comptes avec lui ?
L'homme est semblable à un souffle,
ses jours sont une ombre qui passe.

Seigneur, incline les cieux et descends ;
touche les montagnes : qu'elles brûlent !
Décoche des éclairs de tous côtés,
tire des flèches et répands la terreur.

Des hauteurs, tends-moi la main, délivre-moi, *
sauve-moi du gouffre des eaux,
     de l'emprise d'un peuple étranger :
il dit des paroles mensongères,
sa main est une main parjure.

Pour toi, je chanterai un chant nouveau,
pour toi, je jouerai sur la harpe à dix cordes,
pour toi qui donnes aux rois la victoire
et sauves de l'épée meurtrière
     David, ton serviteur.

Gloire au Père, et au Fils, et au Saint-Esprit,
pour les siècles des siècles. Amen.

*Dieu qui es l'allié de ton peuple et le mènes au combat
contre le mal, béni sois-tu ! Dieu qui tends la main à
ton peuple et le délivres des mains de l'ennemi, sauve-
nous ! Dieu qui fais le bonheur de ton peuple et le
combles de tout bien dans le Christ, béni sois-tu et
sauve-nous !*

Parole de Dieu

QUE LES CIEUX distillent la rosée, que les nuages répandent la justice, que la terre s'entrouvre et que le salut s'épanouisse, que la justice fasse éclater en même temps tous ses bourgeons. Moi, le Seigneur, je crée tout cela.

Ô Roi de l'univers, ô Désiré des nations,
pierre angulaire qui joint ensemble
l'un et l'autre mur,
force de l'homme pétri de limon,
viens, Seigneur, viens nous sauver !

LOUANGE ET INTERCESSION

Avec une joie renouvelée, prions notre Rédempteur, qui nous justifie par la grâce de sa venue :

℟   Viens, Seigneur Jésus ! Viens, justice de Dieu !

Toi dont les prophètes avaient annoncé la naissance,
fortifie ce que tu fais renaître en nous.

Toi qui es venu guérir les cœurs contrits,
libère ton peuple de ses tristesses.

Toi qui es venu réconcilier le monde avec Dieu,
quand tu viendras pour le jugement,
ne nous condamne pas.

Nous proclamons aujourd'hui ton salut ;
donne-nous d'en connaître la joie.

Intentions libres

Tu n'as pas supporté, Seigneur, que l'homme soit abandonné à la mort, mais tu as voulu le racheter en lui envoyant ton Fils unique ; accorde, nous t'en prions, à ceux qui s'inclineront devant l'enfant de Bethléem de communier à la vie d'un tel Rédempteur. Lui qui règne.

LA MESSE

Messe du 22 décembre

● « PORTES, LEVEZ VOS FRONTONS : *qu'il entre, le roi de gloire !* » *(antienne d'ouverture). C'est déjà une liturgie d'Ascension que nous célébrons à la veille de Noël, et, par-delà l'Ascension, le signe du retour du Seigneur brille à l'horizon : quand il viendra, puissions-nous* « *aller au-devant de lui* » *(prière après la communion). Le mystère du salut est un. La Pâque du Christ et la Pâque de l'humanité se trouvent déjà en germe dans l'incarnation du Fils unique de Dieu (prière d'ouverture). Telle est la merveille que le Seigneur a faite pour nous (antienne de la communion).* ●

Portes, levez vos frontons, élevez-vous, portes éternelles : qu'il entre, le roi de gloire !

PRIÈRE ——————————————— page précédente

Lecture du premier livre de Samuel   1, 24 – 2, 1a

LORSQUE SAMUEL eut été sevré, Anne, sa mère, le conduisit à la maison du Seigneur, à Silo ; elle avait pris avec elle un taureau de trois ans, un sac de farine et une outre de vin. On offrit le taureau en sacrifice, et on présenta l'enfant au prêtre Éli. Anne lui dit alors : « Écoute-moi, mon seigneur, je t'en prie ! Aussi vrai que tu es vivant, je suis cette femme qui se tenait ici près de toi en priant le Seigneur. C'est pour obtenir cet enfant que je priais, et le Seigneur me l'a donné en réponse à ma demande. À mon tour je le donne au Seigneur. Il demeurera donné au Seigneur tous les jours de sa vie. » Alors ils se prosternèrent devant le Seigneur, et Anne fit cette prière :

• CANTIQUE (1 Samuel 2, 1) •

Dieu est la joie de mon cœur.

Mon cœur exulte à cause du Seigneur ;
mon front s'est relevé grâce à mon Dieu !
Face à mes ennemis, s'ouvre ma bouche :
oui, je me réjouis de ta victoire !

L'arc des forts sera brisé,
mais le faible se revêt de vigueur.
Les plus comblés s'embauchent pour du pain,
et les affamés se reposent.

Le Seigneur fait mourir et vivre ;
il fait descendre à l'abîme et en ramène.
Le Seigneur rend pauvre et riche ;
il abaisse et il élève.

De la poussière il relève le faible,
il retire le pauvre de la cendre
pour qu'il siège parmi les princes
et reçoive un trône de gloire.

Alléluia. Alléluia. Viens, Roi de l'univers, pierre angulaire de l'Église ! À l'homme que tu as pétri de la terre, viens apporter le salut. Alléluia.

Évangile de Jésus Christ selon saint Luc 1, 46-56

MARIE RENDIT GRÂCE au Seigneur en disant :
« Mon âme exalte le Seigneur, mon esprit exulte en Dieu mon Sauveur. Il s'est penché sur son humble servante ; désormais tous les âges me diront bienheureuse.

Le Puissant fit pour moi des merveilles ; Saint est son nom ! Son amour s'étend d'âge en âge sur ceux qui le craignent. Déployant la force de son bras, il disperse les superbes. Il renverse les puissants de leurs trônes, il élève les humbles. Il comble de biens les affamés, renvoie les riches les mains vides. Il relève Israël son serviteur, il se souvient de son amour, de la promesse faite à nos pères, en faveur d'Abraham et de sa race à jamais. » Marie demeura avec Élisabeth environ trois mois, puis elle s'en retourna chez elle.

PRIÈRE SUR LES OFFRANDES. Confiants dans ton amour, Seigneur, nous venons à ton autel avec nos offrandes : puissions-nous, par un effet de ta grâce, être purifiés dans l'eucharistie que nous célébrons. Par Jésus, le Christ, notre Seigneur.

PRÉFACE DE L'AVENT II ———————————— page 211

Mon âme exalte le Seigneur : le Puissant a fait pour moi des merveilles.

PRIÈRE APRÈS LA COMMUNION. Dans cette communion, Seigneur, donne-nous le courage d'aller au-devant de notre Sauveur en faisant ce qui est bon pour obtenir le bonheur sans limite. Par Jésus, le Christ, notre Seigneur.

•————————————————————•
M É D I T A T I O N   D U   J O U R
•————————————————————•

Rien n'est impossible à Dieu

Lorsque l'ange annonce à Marie le mystère de sa maternité virginale, il lui apprend, pour éclairer sa foi par un exemple, qu'une femme âgée et stérile a conçu, ce qui fait comprendre que Dieu peut accomplir tout ce qu'il a décidé.

Dès que Marie l'eut appris, elle partit vers la montagne de Judée. Ce n'était de sa part ni incrédulité en la prophétie, ni incertitude sur cette annonce, ni doute sur l'exemple proposé. Elle partait dans l'allégresse de son désir, pour l'accomplissement d'un service, avec l'empressement de sa joie.

Elle qui était maintenant remplie de Dieu, où pouvait-elle se rendre avec empressement, sinon vers les hauteurs ? La grâce du Saint-Esprit ne connaît pas les hésitations ni les retards. L'arrivée de Marie et la présence du Seigneur manifestent aussitôt leurs bienfaits, car, au moment même où *Élisabeth entendit la salutation de Marie, l'enfant tressaillit en elle, et elle fut remplie de l'Esprit Saint.*

Remarquez les nuances et l'exactitude de chaque mot. Élisabeth fut la première à entendre la parole, mais Jean fut le premier à ressentir la grâce : la mère a entendu selon l'ordre naturel des choses, l'enfant a tressailli en raison du mystère ; elle a constaté l'arrivée de Marie, lui, celle du Seigneur ; la femme, l'arrivée de la femme, l'enfant, celle de l'enfant ; les deux femmes échangent des paroles de grâce, les deux enfants agissent au-dedans d'elles et commencent à réaliser le mystère de la piété en y faisant progresser leurs mères ; enfin, par un double miracle, les deux mères prophétisent sous l'inspiration de leur enfant. S. AMBROISE DE MILAN

Prière du soir

Montre-nous ta miséricorde,
que nos lèvres chantent ta louange.

Gloire au Père, et au Fils, et au Saint-Esprit !

HYMNE

Toi qui ravis le cœur de Dieu
Et qui l'inclines vers la terre,
Marie, tu fais monter vers lui
Ta réponse en offrande.

Toi qui reçois l'appel de Dieu
Comme une terre la semence,
Tu laisses prendre corps en toi
L'espérance nouvelle.

L'homme a perdu la joie de Dieu
En refusant la ressemblance ;
Par toi le Fils nous est donné
Qui nous rend à son Père.

Vierge bénie qui porte Dieu,
Promesse et gage de l'alliance,
L'amour en toi rejoint nos vies
Et les prend dans la sienne.

PSAUME 137 Psaume d'action de grâce

De tout mon cœur, Seigneur, je te rends grâce :
tu as entendu les paroles de ma bouche.
Je te chante en présence des anges,
vers ton temple sacré, je me prosterne.

Je rends grâce à ton nom pour ton amour et ta vérité,
car tu élèves, au-dessus de tout, ton nom et ta parole.
Le jour où tu répondis à mon appel,
tu fis grandir en mon âme la force.

Tous les rois de la terre te rendent grâce
quand ils entendent les paroles de ta bouche.
Ils chantent les chemins du Seigneur :
« Qu'elle est grande, la gloire du Seigneur ! »

Si haut que soit le Seigneur, il voit le plus humble ;
de loin, il reconnaît l'orgueilleux.
Si je marche au milieu des angoisses,
   tu me fais vivre,
ta main s'abat sur mes ennemis en colère.

Ta droite me rend vainqueur.
Le Seigneur fait tout pour moi !
Seigneur, éternel est ton amour :
n'arrête pas l'œuvre de tes mains.

Rendons gloire au Père tout-puissant,
à son Fils, Jésus Christ, le Seigneur,
à l'Esprit qui habite en nos cœurs,
pour les siècles des siècles. Amen.

Parole de Dieu
Jacques 5, 7-9

FRÈRES, en attendant la venue du Seigneur, ayez de la patience. Voyez le cultivateur : il attend les produits précieux de la terre avec patience, jusqu'à ce qu'il ait fait la première et la dernière récolte. Ayez de la patience vous aussi, et soyez fermes, car la venue du Seigneur est proche. Frères, ne gémissez pas les uns contre les autres, ainsi vous ne serez pas jugés. Voyez : le Juge est à notre porte.

Ô Roi de l'univers, ô Désiré des nations,
pierre angulaire qui joint ensemble
l'un et l'autre mur,
force de l'homme pétri de limon,
viens, Seigneur, viens nous sauver !

INTERCESSION

Dans l'allégresse, prions le Seigneur qui s'est humilié pour nous :

℟ Viens, Seigneur Jésus,
   fruit de la terre et don du ciel !

Ô Emmanuel, venu renouveler le monde,
purifie nos âmes et nos corps.

Dans le mystère de ton incarnation,
tu nous appelles tes frères ;
garde-nous d'écouter d'autres voix.

Accorde-nous d'accueillir pleinement ton salut :
que ton jugement soit notre délivrance.

Ton pardon généreux est de chaque instant :
laisse-nous espérer la gloire sans fin.

Nous te confions nos frères qui sont morts ;
qu'ils vivent de toi pour toujours.

Intentions libres

Notre Père...

   Car c'est à toi qu'appartiennent
   le règne, la puissance et la gloire,
   pour les siècles des siècles !

SAINTS
D'HIER ET D'AUJOURD'HUI

Viens, Seigneur, sois attentif et agis, ne tarde pas !

BIENHEUREUX THOMAS HOLLAND
Prêtre et martyr (†1642)

Après avoir étudié à Saint-Omer et Valladolid,
ce prêtre anglais originaire du Lancashire rejoint les
jésuites en 1624. De retour dans sa patrie, il exerce
son ministère à Londres dans la clandestinité pendant
sept ans, sous les noms de Sanderson ou de
Hammond. Finalement arrêté, il est condamné à
mort. « Je te pardonne, dernier instrument de mon
bonheur, dit-il à son bourreau avant d'être pendu à
Tyburn, et je te donnerai ce peu d'argent pour ta
récompense », et il lui donna une demi-pistole.

SAINTE FRANÇOISE-XAVIÈRE CABRINI
Vierge (1850-1917)

Ayant entendu parler du dénuement matériel
et spirituel des quelque cinq millions
d'Italiens émigrés aux États-Unis, cette jeune
italienne répond à l'appel du pape Léon XIII,
et s'embarque pour New York, où elle fonde des écoles
et des hôpitaux. « Mère des émigrés »,
elle meurt à Chicago en laissant trente maisons
dans huit pays.

*La naissance du Seigneur et la naissance de Jean
sont annoncées prophétiquement par leurs mères.*
Saint Bède le Vénérable

MERCREDI 23 DÉCEMBRE
Saint Jean de Kenty

Prière du matin

TROPAIRE

Il est au milieu de vous   Stance
celui que vous ne connaissez pas ;
préparez le chemin du Seigneur,
écoutez sa voix, amis de l'Époux,
pour que votre joie soit parfaite.

℟ Réjouissez-vous dans le Seigneur !
Réjouissez-vous, car il est proche !

Ta complaisance, Seigneur, est pour la terre,
tu fais revenir les captifs de Jacob.

N'est-ce pas toi qui reviens nous vivifier ?
Et ton peuple en toi se réjouit.

Justice marchera devant lui,
et paix sur la trace de ses pas.

PSAUME 145   Louange

Chante, ô mon âme, la louange du Seigneur ! +
Je veux louer le Seigneur tant que je vis, *
chanter mes hymnes pour mon Dieu tant que je dure.

Ne comptez pas sur les puissants,
des fils d'homme qui ne peuvent sauver !
Leur souffle s'en va : ils retournent à la terre ;
et ce jour-là, périssent leurs projets.

Heureux qui s'appuie sur le Dieu de Jacob,
qui met son espoir dans le Seigneur son Dieu,

lui qui a fait et le ciel et la terre
et la mer et tout ce qu'ils renferment !

Il garde à jamais sa fidélité,
il fait justice aux opprimés ;
aux affamés, il donne le pain ;
le Seigneur délie les enchaînés.

Le Seigneur ouvre les yeux des aveugles,
le Seigneur redresse les accablés,
le Seigneur aime les justes,
le Seigneur protège l'étranger.

Il soutient la veuve et l'orphelin,
il égare les pas du méchant.
D'âge en âge, le Seigneur régnera :
ton Dieu, ô Sion, pour toujours !

Gloire au Père, et au Fils, et au Saint-Esprit,
pour les siècles des siècles. Amen.

Dieu qui as fait le ciel et la terre et tout ce qu'ils contien-
nent, nous prenons appui sur toi. Nous croyons que le
Christ accomplit encore ton œuvre de justice. De lui,
nous attendons le salut. Tourne vers les pauvres le cœur
de ton Église, et garde-la de compter sur les puissants.

Parole de Dieu   Jérémie 30, 21-22

ELLE AURA pour prince l'un des siens, un chef né au milieu d'elle. Je lui permettrai d'approcher et il aura accès auprès de moi. (Qui donc, en effet, a jamais osé de lui-même s'approcher de moi ?) Vous serez mon peuple, et je serai votre Dieu. Parole du Seigneur.

Ô Emmanuel, notre législateur et notre Roi,
espérance et salut des nations,
viens, Seigneur, viens nous sauver.

Louange et intercession

Implorons le Père qui a envoyé son Fils pour sauver les hommes.

℟ Montre-nous, Seigneur, ta miséricorde.

Père très bon, quand nous proclamons notre foi dans le Christ,
fais que notre vie s'accorde à nos paroles.

Toi qui as envoyé ton Fils pour notre salut,
pacifie la terre et le pays que nous habitons.

La venue de ton Christ est une grande joie
pour les peuples ; guide-les, par lui,
jusqu'à la plénitude du bonheur.

Que ta grâce nous donne de vivre avec sagesse,
tendus vers la manifestation de la gloire du Christ.

Intentions libres

Dieu éternel et tout-puissant, nous allons bientôt célébrer la naissance de ton Fils ; il a voulu prendre chair de la Vierge Marie, il s'est lié pour toujours à notre humanité : qu'il montre ta miséricorde aux pauvres serviteurs que nous sommes. Lui qui règne avec toi.

La messe
Messe du 23 décembre

Saint Jean de Kenty (1390-1473)　　　*Mémoire facultative*

● *Jean de Kenty, prêtre polonais, enseigna la philosophie et la théologie à l'université de Cracovie. Le professeur rayonnait par son savoir, mais plus encore par sa charité pour les pauvres et son esprit de pénitence. Persuadé de la valeur spirituelle du pèlerinage, il alla vénérer le tombeau du Christ à Jérusalem et se rendit quatre fois à Rome.* ●

Prière. Accorde-nous, Dieu tout-puissant, de progresser dans l'intelligence de ton mystère, à l'exemple de saint Jean de Kenty, et de trouver auprès de toi le pardon pour avoir pratiqué la charité envers tous. Par Jésus Christ, ton Fils, notre Seigneur.

● *L'Antienne d'ouverture a déjà aujourd'hui des accents de Noël, tandis que celle de la communion annonce notre ultime rencontre avec le Seigneur. Pareillement, si la collecte célèbre le Verbe qui « a voulu prendre chair de Marie » (p. d'ouverture), nous demandons à Dieu, après la communion, la grâce de rester vigilants pour être prêts lorsque son Fils viendra. Ainsi ne devons-nous pas dissocier les deux avènements du Christ : séparés dans le temps par des millénaires, ils réalisent le même dessein du salut offert par Dieu à tous les hommes.* ●

Un enfant va naître ; on l'appellera Dieu-Fort : en lui seront bénis tous les peuples de la terre.

Prière ——————————————— page précédente

Lecture du livre de Malachie 3, 1... 24

AINSI PARLE le Seigneur Dieu : Voici que j'envoie mon Messager pour qu'il prépare le chemin devant moi ; et soudain viendra dans son Temple le Seigneur que vous cherchez, le messager de l'Alliance que vous désirez, le voici qui vient, dit le Seigneur de l'univers. Qui pourra soutenir le jour de sa venue ? Qui pourra rester debout lorsqu'il se montrera ? Car il est pareil au feu du fondeur, pareil à la lessive des blanchisseurs. Il s'installera pour fondre et purifier. Il purifiera les fils de Lévi, il les affinera comme l'or et l'argent : ainsi pourront-ils, aux yeux du Seigneur, présenter l'offrande en toute justice. Alors, l'offrande de Juda et de Jérusalem sera bien accueillie du Seigneur, comme il en fut aux jours anciens, dans les années d'autrefois. Voici que je vais vous envoyer Élie le prophète, avant que vienne le jour du Seigneur, jour grand et redoutable. Il ramènera le cœur des pères vers leurs fils, et le cœur des fils vers leurs pères, pour que je ne vienne pas frapper le pays de malédiction !

• PSAUME 24 •

Redressez-vous, levez la tête,
car votre délivrance est proche.

Seigneur, enseigne-moi tes voies,
fais-moi connaître ta route.
Dirige-moi par ta vérité, enseigne-moi,
car tu es le Dieu qui me sauve.

Rappelle-toi, Seigneur, ta tendresse,
ton amour qui est de toujours.
Oublie les révoltes, les péchés de ma jeunesse ;
dans ton amour, ne m'oublie pas.

Il est droit, il est bon, le Seigneur,
lui qui montre aux pécheurs le chemin.
Sa justice dirige les humbles,
il enseigne aux humbles son chemin.

Les voies du Seigneur sont amour et vérité
pour qui veille à son alliance et à ses lois.
Le secret du Seigneur est pour ceux qui le craignent ;
à ceux-là, il fait connaître son alliance.

Alléluia. Alléluia. Viens, Espérance des nations, Sauveur de tous les peuples ! Viens sauver ce qui était perdu. Alléluia.

Évangile de Jésus Christ selon saint Luc   1, 57-66

QUAND arriva le moment où Élisabeth devait enfanter, elle mit au monde un fils. Ses voisins et sa famille apprirent que le Seigneur lui avait prodigué sa miséricorde, et ils se réjouissaient avec elle. Le huitième jour, ils vinrent pour la circoncision de l'enfant. Ils voulaient le nommer Zacharie comme son père. Mais sa mère déclara : « Non, il s'appellera Jean. » On lui répondit : « Personne dans ta famille ne porte ce nom-là ! » On demandait par signes au père comment il voulait l'appeler. Il se fit donner une tablette sur laquelle il écrivit : « Son nom est Jean. » Et tout le monde en fut étonné. À l'instant même, sa bouche s'ouvrit, sa langue se délia : il parlait et il bénissait Dieu. La crainte saisit alors les gens du voisinage, et dans toute la montagne de Judée on racontait tous ces événements. Tous ceux qui les apprenaient en étaient frappés et disaient : « Que sera donc cet enfant ? » En effet, la main du Seigneur était avec lui.

PRIÈRE SUR LES OFFRANDES. Que cette offrande, Seigneur, où ton Église te présente la parfaite adoration de ton Fils, nous rétablisse dans ton amitié, pour que nous fêtions d'un cœur pur la naissance de notre Rédempteur. Lui qui règne avec toi pour les siècles des siècles.

PRÉFACE DE L'AVENT II ———————————— page 211

« Voici que je me tiens à la porte et je frappe, dit le Seigneur ; si quelqu'un entend ma voix, s'il m'ouvre, j'entrerai chez lui, je prendrai mon repas avec lui, et lui avec moi. »

PRIÈRE APRÈS LA COMMUNION. Accorde la paix, Seigneur, à ceux que tu as nourris d'un aliment spirituel, pour que jamais ne faiblisse leur vigilance à guetter la venue de ton Fils. Lui qui règne avec toi pour les siècles des siècles.

MÉDITATION DU JOUR

Le secret du Seigneur

L'Écriture exige de nous une joie telle que notre esprit, s'élevant au-dessus de lui-même, bondisse en quelque sorte à la rencontre du Seigneur et se plonge dans l'avenir avec une ardeur impatiente, pour devancer le Christ et le contempler... Qu'il en soit donc ainsi pour vous, mes frères, et qu'avant même son avènement, le Seigneur vienne à vous. Qu'avant d'apparaître au monde entier il vienne vous visiter familièrement, lui qui a dit : *Je ne vous laisserai pas orphelins ; je m'en vais, mais je vous reviendrai* (Jn **14**, 18). Il nous faut appeler de tous nos vœux et demander avec ferveur cet avènement familier qui nous donne la grâce du premier avènement et nous promet la gloire du dernier. Cet avènement spirituel, situé entre les deux avènements corporels du Christ, tient à la fois de l'un et de l'autre. Le premier fut humble et caché, le dernier sera éclatant et magnifique ; celui dont nous parlons est caché, mais il est également magnifique. Je le dis caché, non qu'il soit ignoré de celui pour qui il a lieu, mais parce qu'il advient secrètement en lui... Il arrive sans être vu et il s'éloigne sans qu'on s'en aperçoive. À elle seule, sa présence est lumière de l'âme et de l'esprit : en elle on voit l'invisible et on connaît l'inconnaissable. D'autre part, cet avènement du Seigneur, si caché qu'il soit, jette l'âme de celui qui le contemple dans une douce et heureuse admiration. Alors, du tréfonds de l'homme, jaillit ce cri : *Seigneur, qui est semblable à toi ?* (Ps **34**, 10). Ceux-là le savent qui

en ont fait l'expérience, et plaise à Dieu que ceux
qui ne l'ont pas faite en éprouvent le désir !

B^x GUERRIC D'IGNY

Prière du soir

TROPAIRE

V ous ne savez ni le jour ni l'heure   Stance
où viendra le Seigneur.
Veillez ! Le temps est court :
proche est maintenant le retour
du Fils de l'homme.

℟ Préparons les chemins du Seigneur.

L'heure est venue de sortir du sommeil,
voici le temps du salut !

Vous qui attendez le jour du Christ,
Dieu vous fera tenir jusqu'au bout.

Il vient avec tous les saints
dans la splendeur de sa gloire.

PSAUME 93   Appel au Dieu juste

D ieu qui fais justice, Seigneur,
Dieu qui fais justice, parais !
Lève-toi, juge de la terre ;
aux orgueilleux, rends ce qu'ils méritent.

Combien de temps les impies, Seigneur,
combien de temps vont-ils triompher ?
Ils parlent haut, ils profèrent l'insolence,
ils se vantent, tous ces malfaisants.

C'est ton peuple, Seigneur, qu'ils piétinent,
et ton domaine qu'ils écrasent ;

ils massacrent la veuve et l'étranger,
ils assassinent l'orphelin.

Ils disent : « Le Seigneur ne voit pas,
le Dieu de Jacob ne sait pas ! »
Sachez-le, esprits vraiment stupides ;
insensés, comprendrez-vous un jour ?

Lui qui forma l'oreille, il n'entendrait pas ? [+]
Il a façonné l'œil, et il ne verrait pas ?
il a puni des peuples et il ne châtierait plus ?

Lui qui donne aux hommes la connaissance, [+]
il connaît les pensées de l'homme,
et qu'elles sont du vent !

Heureux l'homme que tu châties, Seigneur,
celui que tu enseignes par ta loi,
pour le garder en paix aux jours de malheur,
tandis que se creuse la fosse de l'impie.

Car le Seigneur ne délaisse pas son peuple,
il n'abandonne pas son domaine :
on jugera de nouveau selon la justice ;
tous les hommes droits applaudiront.

Qui se lèvera pour me défendre des méchants ?
Qui m'assistera face aux criminels ?
Si le Seigneur ne m'avait secouru,
j'allais habiter le silence.

Quand je dis : « Mon pied trébuche ! »
ton amour, Seigneur, me soutient.
Quand d'innombrables soucis m'envahissent,
tu me réconfortes et me consoles.

Es-tu l'allié d'un pouvoir corrompu
qui engendre la misère au mépris des lois ?
On s'attaque à la vie de l'innocent,
le juste que l'on tue est déclaré coupable.

Mais le Seigneur était ma forteresse,
et Dieu, le rocher de mon refuge.
Il retourne sur eux leur méfait :
pour leur malice, qu'il les réduise au silence,
   qu'il les réduise au silence, le Seigneur notre Dieu.

Gloire au Père, et au Fils, et au Saint-Esprit...

Parole de Dieu
2 Pierre 3, 8-9

POUR LE SEIGNEUR, un seul jour est comme mille ans, et mille ans sont comme un seul jour. Le Seigneur n'est pas en retard pour tenir sa promesse, comme le pensent certaines personnes ; c'est pour vous qu'il patiente : car il n'accepte pas d'en laisser quelques-uns se perdre ; mais il veut que tous aient le temps de se convertir.

Ô Emmanuel, notre législateur et notre Roi,
espérance et salut des nations,
viens, Seigneur, viens nous sauver.

INTERCESSION

Avec ferveur, prions celui qui annonce aux pauvres la Bonne Nouvelle :

℟ Révèle à tous les hommes ta gloire !

Révèle-toi, Seigneur, à ceux qui ne t'ont pas reconnu,

Que ton nom soit porté aux extrémités de la terre,

Toi qui es déjà venu pour sauver le monde,

Toi qui nous appelles à la liberté,

Toi qui es né dans notre chair
et viendras pour le jugement,   Intentions libres

Notre Père... Car c'est à toi qu'appartiennent...

SAINTS
D'HIER ET D'AUJOURD'HUI

Que l'univers chante et crie de joie,
car le Seigneur vient !

SAINT YVES DE CHARTRES
Évêque (v. 1040-1116)

Formé à Beauvais puis à l'abbaye du Bec, il eut
comme maître Lanfranc (†1089) et comme
condisciple saint Anselme (†1109). Il était prévôt des
chanoines réguliers de Saint-Augustin,
à Saint-Quentin, lorsque le pape Urbain II l'appela,
en 1091, à succéder à l'évêque Godefroy de Chartres,
accusé de simonie. Lui-même combattit la cupidité
des dignitaires ecclésiastiques de l'époque, tandis que
sa dénonciation de l'adultère du roi Philippe Ier lui
valut la prison, un procès, et, deux ans plus tard,
l'acquittement.

SAINTE MARIE-MARGUERITE D'YOUVILLE
Mère de famille puis religieuse (1701-1771)

Marie-Marguerite Dufrost de la Jemmerais, veuve
d'Youville, a été canonisée en 1990 : elle est la
première sainte canonisée du Canada. Issue d'une
famille de forestiers de Varennes, elle devint de bonne
heure orpheline. Plus tard, elle dut aussi endurer la
mort de son mari et de quatre de ses enfants.
Lorsqu'elle s'éteignit, à Montréal, elle avait consacré
sa vie aux malheureux en fondant la congrégation des
Sœurs de la Charité.

Il y a un seul Dieu.
Nous ne le connaissons pas autrement, frères,
que par les Saintes Écritures.
Saint Hippolyte de Rome

JEUDI 24 DÉCEMBRE
Veille de Noël

Prière du matin

Aujourd'hui, le Seigneur va venir ;
demain, vous verrez sa gloire !

Gloire au Père, et au Fils, et au Saint-Esprit !

Hymne

Voici venir les temps
Où le Seigneur de Justice
Accomplira sa promesse de Paix
Pour tous les hommes qu'il aime !

La Vierge doit enfanter ;
Elle enfante le bonheur :
   Celui qui est venu
   Revient sur la nuée !

La main puissante de Dieu
Vous suscite un grand berger :
   Celui qui est venu
   Revient victorieux !

Il est lui-même la Paix,
Il est votre seul Sauveur :
   Celui qui est venu
   Revient pour notre joie !

Laissons-nous sanctifier
Dans le corps de Jésus ;
Et que ce corps très saint
Nous trouve en son offrande
Au jour du jugement !

Bienheureux qui a cru
Que s'accompliraient un jour
Les paroles de son Dieu
Pour tous les hommes qu'il aime !

PSAUME 146   Hymne au Dieu de vie

Il est bon de fêter notre Dieu,
il est beau de chanter sa louange !

Le Seigneur rebâtit Jérusalem,
il rassemble les déportés d'Israël ;
il guérit les cœurs brisés
et soigne leurs blessures.

Il compte le nombre des étoiles,
il donne à chacune un nom ;
il est grand, il est fort, notre Maître :
nul n'a mesuré son intelligence.
Le Seigneur élève les humbles
et rabaisse jusqu'à terre les impies.

Entonnez pour le Seigneur l'action de grâce,
jouez pour notre Dieu sur la cithare !

Il couvre le ciel de nuages,
il prépare la pluie pour la terre ;
il fait germer l'herbe sur les montagnes
et les plantes pour l'usage des hommes ;
il donne leur pâture aux troupeaux,
aux petits du corbeau, qui la réclament.

La force des chevaux n'est pas ce qu'il aime,
ni la vigueur des guerriers, ce qui lui plaît ;
mais le Seigneur se plaît avec ceux qui le craignent,
avec ceux qui espèrent son amour.

Gloire au Père, et au Fils, et au Saint-Esprit,
pour les siècles des siècles. Amen.

Dieu fort, notre seul Maître, nous te rendons grâce par
Jésus, notre Seigneur : par lui tu rebâtis l'Église, tu ras-
sembles l'humanité, tu pardonnes aux pécheurs, tu
élèves les humbles, tu abaisses l'orgueilleux, à tous tu
donnes la vie. Béni sois-tu pour ton amour !

Parole de Dieu
Isaïe 11, 1-2

UN RAMEAU sortira de la souche de Jessé, père de
David, un rejeton jaillira de ses racines. Sur lui reposera
l'esprit du Seigneur : esprit de sagesse et de discernement,
esprit de conseil et de force, esprit de connaissance et de
crainte du Seigneur, qui lui inspirera la crainte du
Seigneur.

> *Demain, le Seigneur viendra,*
> *vous verrez sa gloire !*

LOUANGE ET INTERCESSION

Prions dans la foi celui qui vient accomplir
la promesse :

℟   Sois avec nous, Emmanuel !

Ô Christ, venu partager notre vie,
relève-nous, remodèle en nous ton image.

Toi qui es né dans le monde
pour dire aux hommes l'Évangile,
donne-nous assez de foi pour l'accueillir.

Nous désirons connaître ton visage :
réjouis-nous bientôt par ta naissance.

Tu es béni, toi qui règnes sur toutes choses ;
tiens-nous dans l'espérance de ta splendeur.

Intentions libres

Seigneur Jésus, hâte-toi, ne tarde plus : que ta venue réconforte et relève ceux qui ont foi dans ton amour. Toi qui règnes avec le Père et le Saint-Esprit, maintenant et pour les siècles des siècles. Amen.

LA MESSE

Messe du matin du 24 décembre

● *LA VENUE DU CHRIST devait ouvrir la phase finale de l'histoire religieuse de l'humanité, « la plénitude des temps ». L'antienne d'ouverture annonce cette heure décisive avec solennité. Mais, deux mille ans après la naissance de Jésus, tant d'hommes vivent encore sans savoir que « Dieu a envoyé son Fils sur la terre » ! C'est pourquoi la prière de l'Église semble vouloir faire violence au Seigneur : « Seigneur Jésus, hâte-toi, ne tarde plus » (prière d'ouverture).* ●

Voici venue la plénitude des temps : Dieu a envoyé son Fils sur la terre.

PRIÈRE ————————————————————————— ci-dessus

Lecture du second livre de Samuel   7, 1... 16

L E ROI DAVID était enfin installé dans sa maison, à Jérusalem. Le Seigneur lui avait accordé des jours tranquilles en le délivrant de tous les ennemis qui l'entouraient. Le roi dit alors au prophète Nathan : « Regarde ! J'habite dans une maison de cèdre, et l'arche de Dieu habite sous la tente ! » Nathan répondit au roi : « Tout ce que tu as l'intention de faire, fais-le, car le Seigneur est avec toi. » Mais, cette nuit-là, la parole du Seigneur fut adressée à Nathan : « Va dire à mon serviteur David : Ainsi parle le Seigneur : Est-ce toi qui me bâtiras une maison pour que j'y habite ? C'est moi qui t'ai

pris au pâturage, derrière le troupeau, pour que tu sois
le chef de mon peuple Israël. J'ai été avec toi dans tout
ce que tu as fait, j'ai abattu devant toi tous tes ennemis. Je te ferai un nom aussi grand que celui des plus
grands de la terre. Je fixerai en ce lieu mon peuple
Israël, je l'y planterai, il s'y établira, et il ne tremblera
plus, et les méchants ne viendront plus l'humilier,
comme ils l'ont fait depuis le temps où j'ai institué les
Juges pour conduire mon peuple Israël. Je te donnerai
des jours tranquilles en te délivrant de tous tes ennemis. Le Seigneur te fait savoir qu'il te fera lui-même
une maison. Quand ta vie sera achevée et que tu repo-
seras auprès de tes pères, je te donnerai un successeur
dans ta descendance, qui sera né de toi, et je rendrai
stable sa royauté. Je serai pour lui un père, il sera pour
moi un fils. Ta maison et ta royauté subsisteront toujours devant moi, ton trône sera stable pour toujours. »

• PSAUME 88 •

Sans fin, Seigneur, nous chanterons ton amour !

L'amour du Seigneur, sans fin je le chante ;
ta fidélité, je l'annonce d'âge en âge.
Je le dis : C'est un amour bâti pour toujours ;
ta fidélité est plus stable que les cieux.

« Avec mon élu, j'ai fait une alliance,
j'ai juré à David, mon serviteur :
J'établirai ta dynastie pour toujours,
je te bâtis un trône pour la suite des âges.

« Il me dira : Tu es mon Père,
mon Dieu, mon roc et mon salut !
Sans fin je lui garderai mon amour,
mon alliance avec lui sera fidèle. »

Alléluia. Alléluia. Viens, Soleil levant, splendeur de justice et lumière éternelle ! Illumine ceux qui habitent les ténèbres et l'ombre de la mort. Alléluia.

Évangile de Jésus Christ selon saint Luc 1, 67-79

A LA NAISSANCE de Jean Baptiste, Zacharie, son père, fut rempli de l'Esprit Saint et prononça ces paroles prophétiques : « Béni soit le Seigneur, le Dieu d'Israël, parce qu'il a visité son peuple pour accomplir sa libération. Dans la maison de David, son serviteur, il a fait se lever une force qui nous sauve. C'est ce qu'il avait annoncé autrefois par la bouche de ses saints prophètes : le salut qui nous délivre de nos adversaires, des mains de tous nos ennemis. Il a montré sa miséricorde envers nos pères, il s'est rappelé son Alliance sainte : il avait juré à notre père Abraham qu'il nous arracherait aux mains de nos ennemis, et nous donnerait de célébrer sans crainte notre culte devant lui, dans la piété et la justice, tout au long de nos jours. Et toi, petit enfant, on t'appellera prophète du Très-Haut, car tu marcheras devant le Seigneur pour lui préparer le chemin, pour révéler à son peuple qu'il est sauvé, que ses péchés sont pardonnés. Telle est la tendresse du cœur de notre Dieu ; grâce à elle, du haut des cieux, un astre est venu nous visiter ; il est apparu à ceux qui demeuraient dans les ténèbres et dans l'ombre de la mort, pour guider nos pas sur le chemin de la paix. »

PRIÈRE SUR LES OFFRANDES. Dans ta bonté, Seigneur, accepte ces dons, pour qu'ils deviennent la nourriture qui nous libère de nos péchés et prépare nos cœurs à la venue glorieuse de ton Fils. Lui qui règne avec toi pour les siècles des siècles.

PRÉFACE DE L'AVENT II ———————————— page 211

Béni soit le Seigneur Dieu d'Israël : il visite et rachète son peuple.

PRIÈRE APRÈS LA COMMUNION. Tu nous as renouvelés, Seigneur, par cette communion, et nous te supplions encore : alors que nous célébrons déjà l'adorable naissance de ton Fils, donne-nous d'accueillir dans la joie le présent de son royaume. Lui qui règne avec toi pour les siècles des siècles.

LECTURES DE LA MESSE DU 24 AU SOIR

- Isaïe **62**, 1-5
- Psaume 88
- Actes **13**, 16-17.22-25
- Matthieu **1**, 1-25

Prière du soir

HYMNE

Veilleurs, dites-nous
Où en est la nuit !
Veilleurs, savez-vous
Si le ciel pâlit ?
Amis, levez-vous,
Chantez aujourd'hui :

Gloire à Dieu,
Au plus haut
Des cieux !

Le Fils de Marie
Jésus, le Messie
Apporte la paix :
Le peuple connaît
Une immense joie
Qui n'en finit pas :

Gloire à Dieu,
Au plus haut
Des cieux !

Seigneur, Roi du ciel,
Seigneur, Éternel,
Père très aimant,
Père tout-puissant,
Dieu qui n'es pas loin,
Dieu qui tends la main,

Nous te bénissons, nous te glorifions,
Nous célébrons, nous adorons
Ta gloire !

DEMAIN, VOUS VERREZ SA GLOIRE

Demain, c'est Noël, puis son octave, puis le temps
de la manifestation du Seigneur ! Déjà ! J'aurais voulu,
cette année, me préparer à entrer plus avant dans le
mystère. J'aurais voulu habiller mon cœur de neuf. Et
me voilà pris de court, vieux d'une vieillesse que je
crains sans remède.

C'est la parole de Dieu, qui crée, et qui recrée nos
cœurs. Elle se fait proche aujourd'hui. Les préparations
sont nécessaires, certes, et il y a un temps pour les préparations. Mais quelle fut celle du premier jour sinon
un vide où se perd notre imagination ?

Quelle fut celle de la naissance du Christ sinon le
silence au milieu de la nuit ?

Quelle fut celle de l'avènement de l'Esprit sinon la
paix du Cénacle ? Dieu vient. Il nous donne sa parole.
Il ne faut pas s'affairer, mais faire de la place. Il nous
faut écouter.

Les textes liturgiques te conduiront à cette Parole
éternelle qui se fait entendre dans le temps. Aucune ne
dit tout du mystère. Il n'en est pas qui n'omette des

aspects importants ou des considérations utiles. Elles constituent un ensemble où avancer doucement. Être patient. Il ne s'agit pas d'apprendre, mais d'aller au Dieu fait homme. Si, par grâce, tu le rencontres au détour d'une page, peu importe ce qu'on aurait pu dire ou ne pas dire ici ou là. Notre joie de Noël c'est de trouver la lumière *qui éclaire tout homme* en ce monde.

Jean Canivez

INTERCESSION

Adorons le Christ qui s'est fait semblable à nous, sauf le péché. Prions-le avec la ferveur de la foi :

℟ Jésus, notre Sauveur et notre frère, exauce-nous !

En venant dans le monde, tu as inauguré le temps prédit par les prophètes :
– donne à ton Église une nouvelle jeunesse.

Tu as partagé la faiblesse humaine :
– sois la force des faibles.

Tu es né humble et pauvre :
– souviens-toi de ceux qui sont humiliés.

Ta venue nous donne l'espérance de l'éternité :
– accorde aux mourants la certitude de vivre.

Tu es descendu du ciel pour nous y conduire :
– associe les défunts à ta gloire.

Intentions libres

Notre Père...

Car c'est à toi qu'appartiennent
le règne, la puissance et la gloire,
pour les siècles des siècles !

Saints
D'hier et d'aujourd'hui

Cieux, répandez votre justice,
que des nuées vienne le salut !

Bienheureux Barthélemy-Marie dal Monte
Prêtre (1726-1778)

« Fils de prières et d'aumônes », c'est ainsi que le désignaient les employés de la banque de son père, à Bologne : ses parents l'avaient en effet confié, par un vœu, à l'intercession de saint François de Paule, quatre enfants étant morts auparavant en bas âge. À sa première communion, il décide de faire « chaque semaine une heure d'adoration devant Jésus Sacrement et de communier chaque jour des vacances ». L'influence de sa mère a été prépondérante dans sa formation chrétienne. Mais une rude opposition lui vient de la part de son père. Finalement, la rencontre de saint Léonard de Port-Maurice est décisive : il est ordonné prêtre en 1749. Il déploie alors une activité missionnaire immense : en vingt-six ans de vie sacerdotale, il prêche, dans soixante-deux diocèses, des centaines de missions populaires, des retraites de Carême pour le clergé, les religieux, les laïcs, jusqu'à Rome – place Navone et dans l'église du Gesù, en préparation à l'année sainte 1775 –, obtenant des conversions et des réconciliations innombrables.

Homme, éveille-toi : pour toi, Dieu s'est fait homme.
Tu serais mort pour l'éternité
s'il n'était né dans le temps.
Saint Augustin d'Hippone

REFLETS D'ÉVANGILE

La grande joie   *Luc 2, 1-14*

Une naissance, c'est comme un fruit qui perce et s'épanouit sur l'arbre immense qu'est le monde. Une place doit être faite à l'être qui vient, la sienne, mais aussi, en prospective, celle-là même de son destin. L'équilibre existant est alors rompu, d'autres relations et d'autres rythmes surgissent à sa relève. Le cours des événements et l'enchaînement des faits sont eux-mêmes atteints. Dans l'histoire s'ouvre une brèche, et le temps lui-même se trouve ponctué d'un repère nouveau, une date. Ainsi en va-t-il quand le moindre des humains voit le jour, égal en tout à tout autre dans sa primordiale nudité. Telle une onde irrésistible, une joie contagieuse gagne alors l'humanité pour résonner à même la planète. Il semble qu'en ce dernier-né ce soit le premier homme qui accède à la vie. Or, voici qu'un jour le niveau et l'impact de ce bouleversement universel ont atteint leur sommet, avec la naissance de Jésus, le Fils de Dieu. Du plus misérable des lieux, l'histoire politique du monde s'est trouvée touchée : un choc jamais connu traversa Rome et son empire de ses effets irradiants. Par le plus démuni des nouveau-nés, le roi d'Israël se vit à tout jamais rétabli, mais sur un trône dont la juridiction recouvre et même déborde l'univers. Et la plus dérisoire des naissances mobilisa l'armée entière des agents célestes. Un ordre nouveau des êtres et des choses fut dès lors proclamé. La règle d'or en est la paix du côté des hommes, la gloire du côté de Dieu.   T. C

MESSE DE LA NUIT

● « *Tous ensemble, réjouissons-nous* », telle est l'invitation qui ouvre la messe de la nuit de Noël (a. d'ouverture). Mais, par-delà l'événement dont l'Évangile nous fait le récit, il nous faut découvrir son contenu : dans l'enfant qui vient de naître nous adorons « Dieu qui s'est rendu visible à nos yeux » (première préface), le fils de la femme en qui « notre nature est unie à celle de Dieu » (p. sur les offrandes). Telle est « la lumière qui fait resplendir cette nuit très sainte » (p. d'ouverture). Noël n'est pas seulement l'évocation d'un événement passé. Au moment de communier, nous chantons : « Le Verbe s'est fait chair, et nous avons vu sa gloire » (a. de la communion). Dans l'eucharistie, le Christ, né de la Vierge Marie, se fait le pain de notre route, pour soutenir notre montée « jusqu'à la communion glorieuse » avec lui (p. après la communion) dans « la plénitude de sa joie » (p. d'ouverture). ●

Tous ensemble, réjouissons-nous ; dans le monde un enfant est né : Dieu notre Sauveur ! Aujourd'hui la paix véritable vient du ciel sur notre terre !

Ou bien :

Le Seigneur m'a dit : « Tu es mon Fils, moi, aujourd'hui, je t'ai engendré. »

GLOIRE À DIEU ——————————————————— page 205

PRIÈRE. Seigneur, tu as fait resplendir cette nuit très sainte des clartés de la vraie lumière ; de grâce, accorde-nous qu'illuminés dès ici-bas par la révélation de ce mystère, nous goûtions dans le ciel la plénitude de sa joie. Par Jésus Christ.

Lecture du livre d'Isaïe
9, 1-6

L E PEUPLE qui marchait dans les ténèbres a vu se lever une grande lumière ; sur ceux qui habitaient le pays de l'ombre, une lumière a resplendi. tu as prodigué l'allégresse, tu as fait grandir la joie ; ils se réjouissent devant toi comme on se réjouit en faisant la moisson, comme on exulte en partageant les dépouilles des vaincus. Car le joug qui pesait sur eux, le bâton qui meurtrissait leurs épaules, le fouet du chef de corvée, tu les as brisés comme au jour de la victoire sur Madiane. Toutes les chaussures des soldats qui piétinaient bruyamment le sol, tous leurs manteaux couverts de sang, les voilà brûlés : le feu les a dévorés. Oui ! un enfant nous est né, un fils nous a été donné ; l'insigne du pouvoir est sur son épaule ; on proclame son nom : « Merveilleux-Conseiller, Dieu-Fort, Père-à-jamais, Prince-de-la-Paix. » Ainsi le pouvoir s'étendra, la paix sera sans fin pour David et pour son royaume. Il sera solidement établi sur le droit et la justice dès maintenant et pour toujours. Voilà ce que fait l'amour invincible du Seigneur de l'univers.

— • Psaume 95 • —

Aujourd'hui, un Sauveur nous est né :
c'est le Christ, le Seigneur.

Chantez au Seigneur un chant nouveau,
chantez au Seigneur, terre entière,
chantez au Seigneur et bénissez son nom !

De jour en jour, proclamez son salut,
racontez à tous les peuples sa gloire,
à toutes les nations ses merveilles !

Joie au ciel ! Exulte la terre !
Les masses de la mer mugissent,
la campagne tout entière est en fête.

Les arbres des forêts dansent de joie
devant la face du Seigneur, car il vient,
pour gouverner le monde avec justice.

Lecture de la lettre
de saint Paul Apôtre à Tite   2, 11-14

L A GRÂCE de Dieu s'est
manifestée pour le salut
de tous les hommes. C'est elle qui nous apprend à rejeter le péché et les passions d'ici-bas, pour vivre dans le
monde présent en hommes raisonnables, justes et religieux, et pour attendre le bonheur que nous espérons
avoir quand se manifestera la gloire de Jésus Christ,
notre grand Dieu et notre Sauveur. Car il s'est donné
pour nous afin de nous racheter de toutes nos fautes,
et de nous purifier pour faire de nous son peuple, un
peuple ardent à faire le bien.

Alléluia. Alléluia. Je vous annonce une grande joie.
Aujourd'hui nous est né un Sauveur : c'est le Messie, le
Seigneur ! Alléluia.

Évangile de Jésus Christ selon saint Luc   2, 1-14

E N CES JOURS-LÀ, parut
un édit de l'empereur
Auguste, ordonnant de recenser toute la terre – ce premier recensement eut lieu lorsque Quirinius était gouverneur de Syrie. Et chacun allait se faire inscrire dans sa
ville d'origine. Joseph, lui aussi, quitta la ville de Nazareth en Galilée, pour monter en Judée, à la ville de David
appelée Bethléem, car il était de la maison et de la descendance de David. Il venait se faire inscrire avec Marie,
son épouse, qui était enceinte. Or, pendant qu'ils étaient
là, arrivèrent les jours où elle devait enfanter. Et elle mit
au monde son fils premier-né ; elle l'emmaillota et le cou-
cha dans une mangeoire, car il n'y avait pas de place pour
eux dans la salle commune. Dans les environs se trou-
vaient des bergers qui passaient la nuit dans les champs
pour garder leurs troupeaux. L'ange du Seigneur s'ap-

procha, et la gloire du Seigneur les enveloppa de sa lumière. Ils furent saisis d'une grande crainte, mais l'ange leur dit : « Ne craignez pas, car voici que je viens vous annoncer une bonne nouvelle, une grande joie pour tout le peuple : aujourd'hui vous est né un Sauveur, dans la ville de David. Il est le Messie, le Seigneur. Et voilà le signe qui vous est donné : vous trouverez un nouveau-né emmailloté et couché dans une mangeoire. » Et soudain, il y eut avec l'ange une troupe céleste innombrable, qui louait Dieu en disant : « Gloire à Dieu au plus haut des cieux, et paix sur la terre aux hommes qu'il aime. »

CREDO ———————————————————— page 207

PRIÈRE SUR LES OFFRANDES. Accepte, Seigneur, notre sacrifice en cette nuit de Noël ; et, dans un prodigieux échange, nous deviendrons semblables à ton Fils en qui notre nature est unie à la tienne. Lui qui règne avec toi pour les siècles des siècles.

PRÉFACE DE LA NATIVITÉ I, II OU III ————— pages 211 et 212

PRIÈRE EUCHARISTIQUE I, II OU III ————— pages 213 à 221

Le Verbe s'est fait chair, et nous avons vu sa gloire.

PRIÈRE APRÈS LA COMMUNION. Joyeux de célébrer dans ces mystères la naissance de notre Rédempteur, nous te prions, Seigneur notre Dieu : donne-nous de parvenir, après une vie toujours plus fidèle, jusqu'à la communion glorieuse avec ton Fils bien-aimé. Lui qui règne avec toi.

BÉNÉDICTION SOLENNELLE ———————————— page 227

LECTURES DE LA MESSE DE L'AURORE

- Isaïe **62**, 11-12
- Psaume 96
- Tite **3**, 4-7
- Luc **2**, 15-20

Des idées

pour célébrer

■ L'ouverture de la célébration ■

À pleine voix, chantons pour Dieu F 180 (*MNA* 32.52) constitue un très bon chant d'entrée par son caractère festif et solennel ; mais on pourra préférer *Peuple fidèle* F 5 (*MNA* 32.83) ; ou bien encore *Aujourd'hui dans notre monde* F 47 (*MNA* 32.53), à l'ambiance plus douce. Dans tous les cas, il sera important, pour cette fête qui rassemble des chrétiens de tous horizons, de faire appel à des chants populaires traditionnels inscrits dans les mémoires, afin de créer dès le début de la célébration un climat de confiance et de joie sereine, dans lequel tous pourront entrer et se sentir accueillis. À un rite pénitentiel sobre succédera un Gloire à Dieu festif et chanté intégralement ; on aura le souci également qu'il soit bien connu de tous, comme *Gloire à Dieu, paix aux hommes* F 156-1 (*MNA* 20.81), *Gloire à Dieu dans le ciel* C 242-1, Gloire à Dieu « de saint Ignace » PS 20 (*MNA* 20.82), ou pourquoi pas celui de la *Messe des anges* (*MNA* 20.71) !

■ La liturgie de la Parole ■

Le psaume 97 est une vibrante invitation adressée à la « terre entière » à célébrer les merveilles du Seigneur en qui se révèlent son « amour » et sa « fidélité ». On s'efforcera donc de mettre en œuvre tous les moyens dont on dispose pour que ce psaume soit effectivement vécu comme tel pour toute l'assemblée en fête. Les antiennes les plus connues sont bien évidemment celles de *Terre entière, acclame Dieu* A 34, *Terre entière, chante ta joie* I 33, mais on pourra aller voir également celles proposées dans le *Psautier des dimanches, Église qui chante* (année A), n° 31 par exemple. Les versets seront bien sûr chantés intégralement.

Pour l'acclamation à l'Évangile, *Alléluia, louez le Seigneur* Z 150 sera le bienvenu, ou *Alléluia de Noël* U 13.74 (*MNA* 32.21). On pourra trouver également des Alléluia avec versets de Noël (Berthier, Revert...) dans *Choristes* n°s 64 et 76, ainsi que dans *Église qui chante* n° 265 (p. 17), qui a réalisé une adaptation de *Dieu règne* I 47, bien connu maintenant grâce aux JMJ. Si l'on veut un chant après la Parole, on pourra prendre *Christ, manifesté dans notre chair* (*MNA* 32.42) ou, s'il n'a pas été chanté au début, *Aujourd'hui dans notre monde* F 47 (*MNA* 32.53).

Lors de la profession de foi (symbole de Nicée-Constantinople), on prendra soin aujourd'hui de marquer une pause après « et s'est fait homme ». Un court refrain pourrait même venir souligner ce moment, par exemple celui du *Verbe s'est fait chair* D 155.

Pour la prière universelle : *Sur la terre des hommes, fais briller, Seigneur, ton amour* Y 55 (n° 14) ou *Christ, sois notre lumière !* Y 27 (n° 8, *MNA* 32.32).

■ La liturgie eucharistique ■

Le Sanctus pourrait être tiré de la messe *Jésus, ma joie* A 180 : il utilise un choral de l'*Oratorio de Noël* de J.-S. Bach. Mais on peut aussi prendre *Dieu saint, Dieu juste et saint* A 129 ou *Hosanna, hosanna* C 220-1, qui sont très accessibles même à cette assemblée composite, ou encore *Saint, le Seigneur* C 96 (*MNA* 26.17). Comme anamnèse, *Venu en notre chair* C 72 s'impose naturellement (*MNA* 32.40). On pourrait mettre en valeur la doxologie en chantant la formule proposée par *Choristes* n° 86-87 ou, plus simplement, doubler l'Amen en mettant bout à bout les deux versions officielles. Le chant de fraction pourrait être *Agneau de Dieu, qui prends nos péchés* D 261-1 (*MNA* 28.18). *Le Verbe s'est fait chair* D 155 fera un très beau processionnal de communion ou, si on ne l'a pas chanté au début, *À pleine voix, chantons pour Dieu* F 180 (*MNA* 32.52). Ou bien, après la communion, *Voici la paix sur nous* F 213, *Le Jour de Dieu sur nous a lui* F 69.

■ L'envoi ■

Enfin, l'envoi se fera dans la joie avec *Seigneur, tu fais merveille* F 169 (*MNA* 32.62), ou *Il est né le divin enfant* F 56 (*MNA* 32.77), aux multiples possibilités de mise en œuvre polyphoniques et instrumentales.

X. L.

■ La prière universelle ■

Dans la joie de Noël, prions avec confiance le Dieu qui nous envoie un sauveur.

En ce jour de Noël, où tant de chrétiens sont réunis pour célébrer la naissance du Sauveur, prions pour l'Église afin qu'elle annonce au monde la joie de cette Bonne Nouvelle.

En ce jour de Noël, où tant de personnes souffrent de la solitude, prions pour que les gestes de partage et d'amitié se multiplient à leur égard.

En ce jour de Noël, où nous sommes rassemblés dans cette église, prions pour les enfants, les jeunes, les personnes âgées qui ne sont pas avec nous.

Gloire à toi, notre Père, et paix aux hommes que tu aimes et pour lesquels nous te prions : que ton fils Jésus Emmanuel leur apporte la paix et la joie, lui qui règne.

NOËL !

Prière du matin

Le Christ, Soleil de justice est né pour nous, alléluia !
Venez, adorons le Fils de la Vierge Marie !

Louez le Seigneur, tous les peuples ; Ps 116
fêtez-le, tous les pays !

Son amour envers nous s'est montré le plus fort ;
éternelle est la fidélité du Seigneur !

Gloire au Père, et au Fils, et au Saint-Esprit,
pour les siècles des siècles. Amen.

HYMNE

Aujourd'hui dans notre monde Le Verbe est né
Pour parler du Père
  aux hommes qu'il a tant aimés.
Et le ciel nous apprend le grand mystère :

℟ Gloire à Dieu et paix sur terre, alléluia !

Aujourd'hui dans nos ténèbres le Christ a lui
Pour ouvrir les yeux
  des hommes qui vont dans la nuit.
L'univers est baigné de sa lumière.

PSAUME 106 (I)   Reconnaître l'amour du Seigneur

Histoire du peuple élu, histoire de l'Église, notre histoire.

Rendez grâce au Seigneur : Il est bon !
Éternel est son amour !

Ils le diront, les rachetés du Seigneur,
qu'il racheta de la main de l'oppresseur,

qu'il rassembla de tous les pays,
du nord et du midi, du levant et du couchant.

Certains erraient dans le désert   la soif
    sur des chemins perdus, *
sans trouver de ville où s'établir :
ils souffraient la faim et la soif,
ils sentaient leur âme défaillir.

    Dans leur angoisse, ils ont crié vers le Seigneur,
        et lui les as tirés de la détresse :
il les conduit sur le bon chemin,
les mène vers une ville où s'établir.

    Qu'ils rendent grâce au Seigneur de son amour,
        de ses merveilles pour les hommes :
car il étanche leur soif,
il comble de biens les affamés !

Certains gisaient dans les ténèbres mortelles   la prison
captifs de la misère et des fers :
ils avaient bravé les ordres de Dieu
et méprisé les desseins du Très-Haut ;
soumis par lui à des travaux accablants,
ils succombaient, et nul ne les aidait.

    Dans leur angoisse, ils ont crié vers le Seigneur,
        et lui les a tirés de la détresse :
il les délivre des ténèbres mortelles,
il fait tomber leurs chaînes.

    Qu'ils rendent grâce au Seigneur de son amour,
        de ses merveilles pour les hommes :
car il brise les portes de bronze,
il casse les barres de fer !

Certains, égarés par leur péché,   la maladie
ployaient sous le poids de leurs fautes :
ils avaient toute nourriture en dégoût,
ils touchaient aux portes de la mort.

Dans leur angoisse, ils ont crié vers le Seigneur,
et lui les a tirés de la détresse :
il envoie sa parole, il les guérit,
il arrache leur vie à la fosse.

Qu'ils rendent grâce au Seigneur de son amour,
de ses merveilles pour les hommes :
qu'ils offrent des sacrifices d'action de grâce,
à pleine voix qu'ils proclament ses œuvres !

Gloire au Père, et au Fils, et au Saint-Esprit,
pour les siècles des siècles. Amen.

Parole de Dieu
Luc 2, 15-20

LES BERGERS se disaient entre eux : « Allons jusqu'à Bethléem pour voir ce qui est arrivé, et que le Seigneur nous a fait connaître. » Ils se hâtèrent d'y aller, et ils découvrirent Marie et Joseph, avec le nouveau-né couché dans la mangeoire. Après l'avoir vu, ils racontèrent ce qui leur avait été annoncé au sujet de cet enfant. Et tout le monde s'étonnait de ce que racontaient les bergers. Marie, cependant, retenait tous ces événements et les méditait dans son cœur. Les bergers repartirent ; ils glorifiaient et louaient Dieu pour tout ce qu'ils avaient entendu et vu selon ce qui leur avait été annoncé.

Le Verbe s'est fait chair, alléluia,
il a habité parmi nous, alléluia.

LOUANGE ET INTERCESSION

Seigneur, Jésus Christ,
Seigneur, Fils béni,
Verbe créateur,
Verbe rédempteur,

Jésus, Bien-Aimé,
Enfant, nouveau-né,
  Nous te bénissons, nous te glorifions,
  Nous célébrons, nous adorons
    Ta gloire !

Toi l'Emmanuel,
Chair de notre chair,
  Tiens-nous en ton corps.
Envoyé de Dieu,
Partout rejeté,
  Perçois nos appels.
Parole de Dieu,
Oracle sans voix,
  Deviens notre cri.
Lumière de Dieu
Voilée par la nuit,
  Dessille nos yeux.
Prince de la vie,
Promis à la mort,
  Fais taire nos peurs.

Chargé du pouvoir,
Plus faible que tous,
  Assure nos pas.
Enfant du Très-Haut
Venu jusqu'à nous,
  Retourne nos vies.
Fils du roi David,
Fils d'un sang pécheur,
  Enlève nos torts.
Saint Agneau de Dieu
Vainqueur de tout mal,
  Prends-nous en pitié.
Seul Agneau Sauveur
De l'homme perdu,

   Prends-nous en pitié.
Toi, le Défenseur
Près du cœur de Dieu,
   Prends-nous en pitié.

Car tu es Seigneur,
Le Saint, le Très-Haut,
L'Amour, le Dieu Fort
Avec l'Esprit Saint
Dans la majesté
Du Père des cieux !
   Nous te bénissons, nous te glorifions,
   Nous célébrons, nous adorons
   Ta gloire !

En Jésus, aujourd'hui, nous pouvons dire la prière des
fils de Dieu : Notre Père...

MESSE DU JOUR

Un enfant nous est né, un fils nous a été donné ; l'insigne du
pouvoir est sur son épaule ; on l'appelle Messager de Dieu.

GLOIRE À DIEU ————————————————— page 205

PRIÈRE. Père, toi qui as merveilleusement créé l'homme et
plus merveilleusement encore rétabli sa dignité, fais-nous
participer à la divinité de ton Fils, puisqu'il a voulu prendre
notre humanité. Lui qui règne avec toi et le Saint-Esprit.

Lecture du livre d'Isaïe   52, 7-10

COMME IL EST BEAU de voir
courir sur les montagnes
le messager qui annonce la paix, le messager de la
bonne nouvelle, qui annonce le salut, celui qui vient
dire à la cité sainte : « Il est roi, ton Dieu ! » Écoutez
la voix des guetteurs, leur appel retentit, c'est un seul
cri de joie ; ils voient de leurs yeux le Seigneur qui

revient à Sion. Éclatez en cris de joie, ruines de Jérusalem, car le Seigneur a consolé son peuple, il rachète Jérusalem ! Le Seigneur a montré la force divine de son bras aux yeux de toutes les nations. Et, d'un bout à l'autre de la terre, elles verront le salut de notre Dieu.

• Psaume 97 •

La terre entière a vu le Sauveur que Dieu nous donne.

Chantez au Seigneur un chant nouveau,
car il a fait des merveilles ;
par son bras très saint, par sa main puissante,
il s'est assuré la victoire.

Le Seigneur a fait connaître sa victoire
et révélé sa justice aux nations ;
il s'est rappelé sa fidélité, son amour,
en faveur de la maison d'Israël.

La terre tout entière a vu
la victoire de notre Dieu.
Acclamez le Seigneur, terre entière,
sonnez, chantez, jouez !

Jouez pour le Seigneur sur la cithare,
sur la cithare et tous les instruments ;
au son de la trompette et du cor,
acclamez votre roi, le Seigneur !

Commencement de la lettre aux Hébreux — 1, 1-6

S OUVENT, dans le passé,
Dieu a parlé à nos pères
par les prophètes sous des formes fragmentaires et
variées ; mais, dans les derniers temps, dans ces jours
où nous sommes, il nous a parlé par ce Fils qu'il a établi
héritier de toutes choses et par qui il a créé les
mondes. Reflet resplendissant de la gloire du Père,

expression parfaite de son être, ce Fils qui porte toutes choses par sa parole puissante, après avoir accompli la purification des péchés, s'est assis à la droite de la Majesté divine au plus haut des cieux ; et il est bien placé au-dessus des anges, car il possède par héritage un nom bien plus grand que les leurs. En effet, Dieu n'a jamais dit à un ange : Tu es mon Fils, aujourd'hui je t'ai engendré. Ou bien encore : Je serai pour lui un père, il sera pour moi un fils. Au contraire, au moment d'introduire le Premier-né dans le monde à venir, il dit : Que tous les anges de Dieu se prosternent devant lui.

Alléluia. Alléluia. Aujourd'hui la lumière a brillé sur la terre. Peuples de l'univers, entrez dans la clarté de Dieu ; venez tous adorer le Seigneur. Alléluia.

Commencement de l'Évangile
de Jésus Christ selon saint Jean
1, 1-18

AU COMMENCEMENT était le Verbe, la Parole de Dieu, et le Verbe était auprès de Dieu, et le Verbe était Dieu. Il était au commencement auprès de Dieu. Par lui, tout s'est fait, et rien de ce qui s'est fait ne s'est fait sans lui. En lui était la vie, et la vie était la lumière des hommes ; la lumière brille dans les ténèbres, et les ténèbres ne l'ont pas arrêtée. (Arrêt de la lecture brève)

Il y eut un homme envoyé par Dieu. Son nom était Jean. Il était venu comme témoin, pour rendre témoignage à la Lumière, afin que tous croient par lui. Cet homme n'était pas la Lumière, mais il était là pour lui rendre témoignage. (Reprise de la lecture brève)

Le Verbe était la vraie Lumière, qui éclaire tout homme en venant dans le monde. Il était dans le monde, lui par qui le monde s'était fait, mais le monde ne l'a pas reconnu. Il est venu chez les siens, et les siens ne l'ont pas reçu. Mais tous ceux qui l'ont reçu, ceux qui croient en son nom, il leur a donné de pouvoir devenir enfants de Dieu. Ils ne sont pas nés de la chair et du sang, ni d'une volonté charnelle, ni d'une volonté d'homme : ils sont nés de Dieu. Et le Verbe s'est fait chair, il a habité parmi nous, et nous avons vu sa gloire, la gloire qu'il tient de son Père comme Fils unique, plein de grâce et de vérité. (Fin de la lecture brève)

Jean Baptiste lui rend témoignage en proclamant : « Voici celui dont j'ai dit : Lui qui vient derrière moi, il a pris place devant moi car avant moi il était. » Tous nous avons eu part à sa plénitude, nous avons reçu grâce après grâce : après la Loi communiquée par Moïse, la grâce et la vérité sont venues par Jésus Christ. Dieu, personne ne l'a jamais vu ; le Fils unique, qui est dans le sein du Père, c'est lui qui a conduit à le connaître.

CREDO ——————————————————— page 207

Prière sur les offrandes. Accepte, Seigneur l'offrande que nous te présentons en ce jour de fête : car elle est le sacrifice qui nous rétablit dans ton Alliance et fait monter vers toi la parfaite louange. Par Jésus, le Christ, notre Seigneur.

Préface de la Nativité I, II ou III ——— pages 211 et 212

Prière eucharistique I, II ou III ——— pages 213 à 221

Sur toute l'étendue de la terre, on a vu le salut de notre Dieu.

Prière après la communion. Nous t'en prions, Dieu notre Père, puisque le Sauveur du monde, en naissant aujourd'hui, nous a fait naître à la vie divine, qu'il nous donne aussi l'immortalité. Lui qui règne avec toi.

Bénédiction solennelle ——————————— page 227

—————— • ——————

MÉDITATION DU JOUR

—————— • ——————

Il est juste de t'offrir notre action de grâce

Mes bien-aimés, il nous faut donc rendre grâce à Dieu le Père, par son Fils, dans l'Esprit Saint ; avec la grande miséricorde dont il nous a aimés, il nous a pris en pitié, et alors que nous étions morts par suite de nos fautes, il nous a fait revivre avec le Christ pour que nous soyons en lui une nouvelle création, une nouvelle œuvre de ses mains.

Rejetons donc l'homme ancien avec ses agissements, et puisque nous sommes admis à participer à la naissance du Christ, renonçons à notre conduite charnelle.

Chrétien, prends conscience de ta dignité. Puisque tu participes maintenant à la nature divine, ne dégénère pas en revenant à la déchéance de ta vie passée. Rappelle-toi à quel chef tu appartiens, et de quel corps tu es membre. Souviens-toi que tu as été arraché au pouvoir des ténèbres pour être transféré dans la lumière et le royaume de Dieu. Par le sacrement de baptême, tu es devenu temple du Saint-Esprit. Garde-toi de mettre en fuite un hôte si noble par tes actions mauvaises, et de retomber ainsi dans l'esclavage du démon, car tu as été racheté par le sang du Christ.   S. Léon le Grand

———————————————————

Prière du soir

Hymne

Aujourd'hui dans notre mort a paru la Vie
Pour changer le cœur

des hommes qui sont endurcis.
Et l'amour est plus fort que nos misères.

℟   Gloire à Dieu et paix sur terre, alléluia !

Aujourd'hui dans notre chair est entré Jésus
Pour unir en lui
    les hommes qui l'ont attendu.
Et Marie, à genoux, l'offre à son Père.

PSAUME 106 (II)   Reconnaître l'amour du Seigneur

Certains, embarqués sur des navires,
occupés à leur travail en haute mer,
ont vu les œuvres du Seigneur
et ses merveilles parmi les océans.

Il parle, et provoque la tempête,   la tempête
un vent qui soulève les vagues :
portés jusqu'au ciel, retombant aux abîmes,
ils étaient malades à rendre l'âme ;
ils tournoyaient, titubaient comme des ivrognes :
leur sagesse était engloutie.

    Dans leur angoisse, ils ont crié vers le Seigneur,
        et lui les a tirés de la détresse,
réduisant la tempête au silence,
faisant taire les vagues.
Ils se réjouissent de les voir s'apaiser,
d'être conduits au port qu'ils désiraient.

    Qu'ils rendent grâce au Seigneur de son amour,
        de ses merveilles pour les hommes ;
qu'ils l'exaltent à l'assemblée du peuple
et le chantent parmi les anciens !

C'est lui qui change les fleuves en désert,
les sources d'eau en pays de la soif,

en salines une terre généreuse
quand ses habitants se pervertissent.

C'est lui qui change le désert en étang,   la bénédiction
les terres arides en source d'eau ;
là, il établit les affamés
pour y fonder une ville où s'établir.
Ils ensemencent des champs et plantent des vignes :
ils en récoltent les fruits.

Dieu les bénit et leur nombre s'accroît,
il ne laisse pas diminuer leur bétail.
Puis, ils déclinent, ils dépérissent,
écrasés de maux et de peines.

Dieu livre au mépris les puissants,
il les égare dans un chaos sans chemin.
Mais il relève le pauvre de sa misère ;
il rend prospères familles et troupeaux.

Les justes voient, ils sont en fête ;
et l'injustice ferme sa bouche.
Qui veut être sage retiendra ces choses :
il y reconnaîtra l'amour du Seigneur.

Gloire au Père, et au Fils, et au Saint-Esprit,
pour les siècles des siècles. Amen.

*Dieu de toute délivrance, nous te rendons grâce de nous
avoir rassemblés dans la ville où tu étanches la soif et
fais tomber les chaînes, où tu apaises les tempêtes et
ouvres nos bouches à la louange. Bénis-la ; ne la livre
pas aux puissants ; apprends-lui à relever les pauvres et
à réduire l'injustice au silence.*

Parole de Dieu   Jean 1, 14.18

L E VERBE s'est fait chair, il
a habité parmi nous, et

nous avons vu sa gloire, la gloire qu'il tient de son Père comme Fils unique, plein de grâce et de vérité. Dieu, personne ne l'a jamais vu ; le Fils unique, qui est dans le sein du Père, c'est lui qui a conduit à le connaître.

Alléluia ! Alléluia ! Alléluia !

HYMNE DE LOUANGE (Texte, couverture C)

INTERCESSION

Béni soit Jésus, notre Sauveur, venu nous rassembler en lui. À lui, notre prière et notre supplication.

℟ Jésus, notre force et notre paix, exauce-nous.

Ta naissance a révélé aux hommes
de quel amour tu les aimes :
– garde-nous dans l'action de grâce.

Tu as comblé de grâce ta mère la Vierge Marie :
– accorde à ton Église l'abondance de tes dons.

Tu es venu annoncer au monde
son pardon et sa délivrance :
– multiplie le nombre de ceux qui t'écoutent.

En naissant de la Vierge Marie, tu t'es fait notre frère :
– enseigne aux hommes à s'aimer les uns les autres.

Tu es apparu dans le monde
comme la lumière sans déclin :
– que nos frères défunts te voient face à face.

Intentions libres

Avec le Fils unique, plein de grâce et de vérité, nous pouvons dire :

Notre Père… Car c'est à toi qu'appartiennent…

SAMEDI 26 DÉCEMBRE
Saint Étienne

Prière du matin

Le Seigneur, le Roi des martyrs, venez, adorons-le !

Gloire au Père, et au Fils, et au Saint-Esprit !

HYMNE

℟ Premier martyr de la foi,
nous apprenons de toi
qu'annoncer Jésus vivant
exalte le courage
jusqu'au témoignage
du sang !

Quand tu prêches la Parole
à la foule qui t'immole,
tu vois s'ouvrir l'azur,
Étienne le pur,
et resplendir, dans la lumière,
le Fils à la droite du Père.

De la pierre qui te perce
à la pierre qui transperce,
tu vois venir la mort,
Étienne le fort,
et dans le temps qu'elle pardonne,
ton âme au Seigneur s'abandonne.

PSAUME 44   Chant nuptial pour le roi

D'heureuses paroles jaillissent de mon cœur
quand je dis mes poèmes pour le roi
d'une langue aussi vive que la plume du scribe !

Tu es beau,   l'Époux
    comme aucun des enfants de l'homme,
la grâce est répandue sur tes lèvres :
oui, Dieu te bénit pour toujours.

Guerrier valeureux,
    porte l'épée de noblesse et d'honneur !
Ton honneur, c'est de courir au combat
pour la justice, la clémence et la vérité.

Ta main jettera la stupeur,
    les flèches qui déchirent ;
sous tes coups, les peuples s'abattront,
les ennemis du roi, frappés en plein cœur.

Ton trône est divin, un trône éternel ;
ton sceptre royal est sceptre de droiture :
tu aimes la justice, tu réprouves le mal.

Oui, Dieu, ton Dieu t'a consacré
d'une onction de joie,
    comme aucun de tes semblables ;
la myrrhe et l'aloès parfument ton vêtement.

Des palais d'ivoire, la musique t'enchante.
Parmi tes bien-aimées sont des filles de roi ;
à ta droite, la préférée, sous les ors d'Ophir.

Écoute, ma fille, regarde et tends l'oreille ;   l'Épouse
oublie ton peuple et la maison de ton père :
le roi sera séduit par ta beauté.

Il est ton Seigneur : prosterne-toi devant lui.
Alors, fille de Tyr, les plus riches du peuple,
chargés de présents, quêteront ton sourire.

Fille de roi, elle est là, dans sa gloire,
vêtue d'étoffes d'or ;
    on la conduit, toute parée, vers le roi.

Des jeunes filles, ses compagnes, lui font cortège ;
on les conduit parmi les chants de fête :
elles entrent au palais du roi.

À la place de tes pères se lèveront tes fils ;
sur toute la terre tu feras d'eux des princes.

Je ferai vivre ton nom pour les âges des âges :
que les peuples te rendent grâce, toujours, à jamais !

Gloire au Père, et au Fils, et au Saint-Esprit,
pour les siècles des siècles. Amen.

Parole de Dieu

Romains 8, 38-39

J'EN AI LA CERTITUDE : ni la mort ni la vie, ni les esprits ni les puissances, ni le présent ni l'avenir, ni les astres, ni les cieux, ni les abîmes, ni aucune créature, rien ne pourra nous séparer de l'amour de Dieu qui est en Jésus Christ, notre Seigneur.

Je t'aime, Seigneur, ma force !

LOUANGE ET INTERCESSION

Avec saint Étienne qui a donné sa vie pour la parole de Dieu, louons notre Sauveur, le témoin fidèle :

℟   Nous t'acclamons, Seigneur de gloire !

Par les martyrs qui ont accepté de mourir
pour témoigner de la foi,
– donne-nous l'esprit de liberté.

Par les martyrs qui ont versé leur sang
pour confesser ton nom,
– accorde-nous la force de la foi.

Par les martyrs qui t'ont suivi sur le chemin de la croix,
– fortifie-nous dans les épreuves.

Par les martyrs qui ont lavé leur robe
dans le sang de l'Agneau,
– fais-nous vaincre les tentations de ce monde.

Intentions libres

Pour le rayonnement de ton Église, tu as permis, Seigneur, que saint Étienne connaisse la gloire du martyre : donne-nous de marcher sur ses traces en imitant comme lui la Passion du Sauveur, afin de parvenir aux joies éternelles. Par Jésus Christ.

LA MESSE
Fête de saint Étienne

● *Saint Étienne est « le premier de tous les martyrs » (a. et p. d'ouverture). Aussi son témoignage a-t-il toujours gardé une valeur exemplaire dans l'Église. Si Étienne fut choisi comme chef de file des sept hommes « estimés de tous, remplis d'Esprit Saint et de sagesse » qui devaient décharger les Apôtres du service des repas (Ac 6, 2-3), il ne tarda pas à prendre sa part dans l'annonce de la Bonne Nouvelle (1re lecture). C'est l'Esprit qui le faisait parler et transfigurait son visage face à ses adversaires (1re lecture). C'est encore l'Esprit qui lui faisait découvrir comment doit mourir un disciple de Jésus. Témoin du Christ ressuscité qu'il contemple dans sa gloire, Étienne n'a d'autre souci que de revivre fidèlement en sa chair la Passion du Seigneur. Mais, alors que Jésus en croix s'adressait à son Père, c'est Jésus le Fils de Dieu qu'invoque Étienne. Jésus avait dit : « Père, pardonne-leur, ils ne savent pas ce qu'ils font » ; Étienne répète : « Seigneur, ne leur compte pas ce péché » (1re lecture et p. d'ouverture). Jésus s'était écrié : « Père, entre tes mains je remets mon esprit » ; Étienne supplie : « Seigneur Jésus, reçois*

*mon esprit » (a. de la communion). Avec Étienne
commence l'« imitation de Jésus Christ ». L'Esprit lui avait fait comprendre que la mort peut
parler plus haut que la vie et qu'en succombant
par fidélité au Seigneur, on devient soi-même
« une parole de Dieu » (Ignace d'Antioche).* ●

Les portes du ciel s'ouvrirent pour saint Étienne ; premier de
tous les martyrs, il a reçu la récompense du vainqueur.

GLOIRE À DIEU ——————————————— page 205

PRIÈRE. Apprends-nous, Seigneur, l'amour de nos ennemis à
l'exemple de saint Étienne, le premier de tes martyrs, lui qui
sut implorer le pardon pour ses propres bourreaux. Par Jésus.

Lecture du livre des Actes des Apôtres   6, 8... 7, 60

ÉTIENNE, qui était plein de
la grâce et de la puissance
de Dieu, accomplissait parmi le peuple des prodiges et
des signes éclatants. Un jour, on vit intervenir les gens
d'une synagogue (la synagogue dite des esclaves affranchis, des Cyrénéens et des Alexandrins), et aussi des
gens originaires de Cilicie et d'Asie proconsulaire. Ils se
mirent à discuter avec Étienne, mais sans pouvoir tenir
tête à la sagesse et à l'Esprit Saint qui inspirait ses
paroles. En écoutant tout ce qu'il disait, ils s'exaspéraient contre lui et grinçaient des dents. Mais Étienne,
rempli de l'Esprit Saint, regardait vers le ciel ; il vit la
gloire de Dieu, et Jésus debout à la droite de Dieu. Il
déclara : « Voici que je contemple les cieux ouverts : le
Fils de l'homme est debout à la droite de Dieu. » Ceux
qui étaient là se bouchèrent les oreilles et se mirent à
pousser de grands cris ; tous à la fois, ils se précipitèrent sur lui, l'entraînèrent hors de la ville et commencèrent à lui jeter des pierres. Les témoins avaient mis
leurs vêtements aux pieds d'un jeune homme appelé

Saul. Étienne, pendant qu'on le lapidait, priait ainsi :
« Seigneur Jésus, reçois mon esprit. » Puis il se mit à
genoux et s'écria d'une voix forte : « Seigneur, ne leur
compte pas ce péché. » Et, après cette parole, il s'en-
dormit dans la mort.

• PSAUME 30 •

En tes mains, Seigneur, je remets mon esprit.

Sois le rocher qui m'abrite,
la maison fortifiée qui me sauve.
Pour l'honneur de ton nom,
tu me guides et me conduis.

En tes mains je remets mon esprit ;
tu me rachètes, Seigneur, Dieu de vérité.
Ton amour me fait danser de joie :
devant moi, tu as ouvert un passage.

Sur ton serviteur, que s'illumine ta face ;
sauve-moi par ton amour.
Tu combles, à la face du monde,
ceux qui ont en toi leur refuge.

Alléluia. Alléluia. Rempli de l'Esprit Saint, Étienne a
vu les cieux ouverts et Jésus debout à la droite du Père.
Alléluia.

Évangile de Jésus Christ selon saint Matthieu   10, 17-22

J ÉSUS disait à ses disciples :
« Méfiez-vous des hom-
mes : ils vous livreront aux tribunaux et vous flagel-
leront dans leurs synagogues. Vous serez traînés
devant des gouverneurs et des rois à cause de moi : il
y aura là un témoignage pour eux et pour les païens.
Quand on vous livrera, ne vous tourmentez pas pour

savoir ce que vous direz ni comment vous le direz ; ce que vous aurez à dire vous sera donné à cette heure-là. Car ce n'est pas vous qui parlerez, c'est l'Esprit de votre Père qui parlera en vous. Le frère livrera son frère à la mort, et le père, son enfant ; les enfants se dresseront contre leurs parents et les feront mettre à mort. Vous serez détestés de tous à cause de mon nom ; mais celui qui aura persévéré jusqu'au bout, celui-là sera sauvé. »

Prière sur les offrandes. Daigne, Seigneur, accepter de nos mains ce que l'anniversaire de saint Étienne nous donne l'occasion de t'offrir. Par Jésus, le Christ, notre Seigneur.

Préface de la Nativité I, II ou III ———— pages 211 et 212

Prière eucharistique I, II ou III ———— pages 213 à 221

Étienne, pendant qu'on le lapidait, faisait cette prière : « Seigneur Jésus, reçois mon esprit. »

Prière après la communion. Seigneur, nous te rendons grâce pour l'abondance de tes bienfaits : tu nous sauves par la naissance de ton Fils, tu nous réjouis par la fête de ton martyr saint Étienne. Par Jésus, le Christ, notre Seigneur.

•——————————————————•

MÉDITATION DU JOUR

•——————————————————•

Le martyre de saint Étienne

D'après un sermon de saint Thomas Becket (XIIe s.).

Non seulement, à la fête de Noël, nous célébrons à la fois la naissance de Notre Seigneur et sa mort, mais le lendemain, nous célébrons le martyre de son premier martyr, le bienheureux Étienne.

Est-ce un hasard, croyez-vous, que l'anniversaire du premier martyr suive immédiatement celui de la naissance du Christ ? En aucune façon. De même que nous nous réjouissons et nous lamentons à la fois dans la naissance et dans la passion de Notre Seigneur, de même, toutes proportions gardées, nous nous réjouissons et nous lamentons dans la mort des martyrs.

Nous pleurons pour les péchés du monde qui les conduit au martyre : nous nous réjouissons qu'une âme de plus aille grossir le nombre des saints au paradis pour la gloire de Dieu et le salut des hommes.

Mes bien-aimés, nous ne considérons pas un martyr simplement comme un homme qui a été tué parce qu'il est bon chrétien : car alors nous nous lamenterions simplement. Nous ne pensons pas à lui seulement comme à un bon chrétien qui a été élevé à la compagnie des saints : car alors nous nous réjouirions seulement, et ni notre deuil, ni notre joie n'est celle que le monde connaît. On ne fait pas les saints par accident. THOMAS STEARNS ELIOT

Prière du soir
Veille de la fête de la Sainte Famille

PSAUME 141

Plainte et prière de tous les exilés

A pleine voix, je crie vers le Seigneur !
À pleine voix, je supplie le Seigneur !
Je répands devant lui ma plainte,
devant lui, je dis ma détresse.

Lorsque le souffle me manque,
    toi, tu sais mon chemin. *
Sur le sentier où j'avance,
    un piège m'est tendu.

Regarde à mes côtés et vois :
  personne qui me connaisse ! *
Pour moi, il n'est plus de refuge :
  personne qui pense à moi !

  J'ai crié vers toi, Seigneur ! *
J'ai dit : « Tu es mon abri,
  ma part, sur la terre des vivants. »

Sois attentif à mes appels :
  je suis réduit à rien ; *
délivre-moi de ceux qui me poursuivent :
  ils sont plus forts que moi.

Tire-moi de la prison où je suis,
  que je rende grâce à ton nom. *
Autour de moi, les justes feront cercle
  pour le bien que tu m'as fait.

Gloire au Père, et au Fils, et au Saint-Esprit,
pour les siècles des siècles. Amen.

*Dieu qui sais tout, entends le cri de l'homme : la plainte
du prisonnier, du persécuté, de celui qui n'a plus rien,
ni ami ni refuge. Reconnais dans sa voix la voix de Jésus.
Délivre-le comme tu l'as délivré : change sa détresse en
action de grâce.*

Contempler Jésus avec Marie et Joseph

En paroles sublimes,
Marie, brûlante d'amour,
Elle aussi le berçait :
Qui donc a donné à la solitaire
De concevoir, d'enfanter
L'un et le multiple,
Le petit qui est aussi le grand

Tout entier près de moi,
Tout entier près de tous.

En ce jour
Où Gabriel lui-même
Visita ma pauvreté,
Il me rendit soudain
Dame autant que servante :
Car servante je l'étais de ta divinité,
Mais je suis mère aussi
De ton humanité,
Mon Seigneur et mon Fils !

La servante tout à coup
Devint fille de roi,
Par toi, fils de roi !
Voici que la plus humble
Dans la maison de David,
À cause de toi, fils de David,
Voici qu'une fille de la terre
Parvient jusqu'au ciel
Par celui qui est du ciel !

Quelle merveille pour moi !
Devant moi il est couché
Ce nouveau-né, ancien des jours !
Tout entier vers le ciel il fixe son regard,
Alors que sans répit
Ses lèvres balbutient,
Ah ! Comme il me ressemble !
Alors qu'avec Dieu
il parle en silence !

Qui vit jamais
Un nouveau-né regarder
En tout lieu toutes choses !
Son regard fait comprendre

Que c'est lui qui dirige
Toute la création de haut en bas.
Son regard fait penser
Que c'est à tout l'univers
Qu'il commande en maître !

Comment ouvrirai-je
Les fontaines de mon lait,
À toi, divine fontaine ?
Comment donnerai-je
Nourriture
À qui nourrit tout être
De sa table ?
Des langes
À qui est revêtu de splendeur ?

Ma bouche ne sait pas
Comment te nommer,
Ô Fils du Dieu vivant !
Si j'ose t'appeler
Comme fils de Joseph,
Je tremble car tu n'es pas de sa semence ;
Mais si je refuse ce nom,
Je suis dans les transes
Car on m'a mariée à lui.

Bien que tu sois Fils d'un seul,
Désormais je t'appellerai
Le fils d'un grand nombre,
Car à toi ne suffisent pas
Des milliers de noms :
Tu es fils de Dieu, mais aussi fils de l'homme ;
Et puis, fils de Joseph
Et fils de David
Et fils de Marie.

St ÉPHREM DE NISIBE

Paroles de Dieu

pour un dimanche

Revêtez votre cœur de tendresse

La famille, c'est l'entreprise la plus belle, la plus enviée, mais aussi la plus folle, la plus risquée de nos vies. Que de renoncements, d'humble fidélité, de don de soi au jour le jour ! Mais pour la plus belle des récompenses. *Ta femme sera dans ta maison comme une vigne généreuse, et tes fils, autour de la table, comme des plants d'olivier,* dit le psaume 127.

C'est dans l'humble quotidien que se tissent les plus belles merveilles de nos vies. Pourquoi ? parce que, comme dit saint Paul, *tout ce que vous dites, tout ce que vous faites, que ce soit toujours au nom du Seigneur Jésus Christ, en offrant par lui votre action de grâce à Dieu le Père.* Du coup, le plus humble geste de la vie familiale prend dimension d'éternité. Alors, bâtie sur le roc de l'amour, la famille pourra, comme celle de Nazareth, affronter les tempêtes de l'existence. Menaces et fuite en Égypte pour la famille de Jésus, chômage, immigration, deuils et insécurité pour les nôtres.

Le secret pour tenir bon : se ressourcer chaque jour dans la prière et l'écoute de la Parole. *Que la parole du Christ habite en vous dans toute sa richesse.* Et la richesse de Dieu, on le sait bien, c'est sa tendresse et sa miséricorde ; elles finiront bien par nous pénétrer peu à peu par une sorte d'imprégnation lente. *Revêtez votre cœur de tendresse et de bonté*, dit encore saint Paul. Et d'après le très sage Ben Sirac, au marché des valeurs familiales, l'indulgence et la miséricorde sont les meilleurs des placements.

M.-N. T

Des idées

pour célébrer

Deux jours après Noël, alors que nous sommes encore plongés dans la joie de la naissance du Fils de Dieu, la liturgie nous invite à contempler la Sainte Famille traversée par l'épreuve de l'exil…

Au gré des joies et des difficultés, nous sommes appelés à rester solidaires de ceux qui souffrent, en veillant les uns sur les autres, en famille, en Église, et à persévérer dans l'action de grâce, *par des psaumes, des hymnes et de libres louanges*.

■ L'ouverture de la célébration ■

Pourquoi ne pas commencer directement par l'hymne du Gloire à Dieu, le même que celui de Noël bien entendu, par exemple PS 20 (*MNA* 20.82), ou bien par le chant de louange *Au plus haut du ciel* C 221-1. Autres chants possibles : *À pleine voix, chantons pour Dieu* F 180 (couplets 1, 3, 4), *Dieu Très-Haut qui fais merveille* C 127.

Pour le rite pénitentiel, *Dieu saint* A 96, avec son deuxième verset, prévu pour le temps de Noël, ou l'une des litanies proposées par le *MNA* (32.11 à 32.13).

■ La liturgie de la Parole ■

Avec le psaume 127, l'antienne « Heureux les habitants de ta maison, Seigneur ! », proposée par le *MNA* (p. 82) est bien connue (voir aussi le *Psautier des dimanches, Église qui chante*, année A, n° 35).

Acclamation à l'Évangile : voir la messe du jour de Noël. Pour la profession de foi, le symbole de Nicée-Constantinople reste de mise pendant tout le temps de Noël. Le refrain « Seigneur, rassemble-nous dans la paix de ton amour » D 87 conviendra bien à la prière universelle.

■ La liturgie eucharistique ■

On conservera, dans la mesure du possible, le même ordinaire que pour Noël.

À la communion, on pourra prendre comme processionnal *Dieu est amour* D 116 (*MNA* 82.11), ou à nouveau *Le Verbe s'est fait chair* D 155 (*MNA* 32.81), mais aussi *Puisque Dieu nous a aimés* F 180, avec le couplet 1 comme refrain (*MNA* 82.24).

Après la communion, *Peuples, criez de joie* M 27 (*MNA* 29.56), ou bien *Il est venu marcher sur nos routes* F 157 (*MNA* 32.78).

S'il n'y a pas de messe le 1ᵉʳ janvier, on peut aussi terminer sur un chant à Marie, par exemple *Béni sois-tu, Seigneur* V 24 (*MNA* 53.75).

X. L.

■ La prière universelle ■

Unis dans une même foi, témoins de la joie que suscite l'avènement de Jésus, notre lumière et notre salut, faisons monter vers le Seigneur notre prière.

La Sainte Famille est un signe d'accueil et de disponibilité.
Prions en ce jour pour toutes les familles de la terre, pour qu'il y ait une entraide et un soutien mutuels d'une famille à l'autre, et pour que les familles chrétiennes soient présentes dans cette tâche, selon l'appel de l'Évangile, prions le Seigneur.

La Sainte Famille est une promesse de bonheur.
Pour que les jeunes découvrent la valeur de la parole donnée une fois pour toutes, et grandissent dans la fidélité à la personne aimée, prions le Seigneur.

La Sainte Famille est un signe de foi libre et confiante.
Pour tous les hommes et les femmes de ce temps, que l'année qui vient voie grandir chez eux, la recherche de la vérité et le goût de Dieu, prions le Seigneur.

Père de toute la famille humaine, écoute la prière que nous faisons monter vers toi en ce jour de fête, purifie-la encore pour qu'elle corresponde à ce que tu veux, et daigne l'exaucer par Jésus Christ, ton Fils, notre Seigneur. Amen.

DIMANCHE 27 DÉCEMBRE
La Sainte Famille

Prière du matin

Jésus, caché à Nazareth, venez, adorons-le !

Gloire au Père, et au Fils, et au Saint-Esprit !

HYMNE

Sainte Marie et saint Joseph,
C'est la nuit de Noël :
L'enfant vous surprenait,
Vous teniez le trésor
De la vie la plus forte,
Jésus,
Le vainqueur de la nuit.

Sainte Marie et saint Joseph,
À l'épreuve de fuir
La frayeur d'un tyran,
Vous sauviez le trésor
De la vie la plus belle,
Jésus,
Le vainqueur de la haine.

Sainte Marie et saint Joseph,
Au village banal,
Au pays sans renom,
Vous gardiez le trésor
De la vie la plus digne,
Jésus,
Le vainqueur du mépris.

Sainte Marie et saint Joseph,
Quand le Fils à son heure

Eut quitté Nazareth,
Vous laissiez à l'Esprit
De souffler où il veut :
Jésus
Alla vaincre la mort.

Gloire au Père et au Fils
Et gloire au Saint-Esprit
Au cœur de notre vie,
Saint Joseph et sainte Marie !

PSAUME 62   Soif de Dieu

Dieu, tu es mon Dieu,
    je te cherche dès l'aube : *
mon âme a soif de toi ;
après toi languit ma chair,
terre aride, altérée, sans eau.

Je t'ai contemplé au sanctuaire,
j'ai vu ta force et ta gloire.
Ton amour vaut mieux que la vie :
tu seras la louange de mes lèvres !

Toute ma vie je vais te bénir,
lever les mains en invoquant ton nom.
Comme par un festin je serai rassasié ;
la joie sur les lèvres, je dirai ta louange.

Dans la nuit, je me souviens de toi
et je reste des heures à te parler.
Oui, tu es venu à mon secours :
je crie de joie à l'ombre de tes ailes.
Mon âme s'attache à toi,
ta main droite me soutient.

Gloire au Père, et au Fils, et au Saint-Esprit,
pour les siècles des siècles. Amen.

Mon Dieu, sur la terre où je m'exile, où sont les chants de ta maison ! Dans le pays qui veut me perdre, où donc est le festin ? Dans les déserts où je m'enfonce, où sont les eaux de mon baptême ? Viens me secourir : assoiffe encore mon cœur et ma chair, pour que je me souvienne, dans ma nuit, et que je te cherche, dès l'aube. Alors, de toute mon âme, je m'attacherai à toi, je lèverai les mains et je te bénirai.

Cantique de Zacharie   (Texte, couverture B)

Parole de Dieu   Colossiens 3, 12-13

Puisque vous avez été choisis par Dieu, que vous êtes ses fidèles et ses bien-aimés, revêtez votre cœur de tendresse et de bonté, d'humilité, de douceur, de patience. Supportez-vous mutuellement et pardonnez, si vous avez des reproches à vous faire. Agissez comme le Seigneur : il vous a pardonné, faites de même.

Jésus, Fils de Dieu,
tu te soumets à Marie et Joseph.

Louange et intercession

Le Fils du Dieu vivant a voulu naître dans une famille humaine ; adorons-le, supplions-le :

℟   Sanctifie-nous, Jésus, par ton obéissance.

Verbe éternel du Père,
tu t'es soumis à Marie et à Joseph.

Maître et Seigneur,
ta mère conservait en son cœur tes paroles et tes gestes.

Créateur de l'univers, tu as été appelé fils du charpentier.

Toi qui as grandi en âge et en grâce dans ta famille à Nazareth, tu es notre chef et notre frère.

Intentions libres

Dieu notre Père, tu as confié à Marie et Joseph la grâce de veiller sur les premières années de Jésus. Fais de ton Église la communauté où les hommes apprennent à veiller les uns sur les autres, et se découvrent membres d'une même famille, en Jésus, le Christ, notre Seigneur, qui vit avec toi et l'Esprit Saint pour les siècles des siècles.

●── REFLETS D'ÉVANGILE ──●

La vraie vocation   *Matthieu 2, 13...23*

Les liens familiaux se tissent davantage dans l'épreuve que dans le confort. La migration apparaît comme l'un des grands tests de l'histoire. Partir est un moment douloureux et parfois dramatique, mais, à ce prix, d'autres chances s'offrent à la vie. L'âme du voyageur doit habiter aussi tous les sédentaires. Manière d'être et de juger, de réagir et de parler, elle incite à respirer mieux, entre soi et au dehors. L'existence, la qualité et la détermination de toute vocation dépendent d'un tel climat, proprement familial. La vocation est un « appel » intérieur dont l'expression, sauf exceptions parfois marquantes, s'affirme précocement. C'est une grâce, comme l'intelligence ou la beauté. Mais tout appel est une invitation à partir. À sa façon, il ravive une expérience ancestrale profondément enfouie dans la mémoire d'hommes. Sous une forme ou sous une autre, errances ou exils, départs et retours y ont tissé l'histoire. Ce sont là les conditions mêmes du premier éveil de la vocation de Jésus. Abraham et Jacob avaient dû leur salut et celui de leur clan à leur départ pro-

videntiel pour l'Égypte. C'est dans ce pays qu'est né Moïse, et de lui qu'est sorti Israël. Arrachement à sa terre, expérience de l'étranger puis exode dans le désert constituent bien le premier tracé de la vocation du Fils de Dieu, lui-même « appelé d'Égypte ». Mais la vocation n'est pas simple résurgence mimétique d'une mémoire conservée. Elle est aussi, obligatoirement, nouveauté et donc différence. Car l'appel a un but précis, qui est ailleurs. Pour Jésus, c'est la Galilée : la « Galilée des nations », transition ou passage géographique, ethnique et culturel vers l'universalité des terres habitées. Du village obscur de Nazareth, ignoré jusqu'alors de l'histoire, le Fils de Dieu va s'adresser au monde. Telle est sa vraie vocation. T. C.

La messe
Fête de la Sainte Famille

Les bergers vinrent en hâte, et ils trouvèrent Marie et Joseph avec le nouveau-né couché dans une crèche.

Gloire à Dieu ———————————————————— page 205

Prière. Tu as voulu, Seigneur, que la Sainte Famille nous soit donnée en exemple ; accorde-nous la grâce de pratiquer, comme elle, les vertus familiales et d'être unis par les liens de ton amour, avant de nous retrouver pour l'éternité dans la joie de ta maison. Par Jésus Christ, ton Fils, notre Seigneur.

Lecture du livre de Ben Sirac le Sage   3, 2-6.12-14

L E Seigneur glorifie le père dans ses enfants, il renforce l'autorité de la mère sur ses fils. Celui qui honore son père obtient le pardon de ses fautes, celui qui glorifie sa mère est comme celui qui amasse un trésor. Celui qui honore son père aura de la joie dans ses enfants, au jour de sa prière il sera exaucé. Celui qui glorifie son père verra de longs jours, celui qui obéit au Seigneur donne du réconfort à sa mère. Mon fils, soutiens ton père dans sa vieillesse, ne le chagrine pas pendant sa vie. Même si son esprit l'abandonne, sois indulgent, ne le méprise pas, toi qui es en pleine force. Car ta miséricorde envers ton père ne sera pas oubliée, et elle relèvera ta maison si elle est ruinée par le péché.

• PSAUME 127 •

**Heureux
les habitants de ta maison, Seigneur !**

Heureux qui craint le Seigneur
et marche selon ses voies !
Tu te nourriras du travail de tes mains :
Heureux es-tu ! À toi, le bonheur !

Ta femme sera dans ta maison
comme une vigne généreuse,
et tes fils, autour de la table,
comme des plants d'olivier.

Voilà comment sera béni
l'homme qui craint le Seigneur.
Tu verras le bonheur de Jérusalem
tous les jours de ta vie.

**Lecture de la lettre
de saint Paul Apôtre aux Colossiens**   3, 12-21

F RÈRES, puisque vous avez été choisis par Dieu, que vous êtes ses fidèles et ses bien-aimés, revêtez votre cœur de tendresse et de bonté, d'humilité, de douceur, de patience. Supportez-vous mutuellement, et pardonnez si vous avez des reproches à vous faire. Agissez comme le

Seigneur : il vous a pardonné, faites de même. Par-dessus tout cela, qu'il y ait l'amour : c'est lui qui fait l'unité dans la perfection. Et que, dans vos cœurs, règne la paix du Christ à laquelle vous avez été appelés pour former en lui un seul corps. Vivez dans l'action de grâce. Que la parole du Christ habite en vous dans toute sa richesse ; instruisez-vous et reprenez-vous les uns les autres avec une vraie sagesse ; par des psaumes, des hymnes et de libres louanges, chantez à Dieu, dans vos cœurs, votre reconnaissance. Et tout ce que vous dites, tout ce que vous faites, que ce soit toujours au nom du Seigneur Jésus Christ, en offrant par lui votre action de grâce à Dieu le Père. Vous les femmes, soyez soumises à votre mari ; dans le Seigneur, c'est ce qui convient. Et vous les hommes, aimez votre femme, ne soyez pas désagréables avec elle. Vous les enfants, en toutes choses écoutez vos parents ; dans le Seigneur, c'est cela qui est beau. Et vous les parents, n'exaspérez pas vos enfants ; vous risqueriez de les décourager.

Alléluia. Alléluia. Vraiment, tu es un Dieu caché, Dieu parmi les hommes, Jésus Sauveur ! Alléluia.

**Évangile de Jésus Christ
selon saint Matthieu** 2, 13-15.19-23

APRÈS le départ des mages, l'ange du Seigneur apparaît en songe à Joseph et lui dit : « Lève-toi ; prends l'enfant et sa mère, et fuis en Égypte. Reste là-bas jusqu'à ce que je t'avertisse, car Hérode va rechercher l'enfant, pour le faire périr. » Joseph se leva ; dans la nuit, il prit l'enfant et sa mère, et se retira en Égypte, où il resta jusqu'à la mort d'Hérode. Ainsi s'accomplit ce que le Seigneur avait dit par le prophète : D'Égypte, j'ai appelé mon fils. Après la mort d'Hérode, l'ange du Seigneur apparaît en songe à

Joseph en Égypte et lui dit : « Lève-toi ; prends l'enfant et sa mère, et reviens au pays d'Israël, car ils sont morts ceux qui en voulaient à la vie de l'enfant. » Joseph se leva, prit l'enfant et sa mère, et rentra au pays d'Israël. Mais, apprenant qu'Arkélaüs régnait sur la Judée à la place de son père Hérode, il eut peur de s'y rendre. Averti en songe, il se retira dans la région de Galilée et vint habiter dans une ville appelée Nazareth. Ainsi s'accomplit ce que le Seigneur avait dit par les prophètes : Il sera appelé Nazaréen.

CREDO ———————————————————— page 207

PRIÈRE SUR LES OFFRANDES. En t'offrant, Seigneur, le sacrifice qui nous réconcilie avec toi, nous te supplions humblement : à la prière de la Vierge Marie, Mère de Dieu, et à la prière de saint Joseph, affermis nos familles dans ta grâce et la paix. Par Jésus, le Christ, notre Seigneur.

PRÉFACE DE LA NATIVITÉ I, II OU III ————— pages 211 et 212

PRIÈRE EUCHARISTIQUE I, II OU III ————— pages 213 à 221

Notre Dieu est apparu sur la terre ; il a vécu parmi les hommes.

PRIÈRE APRÈS LA COMMUNION. Toi qui nous as fortifiés par cette communion, accorde à nos familles, Père très aimant, la grâce d'imiter la famille de ton Fils, et de goûter avec elle, après les difficultés de cette vie, le bonheur sans fin. Par Jésus, le Christ.

AU FIL DES JOURS

Risquer le silence de l'admiration

Le père et la mère de Jésus étaient dans l'admiration des choses qu'on disait de lui. Je ne sais pas s'il ne vaudrait pas peut-être mieux s'unir au silence de Marie, que d'en expliquer le mérite par nos paroles. Car qu'y a-t-il de plus admirable, après ce qui lui a été annoncé par l'ange, après ce qui s'est passé en elle-même, que d'écouter parler tout le monde et demeurer cependant la bouche fermée ? Elle a porté dans son sein le Fils du Très-Haut : elle l'en a vu sortir comme un rayon de soleil, d'une nuée, pour ainsi parler, pure et lumineuse. Que n'a-t-elle pas senti par sa présence ? Et si pour en avoir approché, Jean dans le sein de sa mère a ressenti un tressaillement si miraculeux, quelle paix, quelle joie divine n'aura pas sentie la sainte Vierge à la conception du Verbe que le Saint-Esprit formait en elle !

Que ne pourrait-elle donc pas dire elle-même de son cher fils ? Cependant elle le laisse louer par tout le monde : elle entend les bergers ; elle ne dit mot aux mages qui viennent adorer son fils : elle écoute Syméon et Anne la prophétesse ; elle ne s'épanche qu'avec sainte Élisabeth, dont la visite avait fait une prophétesse ; et sans ouvrir seulement la bouche avec tous les autres, elle fait l'étonnée et l'ignorante : *Erant mirantes.*

Joseph entre en part de son silence comme de son secret, lui à qui l'ange avait dit de si grandes choses, et qui avait vu le miracle de l'enfantement virginal, ni l'un ni l'autre ne parlent de ce qu'ils voient tous les jours dans leur maison, et ne tirent aucun avantage de tant de merveilles. Aussi humble que sage, Marie se laisse considérer comme une mère vulgaire, et son Fils comme le fruit d'un mariage ordinaire.

Les grandes choses que Dieu fait au-dedans de ses créatures opèrent naturellement le silence, le saisissement, je ne sais quoi de divin qui supprime toute expression. Car que dirait-on, et que pourrait dire Marie, qui pût égaler ce qu'elle sentait ? Ainsi on tient sous le sceau le secret de Dieu, si ce n'est que lui-même anime la langue et la pousse à parler. *JACQUES-BÉNIGNE BOSSUET*

Prière du soir

*Adorons le Fils de Dieu,
soumis à Marie et à Joseph.*

Gloire au Père, et au Fils, et au Saint-Esprit !

HYMNE

Quand vient la plénitude
des temps fixés par Dieu,
le Père envoie sur terre son Fils,
pour nous sauver.
Marie, l'humble servante,
le donne à l'univers :
par elle, Dieu témoigne
de son amour pour nous.

Jésus, Sauveur du monde,
prend chair en notre chair,
naissant parmi les pauvres,
vivant au milieu d'eux.
Qu'il donne à son Église
l'esprit de pauvreté,
pour vivre l'Évangile,
selon sa volonté.

Sachons le reconnaître,
présent, dans notre vie.
Au cœur de notre monde,
crions à pleine voix
que Dieu reste fidèle,
malgré notre péché.
Il est, pour tous les hommes,
Amour et Vérité.

PSAUME *109*   Le Messie vainqueur

Oracle du Seigneur à mon Seigneur :   Jésus,
   « Siège à ma droite, *   Messie de Dieu
et je ferai de tes ennemis
   le marchepied de ton trône. »

De Sion, le Seigneur te présente   Jésus,
   le sceptre de ta force : *   Roi des rois
« Domine, jusqu'au cœur de l'ennemi. »

Le jour où paraît ta puissance,
   tu es prince, éblouissant de sainteté : *   Jésus,
« Comme la rosée qui naît de l'aurore,   Fils éternel
   je t'ai engendré. »

Le Seigneur l'a juré   Jésus,
   dans un serment irrévocable : *   Prêtre éternel
« Tu es prêtre à jamais
   selon l'ordre du roi Melkisédek. »

À ta droite se tient le Seigneur : *   Jésus,
il brise les rois au jour de sa colère.   juste Juge

Au torrent, il s'abreuve en chemin, *   Jésus,
c'est pourquoi il redresse la tête.   Homme vivant

Gloire au Père, et au Fils, et au Saint-Esprit,
pour les siècles des siècles. Amen.

Jésus, Messie de Dieu ; Roi des rois et Seigneur des seigneurs ; Fils éternel, engendré non pas créé ; Prêtre de l'Alliance nouvelle ; Juge qui viendra à la fin des temps ; Homme exalté dans la gloire du ciel, béni sois-tu ! Louange à toi !

Parole de Dieu   Deutéronome 5, 16

Honore ton père et ta
mère, comme te l'a com-

mandé le Seigneur, ton Dieu, afin d'avoir longue vie et bonheur sur la terre que te donne le Seigneur ton Dieu.

> Ô *Christ,*
> *tu es le Fils du Dieu vivant !*

Hymne de louange (Texte, couverture C)

Intercession

Adorons le Fils de Dieu,
qui a voulu avoir une famille humaine :

℟ Jésus, notre modèle, Jésus, notre Sauveur !

Tu as voulu te soumettre à Marie et à Joseph :
enseigne-nous la valeur de l'obéissance
et du respect.

Tu as aimé tes parents, et tes parents t'aimaient :
établis les familles dans la paix et dans l'amour.

Tu as accompli en tout les œuvres du Père :
donne-nous de reconnaître en toi
celui que le Père a envoyé.

Toi que Marie et Joseph ont retrouvé
dans la maison du Père, apprends-nous à chercher
d'abord le royaume de Dieu.

Tu as fait partager ta gloire éternelle à Marie
et à Joseph : fais entrer ceux qui nous ont quittés
dans la famille des saints.

Intentions libres

Notre Père...

> Car c'est à toi qu'appartiennent
> le règne, la puissance et la gloire,
> pour les siècles des siècles !

LUNDI 28 DÉCEMBRE
Les saints Innocents

Prière du matin

HYMNE

> L'enfant juif,
> L'enfant captif,
> Dans la nuit succombe.
> Il est mort
> Sous l'étoile d'or.
> Écoutez pleurer Rachel
> Au lendemain de Noël,
> Souvenez-vous de ses fils
> Traqués dans l'ombre.

> L'Enfant Dieu
> Est l'un d'entre eux,
> Et les hommes tremblent.
> Son amour
> Les a pris de court.
> À quoi sert de supplicier
> Les innocents par milliers,
> Quand le Royaume est à ceux
> Qui leur ressemblent ?

> Le vrai Roi
> Se heurte aux lois,
> Aux puissants du monde.
> Quel péril
> Leur annonce-t-il ?
> Il vient rendre aux opprimés
> La liberté bafouée,
> Nous dresserons une croix
> Pour lui répondre.

L'Enfant né
Pour nous sauver
Rougira la terre :
Sang précieux
De l'Agneau de Dieu.
L'Innocent nous purifie,
Sa mort fait sourdre la vie,
Et le pécheur pardonné
Retourne au Père.

PSAUME 28   Gloire et puissance à notre Roi

Rendez au Seigneur, vous, les dieux,
rendez au Seigneur gloire et puissance.

Rendez au Seigneur la gloire de son nom,
adorez le Seigneur, éblouissant de sainteté.

La voix du Seigneur domine les eaux, +
le Dieu de la gloire déchaîne le tonnerre,
le Seigneur domine la masse des eaux.

Voix du Seigneur dans sa force, +
voix du Seigneur qui éblouit,
voix du Seigneur : elle casse les cèdres.

Le Seigneur fracasse les cèdres du Liban ; +
il fait bondir comme un poulain le Liban,
le Sirion, comme un jeune taureau.

Voix du Seigneur : elle taille des lames de feu ; +
voix du Seigneur : elle épouvante le désert ;
le Seigneur épouvante le désert de Cadès.

Voix du Seigneur qui affole les biches en travail,
    qui ravage les forêts. *
Et tous dans son temple s'écrient : « Gloire ! »

Au déluge le Seigneur a siégé ;
il siège, le Seigneur, il est roi pour toujours !

Le Seigneur accorde à son peuple la puissance,
le Seigneur bénit son peuple en lui donnant la paix.

Gloire au Père, et au Fils, et au Saint-Esprit…

Parole de Dieu   Matthieu 11, 25-27

En ce temps-là, Jésus prit la parole : « Père, Seigneur du ciel et de la terre, je proclame ta louange : ce que tu as caché aux sages et aux savants, tu l'as révélé aux tout-petits. Oui, Père, tu l'as voulu ainsi dans ta bonté. Tout m'a été confié par mon Père ; personne ne connaît le Fils, sinon le Père, et personne ne connaît le Père, sinon le Fils, et celui à qui le Fils veut le révéler. »

Agneau de Dieu, Agneau vainqueur,
prends pitié de nous, pécheurs.

LOUANGE ET INTERCESSION

En mémoire des enfants innocents immolés pour le Christ, bénissons et prions notre Dieu.

℟   Montre-nous, Seigneur, ta miséricorde.

Nous te prions pour ceux qui te connaissent
à la seule lumière de la raison :
– que leurs yeux s'ouvrent à la lumière de l'Évangile.

Nous te prions pour ceux qui travaillent à libérer
les hommes de leurs chaînes :
– qu'ils reconnaissent dans le Christ la source
de toute liberté.

Nous te prions pour les hommes de toutes religions
qui te rendent un culte sincère :
– qu'ils parviennent à la lumière incomparable
du Christ.

Nous te prions pour ceux qui croient en toi :
– qu'ils cherchent à te connaître davantage.

Nous te prions pour nos frères défunts :
– que la gloire où tu demeures les environne.

Intentions libres

Puisqu'en ce jour, Seigneur, les saints Innocents ont annoncé ta gloire, non point par la parole, mais par leur seule mort : fais que notre vie tout entière témoigne de la foi que notre bouche proclame. Par Jésus Christ, ton Fils, notre Seigneur.

LA MESSE
Fête des saints Innocents

● *DEPUIS AU MOINS LE VIe SIÈCLE, l'Église honore dans les jours de la nativité du Seigneur ceux qu'on appelle en Orient les enfants tués par Hérode et en Occident les saints Innocents. Ce faisant, elle rappelle qu'ils ont été mis à mort « pour le Christ » (a. d'ouverture), à la place de celui que la liturgie appelle « l'Agneau innocent ». Les enfants de Bethléem constituent les prémices des rachetés (a. de la communion). « Incapables de confesser le nom du Christ », ils ont pourtant « été « glorifiés par la grâce de sa naissance » (p. après la communion). En eux, la croix est venue se planter près de la crèche ; leur mort est une prophétie de la rédemption. Il faut ajouter que le fait d'honorer ces enfants comme des martyrs éclaire la nature du martyre qui est avant tout, comme le baptême, un don gratuit de Dieu.* ●

Pour le Christ, les saints Innocents furent mis à mort ; compagnons de l'Agneau sans tache, ils chantent sans fin dans le ciel : Gloire à toi, Seigneur.

GLOIRE À DIEU ───────────────── **page 205**

Prière ———————————————— page précédente

Lecture de la première lettre de saint Jean 1, 5 à 2, 2

VOICI LE MESSAGE que Jésus Christ nous a fait entendre et que nous vous annonçons : Dieu est lumière, il n'y a pas de ténèbres en lui. Si nous disons que nous sommes en communion avec lui, alors que nous marchons dans les ténèbres, nous sommes des menteurs, nous n'agissons pas selon la vérité ; mais, si nous marchons dans la lumière, comme il est lui-même dans la lumière, nous sommes en communion les uns avec les autres, et le sang de Jésus son Fils nous purifie de tout péché. Si nous disons que nous n'avons pas de péché, nous nous égarons nous-mêmes et la vérité n'est pas en nous. Si nous reconnaissons nos péchés, lui qui est fidèle et juste nous pardonnera nos péchés et nous purifiera de tout ce qui nous oppose à lui. Si nous disons que nous ne sommes pas pécheurs, nous faisons de lui un menteur et sa parole n'est pas en nous. Mes petits enfants, je vous écris pour que vous évitiez le péché. Mais, si l'un de nous vient à pécher, nous avons un défenseur devant le Père : Jésus Christ, le Juste. Il est la victime offerte pour nos péchés, et non seulement pour les nôtres, mais encore pour ceux du monde entier.

——— • PSAUME 123 • ———

Notre âme, comme un oiseau,
a échappé à l'oiseleur.

Sans le Seigneur qui était pour nous
quand des hommes nous assaillirent,
alors ils nous avalaient tout vivants,
dans le feu de leur colère.

Alors le flot passait sur nous,
le torrent nous submergeait ;
alors nous étions submergés
par les flots en furie.

Béni soit le Seigneur !
Le filet s'est rompu : nous avons échappé.
Notre secours est le nom du Seigneur
qui a fait le ciel et la terre.

Alléluia. Alléluia. À toi, Dieu, notre louange ! Toi, dont
témoignent les enfants martyrs, nous t'acclamons : tu
es Seigneur ! Alléluia.

Évangile de Jésus Christ
selon saint Matthieu
2, 13-18

APRÈS LA VISITE des mages
à Bethléem, l'ange du
Seigneur apparaît en songe à Joseph et lui dit : « Lève-
toi ; prends l'enfant et sa mère, et fuis en Égypte. Reste
là-bas jusqu'à ce que je t'avertisse, car Hérode va
rechercher l'enfant pour le faire périr. » Joseph se leva ;
dans la nuit, il prit l'enfant et sa mère, et se retira en
Égypte, où il resta jusqu'à la mort d'Hérode. Ainsi s'accomplit ce que le Seigneur avait dit par le prophète :
D'Égypte, j'ai appelé mon fils. Alors Hérode, voyant
que les mages l'avaient trompé, entra dans une violente
fureur. Il envoya tuer tous les enfants de moins de deux
ans à Bethléem et dans toute la région, d'après la date
qu'il s'était fait préciser par les mages. Alors s'accomplit ce que le Seigneur avait dit par le prophète Jérémie : Un cri s'élève dans Rama, des pleurs et une longue
plainte : c'est Rachel qui pleure ses enfants et ne veut
pas qu'on la console, car ils ne sont plus.

PRIÈRE SUR LES OFFRANDES. **Reçois, Seigneur, nous t'en prions, les offrandes de ton peuple ; purifie ceux qui s'empressent à te servir, puisque tu veux que tes mystères soient une source de salut même pour ceux qui n'ont pu te reconnaître. Par Jésus, le Christ, notre Seigneur.**

PRÉFACE DE LA NATIVITÉ I, II OU III ——— pages 211 et 212

PRIÈRE EUCHARISTIQUE I, II OU III ——— pages 213 à 221

Les enfants de Bethléem ont été rachetés d'entre les hommes comme prémices pour Dieu et pour l'Agneau.

PRIÈRE APRÈS LA COMMUNION. **Seigneur, accorde largement ton salut aux fidèles qui ont pris cette nourriture sainte, en ce jour où ton Église célèbre des martyrs incapables de confesser le nom de ton Fils et pourtant glorifiés par la grâce de sa naissance. Lui qui règne avec toi pour les siècles des siècles.**

MÉDITATION DU JOUR

Il envoya tuer tous les enfants

D'après un sermon de saint Thomas Becket, avant sa mort.

Un martyr chrétien n'est pas un accident. Encore moins le martyre d'un chrétien peut-il être l'effet de la volonté de l'homme de devenir un martyr, comme un homme, à force de volonté et d'efforts, peut devenir un chef.

Un martyr, un saint est toujours fait par le dessein de Dieu, par son amour pour les hommes, pour les avertir et les guider, pour les ramener à ses voies. Un martyr n'est jamais le dessein de l'homme, car le vrai martyr est celui qui est devenu l'instrument de Dieu, qui a perdu sa volonté dans la volonté de Dieu, qui ne l'a pas perdue, mais trouvée, puisqu'il a trouvé la liberté dans la soumission à Dieu.

Le martyr ne désire plus rien pour lui-même, pas même la gloire de subir le martyre. Il est possible que dans peu de temps vous ayez encore un autre martyr, et qu'il ne soit pas le dernier. J'aimerais que vous gardiez dans vos cœurs ces paroles que je vous dis et que vous y pensiez en un autre temps.

THOMAS STEARNS ELIOT

Prière du soir

Le Christ est né pour nous, alléluia,
venez, adorons-le, alléluia.

Gloire au Père, et au Fils, et au Saint-Esprit,
au Dieu qui est, qui était, et qui vient,
pour les siècles des siècles. Amen. Alléluia.

HYMNE

Pourquoi ce lourd silence,
Dieu caché,
Quand tombent sous le glaive
Les innocents ?
Ta Parole n'est proférée
Que par les cris d'un enfant ;
Un jour il nous dira
De quel amour tu nous aimes.

Il vient parmi les hommes,
Dieu caché,
Pour mettre enfin le glaive
À son fourreau.
Mais le prix qu'il devra livrer,
C'est tout son corps au bourreau :
Le monde alors verra
De quel amour tu nous aimes.

Où donc est ta victoire,
Dieu caché,
Quand tombe sous le glaive
L'Homme innocent ?
Dans la force de pardonner
Au bras qui verse le sang !
Car nous savons déjà
De quel amour tu nous aimes.

PSAUME 14   En marche vers Dieu

Seigneur, qui séjournera sous ta tente ?
Qui habitera ta sainte montagne ?

Celui qui se conduit parfaitement, +
qui agit avec justice
et dit la vérité selon son cœur.

Il met un frein à sa langue, +
ne fait pas de tort à son frère
et n'outrage pas son prochain.

À ses yeux, le réprouvé est méprisable
mais il honore les fidèles du Seigneur.

S'il a juré à ses dépens,
il ne reprend pas sa parole.

Il prête son argent sans intérêt, +
n'accepte rien qui nuise à l'innocent.
Qui fait ainsi demeure inébranlable.

Gloire au Père, et au Fils, et au Saint-Esprit…

Parole de Dieu   Éphésiens 2, 3-5

Nous étions, de nous-mêmes, voués à la colère comme tous les autres. Mais Dieu est riche en miséricorde ; à cause du grand amour dont il nous a aimés, nous qui étions des morts par suite de nos fautes, il nous a fait revivre avec le Christ : c'est bien par grâce que vous êtes sauvés.

Le Verbe a demeuré parmi nous, alléluia !

INTERCESSION

Dieu d'amour et de paix, renouvelle la foi des chrétiens : qu'ils demeurent fidèles à rendre grâce pour l'incarnation de ton Fils.

℟ Par la grâce de Jésus.

Affermis la confiance des malades et des infirmes,

Secours les pauvres et les vieillards,

Relève les accablés,

Rends l'espoir aux désespérés,

Console les cœurs en deuil,

Souviens-toi des prisonniers,

Soutiens les exilés,

Par la louange de gloire qui annonçait la naissance de ton Fils, accorde à ceux qui meurent de te louer dans l'assemblée des cieux.

Intentions libres

Notre Père...

Car c'est à toi qu'appartiennent
le règne, la puissance et la gloire,
pour les siècles des siècles !

MARDI 29 DÉCEMBRE
Saint Thomas Becket

Prière du matin

Nous te louons, Splendeur du Père,
Jésus, Fils de Dieu.

Gloire au Père, et au Fils, et au Saint-Esprit,
au Dieu qui est, qui était, et qui vient
pour les siècles des siècles. Amen. Alléluia.

HYMNE

Le Fils de l'homme est né, Noël !
Jésus nous est donné.
Jour de notre grâce :
L'étable accueille un Dieu caché ;
Rebut de notre race,
Il vient sauver le monde entier.
Paix à ceux qu'il aime. Dieu soit glorifié !

Le Fils de l'homme est né, Noël !
Jésus nous est livré.
Pain pour notre table :
La terre s'ouvre au grain jeté ;
Broyé pour les coupables,
Il vient nourrir les corps lassés.
Paix à ceux qu'il aime. Dieu soit exalté !

Le Fils de l'homme est né, Noël !
Jésus nous est livré.
Joie pour les convives :
La coupe attend le sang versé ;
Fontaine des eaux vives,
Il vient laver les corps souillés.
Paix à ceux qu'il aime. Dieu soit magnifié !

Psaume 33 (I)

Qui regarde vers lui resplendira !

Je bénirai le Seigneur en tout temps,
sa louange sans cesse à mes lèvres.
Je me glorifierai dans le Seigneur :
que les pauvres m'entendent et soient en fête !

Magnifiez avec moi le Seigneur,
exaltons tous ensemble son nom.
Je cherche le Seigneur, il me répond :
de toutes mes frayeurs, il me délivre.

Qui regarde vers lui resplendira,
sans ombre ni trouble au visage.
Un pauvre crie ; le Seigneur entend :
il le sauve de toutes ses angoisses.

L'ange du Seigneur campe à l'entour
pour libérer ceux qui le craignent.
Goûtez et voyez : le Seigneur est bon !
Heureux qui trouve en lui son refuge !

Saints du Seigneur, adorez-le :
rien ne manque à ceux qui le craignent.
Des riches ont tout perdu, ils ont faim ;
qui cherche le Seigneur ne manquera d'aucun bien.

Gloire au Père, et au Fils, et au Saint-Esprit,
pour les siècles des siècles. Amen.

*Nous aimons la vie, Dieu vivant, et nous avons faim de
bonheur. Serons-nous toujours des riches, poursuivant la
paix sans l'atteindre ? incapables de faire le bien et d'évi-
ter le mal ? Fais-nous trouver refuge dans le corps du
Christ pauvre et abattu. Alors tu entendras dans son cri
notre cri et, dans son eucharistie, notre louange.*

Parole de Dieu

Souvent dans le passé, Dieu a parlé à nos pères par les prophètes sous des formes fragmentaires et variées ; mais dans ces derniers temps, dans ces jours où nous sommes, il nous a parlé par ce Fils qu'il a établi héritier de toutes choses et par qui il a créé les mondes.

Le Verbe s'est fait chair, alléluia !

LOUANGE ET INTERCESSION

℟   Gloire à Dieu ! Aux hommes, paix sur la terre !

Dieu tout-puissant, Père de notre Seigneur Jésus Christ, en ce temps où l'Église entière célèbre ton amour rédempteur,
– reçois notre louange.

Depuis toujours, tu fais resplendir la promesse de ta victoire par le Christ notre Sauveur,
– accorde à tous les hommes la lumière de l'Évangile.

Par ton Messie, joie d'Abraham et désiré des nations, espérance des patriarches et des prophètes,
– rassemble Israël et tous les peuples en un seul corps.

Tu as voulu que la naissance de ton Fils fût annoncée par les anges et célébrée par tous les fidèles,
– donne à la terre la paix proclamée dans les cieux.

Intentions libres

Dieu que nul œil ne peut voir, tu as dissipé les ténèbres du monde en lui envoyant ta lumière ; tourne vers nous ton visage de paix, et nos louanges proclameront l'incroyable largesse que tu nous fais dans la naissance de ton Fils unique. Lui qui règne.

La messe
5e jour dans l'octave de Noël

Saint Thomas Becket (1118-1170) *Mémoire facultative*

● *Thomas Becket était chancelier d'Angleterre lorsqu'Henri II Plantagenêt le fit élire archevêque de Cantorbéry. Il prit alors avec vigueur la défense des droits de l'Église, que le roi voulait s'assujettir. Il subit en représailles l'exil en France puis, à son retour à Cantorbéry, des familiers du roi l'assassinèrent dans sa cathédrale.* ●

Prière. Tu as donné, Seigneur, à saint Thomas Becket une telle grandeur d'âme qu'il sacrifia sa vie pour la justice ; accorde-nous, par son intercession, de perdre ici-bas notre vie, pour le Christ, afin de pouvoir la trouver dans le ciel. Par Jésus Christ, ton Fils, notre Seigneur.

● *« Dieu a tant aimé le monde » (antienne d'ouverture). Telle est la clef du mystère de Noël, dont l'Église nous dit aujourd'hui l'universalisme. La lumière que Dieu a envoyée dans le monde est appelée à éclairer tous les peuples, comme le chante le vieillard Syméon. Le Christ est le Soleil qui se lève (antienne de la communion) sur tout homme. Aussi convient-il que nos louanges proclament l'« incroyable largesse » que Dieu nous a faite dans la naissance de son Fils unique. Cette descente de Dieu « qui s'est rendu visible à nos yeux » amorce notre montée vers lui. « Nous sommes entraînés par lui à aimer ce qui demeure invisible » (1re préface).*●

Dieu a tant aimé le monde qu'il a donné le Fils unique. Ainsi tout homme qui croit en lui ne périra pas mais il obtiendra la vie éternelle.

Gloire à Dieu ————————————— page 205

Prière ——————————————————— page 380

Lecture de la première lettre de saint Jean   2, 3-11

Mes bien-aimés, voici comment nous pouvons savoir que nous connaissons Jésus Christ : c'est en gardant ses commandements. Celui qui dit : « Je le connais », et qui ne garde pas ses commandements, est un menteur : la vérité n'est pas en lui. Mais en celui qui garde fidèlement sa parole, l'amour de Dieu atteint vraiment la perfection : voilà comment nous reconnaissons que nous sommes en lui. Celui qui déclare demeurer en lui doit marcher lui-même dans la voie où lui, Jésus, a marché. Mes bien-aimés, ce que je vous écris n'est pas un commandement nouveau, mais un commandement ancien que vous aviez dès le début. Ce commandement ancien, c'est la parole que vous avez entendue. Et pourtant, ce commandement que je vous écris est nouveau, il l'est vraiment en Jésus et en vous, puisque les ténèbres sont en train de disparaître, et que déjà brille la vraie lumière. Celui qui déclare être dans la lumière et qui a de la haine contre son frère est encore maintenant dans les ténèbres. Celui qui aime son frère demeure dans la lumière, et il n'y a pour lui aucune occasion de chute. Mais celui qui a de la haine contre son frère est dans les ténèbres : il marche dans les ténèbres sans savoir où il va, parce que les ténèbres l'ont rendu aveugle.

• PSAUME 95 •

Joie au ciel ! Exulte la terre !

Chantez au Seigneur un chant nouveau,
chantez au Seigneur, terre entière,
chantez au Seigneur et bénissez son nom !

De jour en jour, proclamez son salut,
racontez à tous les peuples sa gloire,
à toutes les nations ses merveilles !

Lui, le Seigneur, a fait les cieux :
devant lui, splendeur et majesté,
dans son sanctuaire, puissance et beauté.

Alléluia. Alléluia. Voici la lumière qui éclaire les
nations ! Voici la gloire d'Israël ! Alléluia.

Évangile de Jésus Christ selon saint Luc 2, 22-35

QUAND ARRIVA le jour fixé par la loi de Moïse pour
la purification, les parents de Jésus le portèrent à Jérusalem pour le présenter au Seigneur, selon ce qui est écrit
dans la Loi : Tout premier-né de sexe masculin sera
consacré au Seigneur. Ils venaient aussi présenter en
offrande le sacrifice prescrit par la loi du Seigneur : un
couple de tourterelles ou deux petites colombes. Or, il y
avait à Jérusalem un homme appelé Syméon. C'était un
homme juste et religieux, qui attendait la Consolation
d'Israël, et l'Esprit Saint était sur lui. L'Esprit lui avait
révélé qu'il ne verrait pas la mort avant d'avoir vu le
Messie du Seigneur. Poussé par l'Esprit, Syméon vint au
Temple. Les parents y entraient avec l'enfant Jésus pour
accomplir les rites de la Loi qui le concernaient. Syméon
prit l'enfant dans ses bras, et il bénit Dieu en disant :
« Maintenant, ô Maître, tu peux laisser ton serviteur s'en
aller dans la paix, selon ta parole. Car mes yeux ont vu
ton salut, que tu as préparé à la face de tous les peuples :
lumière pour éclairer les nations païennes, et gloire d'Israël ton peuple. » Le père et la mère de l'enfant s'éton-
naient de ce qu'on disait de lui. Syméon les bénit, puis
il dit à Marie sa mère : « Vois, ton fils qui est là provo-

quera la chute et le relèvement de beaucoup en Israël. Il sera un signe de division. – Et toi-même, ton cœur sera transpercé par une épée. – Ainsi seront dévoilées les pensées secrètes d'un grand nombre. »

Prière sur les offrandes. Accepte, Seigneur notre Dieu, ce que nous présentons pour cette eucharistie où s'accomplit un admirable échange : en offrant ce que tu nous as donné, puissions-nous te recevoir toi-même. Par Jésus, le Christ.

Préface de la Nativité I, II ou III—————— pages 211 et 212

Prière eucharistique I, II ou III————— pages 213 à 221

Par l'amour du cœur de notre Dieu, le Christ, Soleil levant, est venu nous visiter.

Prière après la communion. Dieu tout-puissant, nous t'en prions : fais que la communion à tes mystères sacrés soutienne constamment notre vie. Par Jésus, le Christ, notre Seigneur.

MÉDITATION DU JOUR

La mort de saint Thomas Becket
assassiné dans sa cathédrale

(Le 29 novembre 1170, à Cantorbéry.)

Quelle est la raison de sa mort ? Si l'on y regarde de près, il mourut pour cela même qui est la cause de l'antagonisme entre le monde et l'Église. L'Église est établie dans tous les pays pour s'adresser aux grands et aux petits, à tous les rangs et conditions. Pour diriger, et en un certain sens intervenir avec la conscience – et en cas de misère morale de princes adulés dès leur enfance, pour promulguer la loi et ainsi enseigner la foi.

Tel est le conflit. Le monde n'aime pas à recevoir de leçons. (Les rois juifs n'aimaient pas les prophètes.) L'Église contrarie le monde. Elle se dresse comme un témoin. Les hommes regrettent le bon vieux temps du paganisme où chacun pouvait penser et parler à sa guise. Les rois et leurs ministres n'aiment pas à rencontrer d'opposition. Ceci fut donc le conflit entre le monde et saint Thomas. Henri II se plaçait au point de vue protestant tout à fait comme les meetings actuels (écrit au XIXᵉ s.). C'est le même esprit. C'est pourquoi le monde nous persécute aujourd'hui encore.

Quand donc on nous accuse d'intervenir dans la conscience, nous disons : oui ! Et si nous ne le faisions pas, nous ne serions pas l'Église. Si nous ne le faisions pas, à quoi bon une Église ? Et vous pouvez être sûrs que l'Église ne trahira pas sa mission. *Cᵃˡ John Henry Newman*

Complies
avant le repos de la nuit

(On peut commencer par une révision de la journée, ou par un acte pénitentiel dans la célébration commune.)

Dieu, viens à mon aide,
Seigneur, à notre secours.

Gloire au Père, et au Fils, et au Saint-Esprit,
au Dieu qui est, qui était, et qui vient,
pour les siècles des siècles. Amen. Alléluia.

HYMNE

℟ Vienne la nuit de Dieu,
Vienne la nuit des hommes,
Vienne toute la paix,
Ô nuit de Jésus Christ !
Alléluia ! Amen !

Toi que j'ai cherché, Seigneur,
En ce jour,
Toi que j'ai reçu,
Donne-moi le repos de ce jour !

Toi que j'ai chanté, Seigneur,
En ce jour,
Toi que j'ai prié,
Donne-moi le repos de ce jour !

Toi que j'ai nié, Seigneur,
En ce jour,
Toi que j'ai aimé,
Donne-moi le repos de ce jour !

PSAUME 142

Plainte et prière dans l'angoisse

J'ai un abri auprès de toi, car tu es mon Dieu.

Seigneur, entends ma prière ; +
dans ta justice écoute mes appels, *
dans ta fidélité réponds-moi.
N'entre pas en jugement avec ton serviteur :
aucun vivant n'est juste devant toi.

L'ennemi cherche ma perte,
il foule au sol ma vie ;
il me fait habiter les ténèbres
avec les morts de jadis.
Le souffle en moi s'épuise,
mon cœur au fond de moi s'épouvante.

Je me souviens des jours d'autrefois,
   je me redis toutes tes actions, *
sur l'œuvre de tes mains je médite.

Je tends les mains vers toi,
me voici devant toi comme une terre assoiffée.

Vite, réponds-moi, Seigneur :
je suis à bout de souffle !
Ne me cache pas ton visage :
je serais de ceux qui tombent dans la fosse.

Fais que j'entende au matin ton amour,
car je compte sur toi.
Montre-moi le chemin que je dois prendre :
vers toi, j'élève mon âme !

Délivre-moi de mes ennemis, Seigneur :
j'ai un abri auprès de toi.
Apprends-moi à faire ta volonté,
car tu es mon Dieu.
Ton souffle est bienfaisant :
qu'il me guide en un pays de plaines.

Pour l'honneur de ton nom,
    Seigneur, fais-moi vivre ;
à cause de ta justice, tire-moi de la détresse.

Gloire au Père, et au Fils, et au Saint-Esprit,
pour les siècles des siècles. Amen.

Parole de Dieu   1 Pierre 5, 8-9a

Soyez sobres, soyez vigilants ; votre adversaire, le
démon, comme un lion qui rugit, va et vient, à la
recherche de sa proie. Résistez-lui avec la force de la foi.

En tes mains, Seigneur, je remets mon esprit.
Écoute et viens me délivrer.
Gloire au Père, et au Fils, et au Saint-Esprit.
En tes mains, Seigneur, je remets mon esprit.

Cantique de Syméon (Texte, couverture C)
Sauve-nous, Seigneur, quand nous veillons ; garde-nous quand nous dormons : nous veillerons avec le Christ, et nous reposerons en paix.

Prière

Dieu qui es fidèle et juste, réponds à ton Église en prière, comme tu as répondu à Jésus, ton serviteur. Quand le souffle en elle s'épuise, fais-la vivre du souffle de ton Esprit : qu'elle médite sur l'œuvre de tes mains, pour avancer, libre et confiante, vers le matin de sa Pâque. Par Jésus, le Christ, notre Seigneur. Amen.

Bénédiction

Que le Seigneur tourne vers nous son visage
et nous apporte la paix. Amen.

Antienne mariale

Nous te saluons, Vierge Marie,
servante du Seigneur.
Ta foi nous a donné
l'Enfant de la promesse,
la source de la vie.
Ève nouvelle,
montre-nous le Sauveur,
Jésus Christ, notre frère,
Sainte Mère de Dieu.

Saints
D'HIER ET D'AUJOURD'HUI

Le Christ est né pour nous, alléluia !
Venez, adorons-le.

Saint David
Roi (v. 1010-970 av. J.C.)

Ancêtre du Christ par excellence selon le Nouveau Testament, qui le nomme dans la généalogie de Jésus (auquel il est aussi donné le titre messianique de « fils de David »), le roi David apparaît dans l'Ancien Testament tout d'abord comme un écuyer de la cour de Saül, et comme le berger vainqueur du géant philistin, Goliath. À la mort de Saül et de son fils Jonathan, les anciens de Juda viennent l'oindre comme roi à Hébron. C'est lui qui unira les royaumes d'Israël (Nord) et de Juda (Sud) en une seule nation. Il conquiert Jérusalem et en fait sa capitale.
Les auteurs inspirés ont vu en lui l'élu de Dieu et l'initiateur d'un culte nouveau. Pourtant, ils ne cachent pas ses faiblesses, comme son adultère avec la femme de son officier Ourias et le meurtre de ce dernier. Mais ils soulignent la façon dont, repris par le prophète, David se repent. La tradition a vu en lui l'auteur de soixante-quatorze psaumes du psautier biblique et le représente s'accompagnant sur une lyre.

Notre Sauveur est né, réjouissons-nous !
Il n'est pas permis d'être triste
lorsqu'on célèbre l'anniversaire de la vie.

Saint Léon le Grand

MERCREDI 30 DÉCEMBRE

Prière du matin

Béni soit au nom du Seigneur celui qui vient !

Gloire au Père, et au Fils, et au Saint-Esprit !

Hymne

Tout le ciel s'emplit
D'une joie nouvelle :
On entend la nuit
Dire la merveille,
Fête sans pareille :
Le Sauveur est né,
L'Enfant-Dieu nous est donné.

Le Seigneur paraît,
Verbe de lumière :
L'univers connaît
La bonté du Père.
Dieu sur notre terre
Vient tracer la voie
Où chemineront nos pas.

Cantique de Judith (16)

Que la création tout entière te serve

Chantez pour mon Dieu sur les tambourins.
Jouez pour le Seigneur sur les cymbales.
Joignez pour lui l'hymne à la louange.

Exaltez-le ! Invoquez son nom !
Le Seigneur est un Dieu briseur de guerres ;
son nom est « Le Seigneur ».

Je chanterai pour mon Dieu un chant nouveau.
Seigneur, tu es glorieux, tu es grand,
admirable de force, invincible.

Que ta création, tout entière, te serve !
Tu dis, et elle existe. *
Tu envoies ton souffle : elle est créée.
Nul ne résiste à ta voix.

Si les bases des montagnes croulent dans les eaux,
si les rochers, devant ta face, fondent comme cire,
tu feras grâce à ceux qui te craignent.

Gloire au Père, et au Fils, et au Saint-Esprit,
pour les siècles des siècles. Amen.

Parole de Dieu
Isaïe 9, 5

UN ENFANT nous est né, un fils nous a été donné ;
l'insigne du pouvoir est sur son épaule ; on proclame
son nom : « Merveilleux-Conseiller, Dieu-Fort, Père-à-
jamais, Prince-de-la-Paix. »

Il s'est rappelé son amour, alléluia !

LOUANGE ET INTERCESSION

℟ Amour sans limite, béni sois-tu, Fils de Dieu !

Toi qui étais au commencement avec le Père,
tu es venu, homme parmi les hommes,
pour nous révéler que tout homme est un frère.

Toi, le Tout-Puissant,
tu t'es fait pauvre pour nous enrichir de ta pauvreté.

Toi, le Seigneur et le Maître, tu t'es mis au rang
du serviteur pour nous relever par ton abaissement.

Toi, la lumière et la vie, tu es venu dans le monde
pour nous arracher à la nuit de la mort.

Toi, le Fils unique, tu t'es manifesté dans notre chair :
accorde à ceux qui te reçoivent
de devenir enfants de Dieu.

Intentions libres

Nous t'en prions, Dieu tout-puissant, alors que le péché
nous retient encore sous sa loi, donne-nous la délivrance par la prodigieuse et nouvelle naissance en notre
chair de ton Fils unique, Jésus Christ. Lui qui règne.

LA MESSE
6ᵉ jour dans l'octave de Noël

● *L'ANTIENNE D'OUVERTURE témoigne de l'extraor-
dinaire liberté avec laquelle la liturgie use de la
parole de Dieu pour pénétrer plus avant dans le
mystère du salut. Cette simple phrase, si évoca-
trice, nous parle aujourd'hui du profond silence de
la nuit au cours de laquelle Jésus est né. Or le livre
de la Sagesse évoquait en ces termes le passage de
l'Exterminateur dans la nuit de l'exode. C'est que
Noël et Pâques se rejoignent comme fêtes de la
libération de l'homme, de sa délivrance du péché
(prière d'ouverture). « Faisant renaître en lui la
création déchue », le Fils de Dieu fait homme
« restaure toute chose et remet l'homme égaré sur
le chemin » qui mène vers Dieu (2ᵉ préface).* ●

Alors qu'un profond silence enveloppait toutes choses et
que la nuit en était au milieu de son cours, ta Parole toute-
puissante, Seigneur, est venue du ciel, ta demeure royale.

GLOIRE À DIEU ——————————————— page 205

PRIÈRE ——————————————————— ci-dessus

Lecture de la première lettre de saint Jean 2, 12-17

JE VOUS LE DIS, mes petits enfants : « Vos péchés sont pardonnés à cause du nom de Jésus. » Je vous le dis à vous, les plus anciens : « Vous connaissez celui qui existe depuis le commencement. » Je vous le dis à vous, les plus jeunes : « Vous avez vaincu le Mauvais. » Je vous l'ai dit à vous, mes enfants : « Vous connaissez le Père. » Je vous l'ai dit à vous, les plus anciens : « Vous connaissez celui qui existe depuis le commencement. » Je vous l'ai dit à vous, les plus jeunes : « Vous êtes forts, la parole de Dieu demeure en vous, vous avez vaincu le Mauvais. » N'ayez pas l'amour du monde, ni de ce qui est dans le monde. Si quelqu'un aime le monde, il n'a pas en lui l'amour du Père. Tout ce qu'il y a dans le monde – les désirs égoïstes de la nature humaine, les désirs du regard, l'orgueil de la richesse – tout cela ne vient pas du Père, mais du monde. Or, le monde avec ses désirs est en train de disparaître. Mais celui qui fait la volonté de Dieu demeure pour toujours.

• PSAUME 95 •

Joie au ciel ! Exulte la terre !

Rendez au Seigneur, familles des peuples,
rendez au Seigneur la gloire et la puissance,
rendez au Seigneur la gloire de son nom.

Apportez votre offrande, entrez dans ses parvis,
adorez le Seigneur, éblouissant de sainteté :
tremblez devant lui, terre entière.

Allez dire aux nations : « Le Seigneur est roi ! »
Le monde, inébranlable, tient bon.
Il gouverne les peuples avec droiture.

Alléluia. Alléluia. Aujourd'hui la lumière a brillé sur la terre. Peuples de l'univers, entrez dans la clarté de Dieu. Venez tous adorer le Seigneur ! Alléluia.

Évangile de Jésus Christ selon saint Luc   2, 36-40

Quand les parents de Jésus vinrent le présenter au Temple, il y avait là une femme qui était prophète, Anne, fille de Phanuel, de la tribu d'Aser. Demeurée veuve après sept ans de mariage, elle avait atteint l'âge de quatre-vingt-quatre ans. Elle ne s'éloignait pas du Temple, servant Dieu jour et nuit dans le jeûne et la prière. S'approchant d'eux à ce moment, elle proclamait les louanges de Dieu et parlait de l'enfant à tous ceux qui attendaient la délivrance de Jérusalem. Lorsqu'ils eurent accompli tout ce que prescrivait la loi du Seigneur, ils retournèrent en Galilée, dans leur ville de Nazareth. L'enfant grandissait et se fortifiait, tout rempli de sagesse, et la grâce de Dieu était sur lui.

Prière sur les offrandes. Reçois favorablement, Seigneur, les offrandes de ton peuple, pour qu'il obtienne dans le mystère eucharistique les biens auxquels il croit de tout son cœur. Par Jésus, le Christ, notre Seigneur.

Préface de la Nativité I, II ou III——— pages 211 et 212

Prière eucharistique I, II ou III——— pages 213 à 221

Tous nous avons eu part à la plénitude du Christ : nous avons reçu grâce après grâce.

Prière après la communion. Quand nous allons communier, Seigneur, tu viens à notre rencontre ; produis en nos cœurs le fruit de ce sacrement, car seule ta grâce peut nous préparer à recevoir tes grâces. Par Jésus, le Christ, notre Seigneur.

MÉDITATION DU JOUR

Offrez votre Fils, vierge consacrée

Offrez votre Fils, vierge consacrée, et présentez au Seigneur le fruit béni de vos entrailles. Offrez pour notre réconciliation à tous la victime sainte, qui plaît à Dieu. Dieu acceptera totalement cette offrande nouvelle, cette victime très précieuse, de laquelle il dit : *Celui-ci est mon Fils bien-aimé ; j'ai mis en lui toutes mes complaisances.*

Mais cette offrande-ci, mes frères, semble assez douce ; elle est seulement présentée au Seigneur, rachetée par des oiseaux et remportée aussitôt. Viendra le jour où ce fils ne sera plus offert dans le Temple, ni dans les bras de Syméon, mais hors de la cité, dans les bras de la croix. Viendra le jour où il ne sera plus racheté par le sang d'une victime, mais rachètera les autres par son propre sang, parce que Dieu l'a envoyé comme rédemption pour son peuple. Ce sera le sacrifice du soir ; celui-ci est le sacrifice du matin ; celui-ci est plus joyeux, mais celui-là sera plus plénier ; car celui-ci est offert au temps de la naissance, et celui-là sera offert à la plénitude de l'âge.

C'est volontairement que je vous offrirai un sacrifice, Seigneur, parce que c'est volontairement que vous vous êtes offert pour mon salut, non pour votre utilité.   S. BERNARD DE CLAIRVAUX

Prière du soir

Gloire au Père ! Gloire au Fils !
Gloire à l'Esprit de Dieu !

Hymne

Avec les bergers,
Avec tous les sages,
C'est le monde entier
Qui vers lui s'engage
Pour voir le visage
De l'amour vivant
Qui pour nous s'est fait enfant.

Gloire à Jésus Christ,
Gloire au Fils du Père !
Gloire à son Esprit
Dont l'amour éclaire
L'éclatant mystère
Qui remplit le ciel :
Gloire à l'Homme-Dieu, Noël !

Psaume 26   Confiance intrépide en Dieu
Nous avons vu la gloire de Dieu sur la face de son Christ.

Le Seigneur est ma lumière et mon salut ;   lumière
    de qui aurais-je crainte ? *   salut
Le Seigneur est le rempart de ma vie ;   rempart
    devant qui tremblerais-je ?

Si des méchants s'avancent contre moi
    pour me déchirer, +   il est avec moi
ce sont eux, mes ennemis, mes adversaires, *
    qui perdent pied et succombent.   victoire

Qu'une armée se déploie devant moi,
    mon cœur est sans crainte ; *
que la bataille s'engage contre moi,
    je garde confiance.   confiance

J'ai demandé une chose au Seigneur,
    la seule que je cherche : +
habiter la maison du Seigneur

tous les jours de ma vie, *   demeure
pour admirer le Seigneur dans sa beauté
    et m'attacher à son temple.   de beauté

Oui, il me réserve un lieu sûr
    au jour du malheur ; +
il me cache au plus secret de sa tente,
    il m'élève sur le roc. *   roc
Maintenant je relève la tête
    devant mes ennemis.

J'irai célébrer dans sa tente   tente
    le sacrifice d'ovation ; *
je chanterai, je fêterai le Seigneur.   chant de fête

Écoute, Seigneur, je t'appelle ! *   vers toi
    Pitié ! Réponds-moi !   je crie
Mon cœur m'a redit ta parole :   j'appelle
    « Cherchez ma face. » *   je cherche
C'est ta face, Seigneur que je cherche :
    ne me cache pas ta face.

N'écarte pas ton serviteur avec colère : *   toi
    tu restes mon secours   secours
Ne me laisse pas, ne m'abandonne pas,
    Dieu, mon salut ! *   salut
Mon père et ma mère m'abandonnent ;   père, mère
    le Seigneur me reçoit.

Enseigne-moi ton chemin, Seigneur, *   chemin
conduis-moi par des routes sûres,   route
    malgré ceux qui me guettent.
Ne me livre pas à la merci de l'adversaire : *
contre moi se sont levés de faux témoins   juge
    qui soufflent la violence.   force

Mais j'en suis sûr, je verrai les bontés du Seigneur
    sur la terre des vivants *   courage

« Espère le Seigneur, sois fort et prends courage ;
    espère le Seigneur. »   *espérance dernière*

Gloire au Père, et au Fils, et au Saint-Esprit...

Parole de Dieu   2 Corinthiens 8, 9

Vous connaissez en effet la générosité de notre Seigneur Jésus Christ : lui qui est riche, il est devenu pauvre à cause de vous, pour que vous deveniez riches par sa pauvreté.

Le Verbe s'est fait chair, alléluia !

INTERCESSION

Invoquons le Christ, berger des peuples,
né à Bethléem de Juda :

℟   Sois avec nous, Seigneur, Emmanuel !

Ô Christ, Sauveur, désiré des peuples,
– répands ton Évangile dans les pays
qui n'ont pas reçu ta parole.

Ô Christ, Seigneur, fais grandir ton Église,
élargis ses demeures :
– qu'elle accueille les hommes de toutes les races.

Ô Christ, Roi des rois,
dirige l'esprit des chefs d'État :
– qu'ils recherchent la justice et la paix.

Ô Christ, ami des pauvres,
– veille sur l'isolé, affermis la foi des persécutés.

Ô Christ, consolateur de ceux qui pleurent,
sois le courage des mourants,
– établis-les dans ta joie.   **Intentions libres**

Notre Père... Car c'est à toi qu'appartiennent...

SAINTS
D'HIER ET D'AUJOURD'HUI

*Chantons le Christ,
chantons le Roi, né de la Vierge Marie.*

BIENHEUREUX JEAN-MARIE BOCCARDO
Prêtre (1848-1913)

Aîné de dix enfants, il naît dans le nord de l'Italie, dans la province de Turin où il entre au séminaire à 18 ans. Ordonné prêtre cinq ans plus tard, il devient directeur spirituel des séminaires de Chieri et Turin, convaincu de l'exigence de sainteté que requiert son rôle de formateur. Il achève un doctorat en théologie en 1877, et est nommé curé de Pancalieri en 1882 : sa paroisse est dès lors pour lui une « terre de mission », il considère comme son premier devoir de curé d'évangéliser, et il s'offre à Dieu pour le bien de ses paroissiens. Il a la joie de voir refleurir la vie chrétienne à Pancalieri et ce « bon père », comme on l'appelait, s'éteint le 30 décembre 1913. Son père lui avait dit, lorsqu'il lui avait annoncé sa volonté de devenir prêtre : « Oui, si tu es un vrai prêtre, pas seulement en habit, mais en actes. »

*La majesté du Fils de Dieu
n'a pas dédaigné l'état d'enfance.*

Saint Léon le Grand

JEUDI 31 DÉCEMBRE
Saint Sylvestre Ier

Prière du matin

Nous te louons, Splendeur du Père,
Jésus, Fils de Dieu !

Gloire au Père, et au Fils, et au Saint-Esprit,
au Dieu qui est, qui était, et qui vient,
pour les siècles des siècles. Amen. Alléluia.

HYMNE

Qui peut me dire l'endroit
Où Jésus le Christ est né ?
Vois, Jésus prend naissance
Où l'homme commence
D'ouvrir son cœur et ses mains
Pour changer la vie de ses frères ;
Oui, là, Jésus prend naissance.

Qui peut me dire le jour
Où Jésus le Christ est né ?
Vois, Jésus prend naissance
Quand l'homme commence
D'ouvrir son cœur et ses mains
Pour changer la vie de ses frères ;
Alors, Jésus prend naissance.

Qui peut me dire pourquoi
Jésus le Seigneur est né ?
Vois, Jésus prend naissance
Pour toi qui commences
D'ouvrir ton cœur et tes mains
Pour changer la vie de tes frères ;
Pour toi, Jésus prend naissance.

PSAUME 56

Confiance en Dieu dans la souffrance

Prions au nom de tous les prisonniers, les persécutés, nos frères.
Prions au nom de Jésus, vainqueur du mal et de la mort.

Pitié, mon Dieu, pitié pour moi !
En toi je cherche refuge,
un refuge à l'ombre de tes ailes,
aussi longtemps que dure le malheur.

Je crie vers Dieu, le Très-Haut,
vers Dieu qui fera tout pour moi.
Du ciel, qu'il m'envoie le salut :
(mon adversaire a blasphémé !)
Que Dieu envoie son amour et sa vérité !

Je suis au milieu de lions
et gisant parmi des bêtes féroces ;
ils ont pour langue une arme tranchante,
pour dents, des lances et des flèches.

Dieu, lève-toi sur les cieux :
que ta gloire domine la terre !

Ils ont tendu un filet sous mes pas :
    j'allais succomber. *
Ils ont creusé un trou devant moi,
    ils y sont tombés.

Mon cœur est prêt, mon Dieu, +
mon cœur est prêt ! *
Je veux chanter, jouer des hymnes !

Éveille-toi, ma gloire ! +
Éveillez-vous, harpe, cithare, *
que j'éveille l'aurore !

Je te rendrai grâce parmi les peuples, Seigneur,
et jouerai mes hymnes en tous pays.

Ton amour est plus grand que les cieux,
ta vérité, plus haute que les nues.

Dieu, lève-toi sur les cieux :
que ta gloire domine la terre !

Gloire au Père, et au Fils, et au Saint-Esprit,
pour les siècles des siècles. Amen.

*Dieu Très-Haut qui as tout fait pour nous, sois notre
refuge dans le malheur. Par ton amour et ta vérité,
envoie-nous le salut. Avec Jésus que tu as élevé dans le
ciel, nous chanterons ton immense gloire.*

Parole de Dieu
Isaïe 45, 22-23

TOURNEZ-VOUS vers moi pour être sauvés, habitants de la terre entière. Car c'est moi qui suis Dieu, il n'y en a pas d'autre. Je le jure par moi-même : de ma bouche sortira le salut, cette parole ne reviendra pas en arrière ; devant moi toute créature tombera à genoux, par moi jurera toute langue.

*Le Verbe s'est fait chair, alléluia,
il a habité parmi nous, alléluia.*

LOUANGE ET INTERCESSION

℟ Fils du Dieu vivant, exauce-nous !

Ô Christ, né du Père avant tous les siècles,
venu dans le monde à la plénitude des temps,
– nous t'en prions : conduis l'homme
à son accomplissement.

Ô Christ, splendeur de la gloire du Père,
toi qui soutiens l'univers par ta parole puissante,
– nous t'en prions : accorde à toute créature
la délivrance de ton salut.

Ô Christ, depuis toujours auprès du Père,
né à Bethléem selon les prophéties,
– nous t'en prions : pour que l'Église rayonne
ta lumière, donne-lui la pauvreté.

Ô Christ, vrai Dieu et vrai homme,
Seigneur et fils de David,
– nous t'en prions : qu'Israël reconnaisse
en toi son Messie.

Intentions libres

Dieu éternel et tout-puissant, tu as voulu que tout effort
de l'homme vers toi trouve son origine et son achève-
ment dans l'incarnation de ton Fils ; accorde-nous
d'être comptés dans la part du Christ qui résume en lui
le salut du genre humain. Lui qui règne.

LA MESSE
7ᵉ jour dans l'octave de Noël

SAINT SYLVESTRE Iᵉʳ (IVᵉ S.)   *Mémoire facultative*

● *Sylvestre, élu pape au lendemain de la paix
constantinienne, gouverna l'Église romaine durant
vingt et un ans (314-335). Il vit la foi chrétienne
pénétrer toutes les classes de la société, mais il
assista aussi, impuissant, à la crise que déclencha
le prêtre alexandrin Arius en niant la divinité du
Christ. Il fut présent par ses légats au concile de
Nicée, le premier concile œcuménique (325).* ●

PRIÈRE. Viens secourir ton peuple, Seigneur ; à la prière du
pape saint Sylvestre, soutiens-le : conduis-le au long de cette
vie qui passe pour qu'il arrive un jour à la vie qui ne finit
pas. Par Jésus Christ, ton Fils, notre Seigneur.

● *JÉSUS « résume en lui le salut du genre humain »
(prière d'ouverture). L'École française de spiritua-*

lité, qui a contemplé avec tant d'émerveillement le mystère de Noël, honorait dans le Christ le Religieux de Dieu. C'est qu'en Jésus Dieu se donne tout entier à l'homme, et l'homme se voue tout entier à Dieu, parce qu'en lui Dieu et l'homme ne sont qu'une seule personne. C'est l'enseignement du prologue de saint Jean, que nous entendons de nouveau aujourd'hui (Évangile). Quant à nous, nous devons prendre conscience de notre grandeur : en Jésus nous sommes « consacrés par l'onction » (1ʳᵉ lecture). Mais notre salut d'hommes libres demeure toujours en jeu. Aussi devons-nous demander humblement « d'être comptés dans la part du Christ » (prière d'ouverture). ●

Un enfant nous est né, un fils nous a été donné ; l'insigne du pouvoir est sur son épaule ; on l'appelle Messager de Dieu.

Gloire à Dieu ——————————————— page 205

Prière ————————————————— page précédente

Lecture de la première lettre de saint Jean 2, 18-21

MES ENFANTS, nous sommes à la dernière heure. L'Anti-Christ, comme vous l'avez appris, doit venir ; or, il y a dès maintenant beaucoup d'anti-christs ; nous savons ainsi que nous sommes à la dernière heure. Ils sont sortis de chez nous, mais ils n'étaient pas des nôtres ; s'ils avaient été des nôtres, ils seraient restés avec nous. Mais pas un d'entre eux n'est des nôtres, et cela devait être manifesté. Quant à vous, celui qui est saint vous a consacrés par l'onction, et ainsi vous avez tous la connaissance. Je ne vous dis pas que vous ignorez la vérité, mais je vous dis : « Vous la connaissez », et la vérité ne produit aucun mensonge.

──── • PSAUME 95 • ────

Joie au ciel !
Exulte la terre !

Chantez au Seigneur un chant nouveau,
chantez au Seigneur, terre entière,
chantez au Seigneur et bénissez son nom !

Joie au ciel ! Exulte la terre !
Les masses de la mer mugissent,
la campagne tout entière est en fête.

Les arbres des forêts dansent de joie
devant la face du Seigneur, car il vient,
car il vient pour juger la terre.

Alléluia. Alléluia. Le Verbe s'est fait chair, il a demeuré
parmi nous. Par lui, deviendront fils de Dieu tous ceux
qui le reçoivent. Alléluia.

Commencement de l'Évangile
de Jésus Christ selon saint Jean   1, 1-18

AU COMMENCEMENT était le Verbe, la Parole de Dieu,
et le Verbe était auprès de Dieu, et le Verbe était Dieu.
Il était au commencement auprès de Dieu. Par lui, tout
s'est fait, et rien de ce qui s'est fait ne s'est fait sans lui.
En lui était la vie, et la vie était la lumière des hommes ;
la lumière brille dans les ténèbres, et les ténèbres ne
l'ont pas arrêtée. Il y eut un homme envoyé par Dieu.
Son nom était Jean. Il était venu comme témoin, pour
rendre témoignage à la Lumière, afin que tous croient
par lui. Cet homme n'était pas la Lumière, mais il était
là pour lui rendre témoignage. Le Verbe était la vraie
Lumière, qui éclaire tout homme en venant dans le
monde. Il était dans le monde, lui par qui le monde

s'était fait, mais le monde ne l'a pas reconnu. Il est venu chez les siens et les siens ne l'ont pas reçu. Mais tous ceux qui l'ont reçu, ceux qui croient en son nom, il leur a donné de pouvoir devenir enfants de Dieu. Ils ne sont pas nés de la chair et du sang, ni d'une volonté charnelle, ni d'une volonté d'homme : ils sont nés de Dieu. Et le Verbe s'est fait chair, il a habité parmi nous, et nous avons vu sa gloire, la gloire qu'il tient de son Père comme Fils unique, plein de grâce et de vérité. Jean Baptiste lui rend témoignage en proclamant : « Voici celui dont j'ai dit : Lui qui vient derrière moi, il a pris place devant moi, car avant moi il était. » Tous nous avons eu part à sa plénitude, nous avons reçu grâce après grâce : après la Loi communiquée par Moïse, la grâce et la vérité sont venues par Jésus Christ. Dieu, personne ne l'a jamais vu ; le Fils unique, qui est dans le sein du Père, c'est lui qui a conduit à le connaître.

PRIÈRE SUR LES OFFRANDES. Dieu qui donnes la grâce de te servir avec droiture et de chercher la paix, fais que cette offrande puisse te glorifier, et que notre participation à l'eucharistie renforce les liens de notre unité. Par Jésus, le Christ.

PRÉFACE DE LA NATIVITÉ I, II OU III——————— pages 211 et 212

PRIÈRE EUCHARISTIQUE I, II OU III——————— pages 213 à 221

Dieu a envoyé son Fils unique dans le monde pour que nous vivions par lui.

PRIÈRE APRÈS LA COMMUNION. Ton peuple, Seigneur, a besoin de multiples secours pour sa traversée d'ici-bas ; que ta bonté les lui donne aujourd'hui et demain : trouvant alors la force nécessaire dans les biens qui passent, il recherchera les biens éternels avec plus de confiance. Par Jésus, le Christ, notre Seigneur.

MÉDITATION DU JOUR

Le Verbe s'est fait chair

Toi seul tu es vraiment Seigneur, mon Dieu, toi pour qui dominer sur nous, c'est nous sauver, tandis que pour nous, te servir, ce n'est pas autre chose que d'être sauvés par toi. Comment donc en effet sommes-nous sauvés par toi, Seigneur, de qui vient le salut, et qui répands sur ton peuple ta bénédiction (Ps **3**, 9), si ce n'est en recevant de toi de t'aimer et d'être aimés par toi ? Et pour cela, Seigneur, tu as voulu que le Fils de ta droite, l'homme que tu t'es attaché, soit appelé Jésus, c'est-à-dire Sauveur. C'est lui qui sauvera son peuple de ses péchés (Mt **1**, 21) ; il n'y en a pas d'autre en qui soit le salut (Ac **4**, 12). C'est lui qui nous a appris à l'aimer quand le premier il nous a aimés, et jusqu'à la mort de la croix. Par son amour et sa dilection, il éveille en nous l'amour jusqu'à l'extrême…

Oui, c'est bien ainsi : tu nous as aimés le premier, pour que nous t'aimions. Tu n'as pas besoin de notre amour, mais nous ne pouvions parvenir à la fin que tu nous avais donnée qu'en t'aimant. C'est pourquoi, ayant jadis parlé à nos pères par les prophètes, bien des fois et de bien des manières, en ces derniers jours, tu nous as parlé par le Fils (He **1**, 1-2), ton Verbe ; c'est par lui que les cieux ont été faits, et par le souffle de sa bouche toute leur puissance (Ps **32**, 6). Parler par ton Fils, pour toi, ce n'est pas autre chose que de mettre en plein soleil, de faire voir avec éclat combien et comment tu nous as aimés, puisque tu n'as pas épargné ton propre Fils, mais l'as livré pour nous tous. Et lui aussi, il nous a aimés, et il s'est livré lui-même pour nous. *Guillaume de Saint-Thierry*

Prière du soir
Veille de la solennité de Marie, Mère de Dieu

Hymne

1 Au commencement
Était le Verbe !
Il était en Dieu !
Il était Dieu !
Alléluia ! Alléluia !
Alléluia !

2 Il était la Vie,
Notre lumière.
La lumière luit
Dans notre nuit !
Alléluia ! Alléluia !
Alléluia !

3 Qui croit en son nom
A Dieu pour Père !
Qui l'aura reçu
Ne mourra plus !
Alléluia ! Alléluia !
Alléluia !

4 Le Verbe fait chair,
Parmi les hommes,
A manifesté
La vérité !
Alléluia ! Alléluia !
Alléluia !

5 Nous tenons de Lui
Grâce sur grâce !
Il a révélé
Le Dieu caché !
Alléluia ! Alléluia !
Alléluia !

6 Et par Jésus Christ,
Le Fils unique,
Un jour, de nos yeux,
Nous verrons Dieu !
Alléluia ! Alléluia !
Alléluia !

Psaume 29

Seigneur, que je te rende grâce en cette fin d'année !

Je t'exalte, Seigneur : tu m'as relevé,
tu m'épargnes les rires de l'ennemi.

Quand j'ai crié vers toi, Seigneur,
     mon Dieu, tu m'as guéri ; *

Seigneur, tu m'as fait remonter de l'abîme
et revivre quand je descendais à la fosse.

Fêtez le Seigneur, vous, ses fidèles,
rendez grâce en rappelant son nom très saint.

Sa colère ne dure qu'un instant,
sa bonté, toute la vie ; *
avec le soir, viennent les larmes,
mais au matin, les cris de joie.

Dans mon bonheur, je disais :
Rien, jamais, ne m'ébranlera !

Dans ta bonté, Seigneur, tu m'avais fortifié
sur ma puissante montagne ; *
pourtant, tu m'as caché ta face
et je fus épouvanté.

Et j'ai crié vers toi, Seigneur
j'ai supplié mon Dieu :

« À quoi te servirait mon sang
si je descendais dans la tombe ? *
La poussière peut-elle te rendre grâce
et proclamer ta fidélité ?

« Écoute, Seigneur, pitié pour moi !
Seigneur, viens à mon aide ! »

Tu as changé mon deuil en une danse,
mes habits funèbres en parure de joie.

Que mon cœur ne se taise pas,
qu'il soit en fête pour toi, *
et que sans fin, Seigneur, mon Dieu,
je te rende grâce !

Gloire au Père, et au Fils, et au Saint-Esprit,
pour les siècles des siècles. Amen.

*Nous te rendons grâce, Maître de la vie et de la mort,
car tu n'as pas abandonné ton Fils à la tombe, mais tu
as voulu qu'après le soir de la Passion, il exulte en cris
de joie, au matin de Pâques. Quand viennent pour nous
les larmes et que tu nous caches ta face, laisse-nous crier
vers toi et proclamer que ta fidélité nous relèvera.*

Un long temps de silence en cette fin d'année.

HYMNE DE LOUANGE   (Texte, couverture C)

INTERCESSION

Béni soit Jésus, notre Sauveur,
venu nous rassembler en lui.
À lui, notre prière et notre supplication.

℟ Jésus, notre force et notre paix, exauce-nous.

Ta naissance a révélé aux hommes
de quel amour tu les aimes :
– garde-nous dans l'action de grâce.

Tu as comblé de grâce ta mère, la Vierge Marie :
– accorde à ton Église l'abondance de tes dons.

Tu es venu annoncer au monde son pardon
et sa délivrance :
– multiplie le nombre de ceux qui t'écoutent.

En naissant de la Vierge Marie,
tu t'es fait notre frère :
– enseigne aux hommes à s'aimer les uns les autres.

Tu es apparu dans le monde
comme la lumière sans déclin :
– que nos frères défunts te voient face à face.

Intentions libres

Notre Père... Car c'est à toi qu'appartiennent...

SAINTS
D'HIER ET D'AUJOURD'HUI

Le chœur céleste est dans la joie,
car le Pasteur s'est révélé à des bergers.

SAINTE COLOMBE DE SENS
Vierge et martyre (IIIe s.)

Le roi Clothaire III fonda sur sa tombe à Sens le
monastère de Sainte-Colombe-lès-Sens,
complètement détruit en 1792. Sa châsse, gardée par
des bénédictins jusqu'à la Révolution, avait été
exécutée, dit-on, par saint Éloi. Son culte s'est
répandu au Moyen Âge dans au moins seize diocèses
de France, mais aussi en Flandres, à Rimini, à
Cologne, et en Espagne. Selon un récit médiéval
légendaire, elle aurait subi le martyre pour avoir
refusé d'épouser un prince païen.

SAINTE MÉLANIE
Mère de famille puis religieuse (v. 383-439)

Petite fille de Mélanie l'Ancienne, patricienne
romaine de la famille des Valeri, qui avait été l'une des
premières dames romaines à visiter la Terre sainte, et
avait fondé un monastère au mont des Oliviers,
Mélanie « la Jeune » épousa son cousin saint Pinien.
Ils eurent deux enfants qui moururent jeunes,
et ils partirent alors à Jérusalem, vers 410 : ils y
finirent leurs jours comme religieux.

Voici que la paix n'est plus promise mais envoyée,
non plus remise à plus tard mais donnée,
non plus prophétisée mais proposée.

Saint Bernard de Clairvaux

Qu'en 1999 l'Esprit Saint inspire notre fidélité quotidienne dans l'adoration et la louange. Gloire à Dieu au plus haut des cieux et paix aux hommes qu'il aime !

Adeste fideles, laeti triumphantes,
Venite, venite in Bethlehem.
Natum videte regem angelorum :
℟ *Venite adoremus, venite adoremus,*
Venite adoremus Dominum !

Peuple fidèle, le Seigneur t'appelle :
C'est fête sur terre, le Christ est né.
Viens à la crèche voir le Roi du monde :
℟ En lui viens reconnaître, en lui viens reconnaître,
En lui viens reconnaître ton Dieu, ton Sauveur !

En grege relicto, humiles ad cunas,
Vocati pastores approperant :
Et nos ovanti gradu festinemus :

Verbe, Lumière et Splendeur du Père,
Il naît d'une mère, petit enfant,
Dieu véritable, le Seigneur fait homme :

Aeterni Parentis splendorem aeternum
Velatum sub carne videbimus :
Deum infantem, pannis involutum :

Peuple acclame avec tous les anges,
Le Maître des hommes qui vient chez toi,
Dieu qui se donne à tous ceux qu'il aime !

Pro nobis egenum et foeno cubantem,
Piis foveamus amplexibus :
Sic nos amantem quis non redamaret ?

Peuple fidèle, en ce jour de fête,
Proclame la gloire de ton Seigneur.
Dieu se fait homme pour montrer qu'il t'aime.

(Le cantique, inspiré du latin, se chante sur la même mélodie.)

MAGNIFICAT

Directeur de la rédaction : **Pierre-Marie Varennes**
Rédactrice en chef : **Bernadette Mélois**
Conseillère pour la liturgie
Rubrique « Méditations du jour » : **sœur Isabelle-Marie Brault**
Rubrique « Saints d'hier et d'aujourd'hui » : **Anita Sanchez-Bourdin**
Secrétaire générale de la rédaction : **Frédérique Chatain**
Secrétaires de rédaction : **Solange Bosdevesy et Nathalie Delpérié**
Rédacteur-réviseur : **Bernadette Lallouet**
Abonnement : **Fabienne Bénétatos**
Ont collaboré à ce numéro :
**Xavier Ledoux et Marie-Noëlle Thabut ;
les pères Jean Bihan, Pierre Jounel et Jean-Marie Tézé**

RÉDACTION : 11, rue Duguay-Trouin, 75006 Paris
Tél. : 01.53.63.19.19   Fax : 01.45.49.29.97

Magnificat est publié par les éditions Tardy
Président Directeur Général,
Directeur de la publication : Vincent Montagne
Auteur : Pierre-Marie Varennes
Groupe Fleurus-Mame : S.A. au capital de 60 329 000 F
Principaux associés : Média participations Paris
RCS : 957 500 044 B PARIS Commission paritaire : 74410
ISSN n° 1240-0971 Dépôt légal : à parution

Impression : Maulde et Renou, Paris

ABONNEMENTS

30, rue de la Passerelle
93164 Noisy-le-Grand Cedex
Tél. : 01.43.05.26.00   Fax : 01.43.05.42.80

Tarifs : 1 an (format 10,3 x 15,7) **France** : 172 F. **CEE et DOM-TOM** : 209 F.
Étranger : 230 F.
1 an (format 11,5 x 17) **France** : 198 F. **CEE et DOM-TOM** : 240 F.
Étranger : 270 F.

Le nom et l'adresse de nos abonnés sont uniquement communiqués à notre service abonnement et aux organismes liés contractuellement avec Magnificat. Conformément à la loi : droit d'accès et de rectification.

Couverture : *El Nacimiento*, Federico Barocci (1535-1612), musée du Prado, Madrid (Espagne) © AKG Paris.